W9-CBZ-636

Amadís-Esplandián—Calisto:
Historia de un linaje adulterado

José Porrúa Turanzas, S.A.
EDICIONES

stuðia humanitatis

Directed by
BRUNO M. DAMIANI
The Catholic University of America

ADVISORY BOARD

Amadís-Esplandián-Calisto
Historia de un linaje adulterado

Antony van Beysterveldt

 studia humanitatis

Publisher and distributor
  José Porrúa Turanzas, S.A.
  Cea Bermúdez, 10 - Madrid-3
  España

Distributor for U.S.A.
  Studia Humanitatis
  1383 Kersey Lane
  Potomac, Maryland 20854

Printed in the United States of America
Impreso en Los Estados Unidos

Cea Bermúdez, 10 - Madrid-3
Ediciones José Porrúa Turanzas, S.A.

For Danute, Isabela, Roger and Victor;
and for Ytje, who kept alive my belief in
yesterday.

Indice de Materias

SEGUNDA PARTE
La Celestina según la epoca de Fernando de Rojas

Acknowledgments

The writing of this book has been made possible thanks to a Faculty Development Leave grant to the author by Bowling Green State University in Ohio. Generous financial aid for preliminary research has also been offered by the Faculty Research Committee of the same Institution. The author expresses his deep appreciation and gratitude for this support.

Prologo

El propósito del presente estudio es el de describir los profundos cambios que tuvieron lugar en la cultura afectiva de Castilla durante la época inmediatamente anterior al reinado de los Reyes Católicos y que se extiende hasta mediados del siglo XVI. El mero título de este libro, *Amadís-Esplandián-Calisto: Historia de un linaje adulterado*, ya sugiere la idea de que es posible presentar un cuadro histórico-literario adecuado para describir y explicar esa larguísima evolución.

En la Primera Parte del libro examino las transformaciones que se han operado en el mundo sentimental de *Amadís de Gaula* (Libros I a V). En esta parte del libro he incorporado una versión ampliada de dos estudios que se publicaron en *Hispanic Review* (otoño, 1981, "El amor caballeresco del *Amadís* y el *Tirante*") y en *Zeitschrift für Romanische Philologie*, (otoño, 1981, "La transformación de la misión del caballero andante en el *Esplandián* y sus repercusiones en la concepción del amor cortés"). Ambos estudios han perdido su estricto carácter de monografías en el contexto más amplio del presente trabajo.

La gran escasez de estudios interpretativos tanto sobre el *Amadís* como sobre *Tirante el Blanco* ha sido un factor más bien propicio para explorar los diferentes aspectos que se hacen visibles al enfocar la realidad literaria del *Amadís* desde la amplia perspectiva de los dos conceptos de "Ardimiento" y de "Sabiduría." Por eso creo que la mayoría de los historiadores literarios tendrán poca dificultad en reconciliar sus ideas sobre el *Amadís* con mis conclusiones a esta Primera Parte, pero que se resistirán mucho más a aceptar la nueva visión que se abre en la Segunda Parte, dedicada al mundo celestinesco.

Si el íntimo enlace entre la figura de Amadís y la de Esplandián constituye, en efecto, un dato ineludible que está en el fundamento novelesco mismo del *Amadís*, la relación entre Esplandián y Calisto parece a primera vista mucho menos obvia. En primer lugar, nos adentramos aquí en un panorama literario sobre el que existe una abundantísima historiografía crítica. A renglón seguido hay que añadir, sin embargo, que esa densa concentración de esfuerzos por parte de la crítica está muy lejos de haber resultado en una visión unitaria y coherente sobre la literatura sentimental-popular de la época que nos ocupa aquí. La gran dificultad que en una profusa variedad de formas la crítica ha tratado de eludir es, a mi juicio, la tradición de la poesía cancioneril.

Hubo un momento, aún muy próximo al tiempo presente, en que los estudiosos de la cultura prerrenacentista de España se dieron cuenta, por fin, de que ya no era posible seguir aceptando como indiscutible verdad las ideas negativas formuladas por Menéndez Pelayo y Menéndez Pidal acerca de la poesía cortesana del siglo XV. Hasta entonces, los fallos pronunciados por los dos maestros de la crítica española les habían deparado un cómodo pretexto para rechazar esa voluminosa producción poética como una etapa virtualmente irrelevante para la evolución de la historia literaria. En los últimos años se han publicado varios estudios en que los autores, en vez de discutir aspectos puramente formales y técnicos, que fue el único tema estimado digno de alguna atención por Menéndez Pelayo y Pidal, se han aplicado a examinar también el contenido ideológico de ciertas composiciones cancioneriles. Pero que los viejos anatemas lanzados desde hace más de medio siglo aún no hayan perdido toda su virulencia es algo que se manifiesta en el carácter fragmentario de estos escritos y en el decidido intento de sus autores de no atribuir sino un alcance muy limitado al impacto que esta larga tradición pueda haber tenido en la formación de otros géneros literarios. A este respecto me permito mencionar el libro de Keith Whinnom, *La poesía amatoria de la época de los Reyes Católicos,* de próxima publicación, pero cuyo manuscrito el autor ha tenido la gentileza de enviarme. Son admirables los criterios que Whinnom aplica para despejar este campo de estudios de los prejuicios que lo han encerrado hasta ahora en una especie de limbo histórico-literario. El autor reconoce la irradiación con que el lenguaje del amor cancioneril se ha extendido a otros géneros literarios. Pero al llegar al verdadero objeto de sus investigaciones, vemos cómo Whinnom pone su insólita erudición cancioneril y su penetrante facultad analítica al servicio de una tarea que, en último análisis, va encaminada a cerrar el paso a todo intento de descubrir en la lírica del siglo XV ningún sentido que rebase los límites de lo específico, de lo pintoresco, en suma, de lo incoherente. Es comprensible el temor que profesa este hispanista a las conclusiones rápidas. Pero hay que reconocer que si este temor se convirtiera en verdadera fobia a toda generalización, tendría un efecto paralizante en cualquier tentativa para llegar jamás a una visión coherente sobre la cultura literaria de ninguna época. En última instancia, tal actitud denota una postura que termina en un círculo vicioso, a menos que se suponga que en nuestra disciplina, como en las ciencias exactas, existe un conjunto sistemático de ideas cuya validez general es reconocida por la comunidad académica. Que tal presupuesto infundado se manifieste en los trabajos de la crítica formalista de la literatura española del Prerrenacimiento es algo que, por cierto, no me atrevería a decir en este Prólogo. Pero lo que sí afirmo es el hecho de que se nos exige—a los que introducimos consideraciones sociohistóricas en nuestra visión de los fenómenos literarios de aquella época—una argumentación demonstrativa mejor documentada y más explícita que la que ofrecen a menudo las interpretaciones puramente literarias que se oponen a tal visión.

El libro que ahora encomiendo a la benévola atención del lector forma el último eslabón en una serie de trabajos que he dedicado al estudio de los conceptos del honor y del amor en la cultura literaria del Siglo de Oro y de los siglos XV y XVI. Cuando hace veinte años comencé estas investigaciones, no podía saber que había abordado un conjunto de manifestaciones literarias que reflejaban la última fase de una larga evolución. Pero al publicar en 1966 mi libro, *Répercussions du souci de la pureté de sang sur la conception de l'honneur dans la "Comedia nueva" espagnole*, sabía que, para buscar los antecedentes del lenguaje del amor usado en la Comedia, era preciso remontar el curso del tiempo, desde el teatro valenciano al de Torres Naharro, luego a las *Eglogas* de Juan del Encina y de ahí, finalmente a la poesía amatoria del siglo XV. En este punto final de mi larga búsqueda encontré el punto de partida para el proceso evolutivo que me había propuesto estudiar. En 1972 presenté mi nueva teoría del amor cortés español en *La poesía amatoria del siglo XV y el teatro profano de Juan del Encina*. En trabajos sucesivos, a los que se hará referencia en el curso del presente trabajo, me he esforzado por demonstrar la potencia interpretativa de esta nueva teoría al aplicarla a ciertas obras de Lucas Fernández, Diego de San Pedro, Juan de Flores y Agustín Moreto. En el orden cronológico de la historia literaria este último eslabón en la serie de mis estudios críticos constituye, pues, un eslabón intermedio que enlaza mi visión del universo poético de los Cancioneros con el mundo dramático de la Comedia del Siglo de oro.

La cultura afectiva del Prerrenacimiento español lleva inscritas en sus formas las huellas de una vehemente coacción ideológica. Estas huellas se hallan impresas en el nivel semántico mismo del lenguaje del amor, confiriéndole significados específicos que pueden alterar los contenidos manifiestos de la literatura sentimental de la época. Este fondo referencial ideológico que va implícito en los medios expresivos del amor cortés español, es indudablemente uno de los factores que más ha contribuido a dar forma a ese carácter profundamente ambiguo y enigmático que la crítica celestinesca ha señalado como la característica más destacada del mundo literario creado por Fernando de Rojas. A lo largo de la tarea emprendida para elucidar estas ambigüedades, ha ido creciendo mi asombro ante los aspectos únicos y peculiarísimos de la cultura sentimental del Prerrenacimiento español. Estos aspectos específicos no se dejan definir a menos que nuestra mirada crítica trascienda el plano puramente formal de las manifestaciones literarias, para penetrar en la realidad auténtica de la época. Que la literatura celestinesca se halla, en efecto, inseparablemente ligada a los profundos cambios que se produjeron en el reinado de los Reyes Católicos es, sin duda, la conclusión más importante que se desprende de los resultados del presente trabajo.

PRIMERA PARTE

Los dos mundos contrapuestos en el *Amadís de Gaula* (Libros I a V)

I
Estudio preliminar sobre la
matière de Bretagne en la literatura peninsular

El desarrollo de la poesía cortés y la difusión de la *matière de Bretagne* en Castilla son dos fenómenos que se insertan en una situación histórica y literaria muy distinta de la en que se originaron siglos antes en Francia. La coincidencia en el momento de su aparición de la poesía trovadoresca y la literatura arturiana en Francia presenta al medievalista francés una problemática intrincada de precedencia, de interacciones e interferencias entre ambos géneros. A este respecto es de interés hacer notar que es precisamente el testimonio de un trovador peninsular, el aristócrata catalán Guiraldo de Cabrera, el que suele alegarse en apoyo de la tesis de que ya desde el último tercio del siglo XII los temas bretones gozaban de cierta popularidad entre los *troubadours* del sur de Francia. En un poema compuesto hacia 1170, Cabrera menciona los temas artúricos como uno de los principales tópicos con que su "joglar" debía estar familiarizado.[1].

---

[1] Cfr. Rita Lejeune, "The Troubadours" y M. R. Lida de Malkiel, "Arthurian Literature in Spain and Portugal." Ambos ensayos están recogidos en *Arthurian Literature in the Middle Ages*, ed. Roger S. Loomis, Oxford, 1959, pp. 394 y 406.

Pero si la influencia de la materia bretona en la lírica provenzal es una cuestión sujeta a dudas y controversias, en Castilla la boga de las leyendas artúricas tiene clara precedencia sobre la del ideal del amor cortés cultivado por los poetas cancioneriles. Abundan en el primer Cancionero castellano, el de Baena, las alusiones a los héroes del ciclo bretón. Además, en este mismo Cancionero hay hasta nueve referencias a Amadís y sus compañeros de armas.[2] En lo que respecta a Castilla, puédese decir que la literatura arturiana de los siglos XIII y XIV ha contribuido a crear el nuevo clima sentimental que preparaba la sensibilidad de la clase aristocrática a mejor disfrutar los refinamientos y complicaciones del amor en la lírica cortesana del siglo XV. La íntima relación de parentesco entre las dos "plantas exóticas" de la *matière de Bretagne* y el *amour courtois* es un aspecto esencial de las adaptaciones literarias de estos temas en la literatura idealista de España.

La materia de Bretaña penetró primero en la Península por el lado de Cataluña, región más vecina a Francia y lingüística y literariamente vinculada a la parte meridional de este país. Desde el último tercio del siglo XII hasta los primeros decenios del XIV las narraciones artúricas circulaban en la Península en su forma original, alcanzando sólo un grupo limitado de lectores aristocráticos capaces de entender estas historias en su versión francesa. Durante esta primera fase la literatura arturiana echó sus raíces exclusivamente en el ámbito cortesano (Malkiel, p. 407). Con las traducciones en las lenguas vernáculas, que se llevaron a cabo en la primera mitad del siglo XIV, las leyendas y cuentos artúricos tuvieron una expansión tardía, fuera de las cortes, en las clases medias de la sociedad peninsular. El momento de esta incipiente populari-

---

[2] Cfr. Henry Thomas, *Las novelas de caballerías españolas y portuguesas*, Madrid, 1952, pp. 24 y 45.

4

dad parece reflejado en la estrofa 1703 del *Libro de buen amor* del
Arcipreste de Hita:

Ca nunca fué tan leal Blanca Flor á Frores
Nin es *agora* Tristán á todos sus amores.

Gracias a los trabajos de Henry Thomas, M. R. Lida de
Malkiel y muy en especial al libro clásico de William Entwistle,
The Arthurian Legend in the Literatures of the Spanish Peninsula
(1925; rpr. New York, 1975), tenemos una idea bastante precisa
sobre la difusión de la literatura arturiana en la Península.
Como afirma Entwistle en sus observaciones introductorias, la
historia de las narraciones artúricas en la Peninsula es de una
atractiva sencillez.

We are not faced in Spain by any question as to the origins of the
various cycles, nor do we receive any opportunities for studying
their growth and development. We can at once proceed to assume
the existence of the French prose Arthurian literature of the early
thirteenth century . . . as the universal basis of our discussion, but
we do not require to ask ourselves how that literature came into
being (pp. 1–2).

En los once capítulos que siguen, el autor ofrece una
exposición detallada de las formas en que la *matière de Bretagne*
se ha incorporado a la cultura literaria de la Península. Esta
exposición de Entwistle, completada con los resultados de los
trabajos de Malkiel, Thomas y algunos otros especialistas refleja hasta nuestros días el estado de los estudios acerca de la
temprana literatura caballeresca en la Península que incluye la
obra maestra de *Amadís de Gaula*. Un examen rápido de los
escasos trabajos publicados sobre esta materia a lo largo de
más de medio siglo transcurrido desde aquella remota fecha de
1925 confirma que sigue siendo válido este juicio deprimente
de Entwistle: "the Spanish Arthurian romances lack discussion and suffer from the incuriosity of both nationals and
strangers" (p. 6). Parece, en efecto, como si sobre la literatura
artúrica pesara la misma conjuración del silencio que la que es

responsable de la escasez de estudios dedicados a la lírica cortesana del siglo XV. A este ostracismo crítico-literario es imputable, sin duda, el estado insatisfactorio del estudio de la cultura afectiva del décimoquinto español. Las dos "plantas exóticas" del *amour courtois* y la *matière de Bretagne* han sido relegadas a una suerte de limbo, a una zona inoperante en la vida literaria del tiempo, bajo los efectos de una teoría literaria apriorística. Esta teoría parte del concepto fundamental de que las auténticas manifestaciones de la cultura española han brotado todas del rico manantial del arte popular. En esta visión idealista, el pueblo se considera como el depositario insobornable de los valores idiosincrásicos de la raza. Los partidarios de esta doctrina literaria, cuyo número es *legio*, se han negado simplemente a admitir que la literatura caballeresco-cortesana hubiera tenido influencia duradera alguna en la cultura literaria del Renacimiento español. Entwistle, en el importante capítulo con que concluye su libro, ya pone claramente los términos del debate que ha quedado inconcluso hasta el día de hoy. Afirma el autor:

A *floruit* of two and a half centuries during the formative period of the national mind should discourage the objections that Arthurian chivalry was impopular or late and uncongenial in Castile, or that the *matière de Bretagne* was but a bibliographical curiosity which can safely be omitted from the history of its literature (p. 231).

Conocido es el profundo recelo con que eruditos como Milá y Fontanals y, más aún, Menéndez Pelayo han mirado la exaltación febril, el ensueño, el delirio amoroso, los anhelos místicos, la casuística amorosa, el culto a la mujer, en suma, esa escalada de estimulantes nuevos con que la difusión de los cuentos del ciclo bretón conmovió la sensibilidad y fantasía del público de aquel tiempo. Según opinión de Entwistle, estos críticos no estaban muy lejos de atribuir a la nefasta influencia de la materia bretona la culpa de la disolución de las costumbres y la desorganización política de la sociedad en tiempo de los Trastámara (p. 240). Es sin duda esta actitud de severa

6

censura moral adoptada por Menéndez Pelayo ante las leyendas celtas la que le ha inducido en sus *Orígenes de la novela*, Tomo I, Cap. IV, a minimizar la popularidad y la influencia de esa "tan enorme balumba de fábulas" en la Península. A este respecto dice Maxime Chevalier: "don Marcelino, on le sait, était avant tout soucieux de minimiser le triomphe du roman de chevalerie en Espagne, triomphe qui lui apparaissait comme un oppobre pour son pays et un des fondements de la 'légende noire'."[3]

En su reciente artículo de trascendental importancia, "The Lost Genre of Medieval Spanish Literature,"[4] A. D. Deyermond ha vuelto a abrir el viejo debate entablado por William Entwistle. Señala Deyermond la gran laguna que existe en la historia de la literatura prerrenacentista por la falta de atención dada al género de la novela caballeresca. Este descuido el autor lo imputa a la tendencia española a explicar la historia del país a la luz de ciertos caracteres nacionales concebidos como invariables (R. Menéndez Pidal). Afirma Deyermond:

> the uniquely Spanish has been equated with the realistic and the popular, and these qualities have been seen as the most desirable in a work of art. This belief led to the neglect or the repudiation of whole areas of Spanish literature, including some works of the highest quality." (p. 246).

El autor no vacila en declarar que todo esto ha tenido como resultado que "the general outline of literary history has been distorted" (p. 247).

La opinión autorizada de este gran hispanista subraya la gran falta que hace un estudio del tipo que nosotros vamos a emprender en el presente libro. Sin embargo, para Deyermond el objeto principal de tal estudio sería el de explorar un

---

[3] *Sur le public du roman de chevalerie*, Bordeaux, 1968, p. 1.
[4] *Hispanic Review*, 43 (1975), 231–59.

género literario que España tiene en común con los demás países europeos, es decir, serviría el propósito de demostrar que la cultura española forma parte de la tradición europea de occidente. En contraste absoluto con esta concepción, que es la que domina la crítica del hispanismo anglosajón, nosotros vamos a concentrar toda nuestra atención en los cambios específicos que se han producido en la vida socio-literaria del Prerrenacimiento español a consecuencia del injerto del legado europeo en la cultura afectiva de este período. Las elaboraciones literarias dadas a la *matière de Bretagne* representan la vertiente novelesca, como la lírica cortesana forma la vertiente poética, de un solo cuerpo de literatura de tipo aristocrático-idealista. Esta literatura idealista ha provocado otra corriente literaria de tipo anticortesano y fuertemente popular. Es entre estos dos polos extremos donde se extiende el espacio histórico dentro del cual se ha ido formando la cultura afectiva del Renacimiento español. Para esta evolución, pues, postulamos la interdependencia absoluta entre ambos polos, es decir, entre la tradición aristocrático-caballeresco-cortesana, de un lado y de otro, la corriente literaria de tipo popular y anticortesano. Esta última corriente, cuyo punto de arranque es posible establecer con toda precisión cronológica gracias a los Libros IV y V del *Amadís*, se continúa en la literatura sentimental-popular de la primera mitad del siglo XVI.

Lo que implica esta nueva manera de abordar la literatura sentimental de la segunda mitad del siglo XV y la primera del XVI es nuestro firme propósito de reivindicar para las adaptaciones literarias de Castilla de la materia bretona y del tema del *amour courtois*[5] su pleno valor de auténticas manifestaciones de la cultura literaria de Castilla. Al considerar a esta inmensa porción de la literatura española como un cuerpo foráneo y

---

[5] En mi libro *La poésía amatoria del siglo XV y el teatro profano de Juan del Encina*, Madrid, 1972, he estudiado el desarrollo específico que ha tenido el tema del amor cortés en la poesía cancioneril del siglo XV.

ajeno a "la esencia hispana," al presentar este largo proceso cultural como una moda literaria pasajera que ha venido a interrumpir temporalmente el curso "normal" de la evolución literaria del país, sin afectar virtualmente la esencia misma de este desarrollo, la crítica ha llegado a proponernos de este período crucial en la historia de la literatura española una visión totalmente deformada, preámbulo fundamental de su apreciación igualmente falsa del Renacimiento español.

En resumidas cuentas, puédese afirmar que hasta hoy día la literatura arturiana y, en el centro de ella, la gran creación indígena de *Amadís de Gaula*, sigue ocupando un puesto de "splendid isolation" en medio de la panorámica crítico-literaria de los siglos XV y XVI. Desoyendo completamente las resonancias que esta nueva sensibilidad ha despertado en la cultura afectiva de aquella época, la historia literaria se ha limitado a marcar los contornos de este campo cerrado con las orlas de los juicios negativos que los contemporáneos han formulado sobre los libros de caballerías, desde la famosa estancia 162 del *Rimado de Palacio* de Pedro López de Ayala hasta los vituperios lanzados contra este género por los autores moralistas del siglo XVI. Es en el último trecho del camino donde, retrospectivamente, la larga trayectoria de la literatura caballeresca en España parece redimirse de sus culpas al encontrar un fin expiatorio en la sátira gloriosa de Cervantes. ¿No es algo irónico que aquí el *Amadís* -libro tan descuidado por los historiadores literarios-llegue a alcanzar la suprema dignidad de ser nada menos que la biblia de Don Quijote en cuya justa exégesis tanto empeño pone? Ya es tiempo que sigamos, aunque con otros fines interpretativos, el ejemplo del Ingenioso Caballero de la Mancha.

II
"Ardimiento" y "Sabiduría"
en los caballeros de *Amadís de Gaula*

El *Amadís de Gaula* es la primera auténtica novela de caballerías española derivada de los ciclos arturianos. Los primeros tres Libros de la novela, que llamaremos el *Amadís* primitivo, obra de autor o de autores anónimos, ya circularon en la Península a mediados del siglo XIV. Según Henry Thomas, "la mención más temprana del *Amadís* es de 1350 en la traducción española de *De regimine principum* de Egidio de Columna hecha por Juan García de Castrogeriz" (p. 46). De la segunda mitad del siglo XIV tenemos noticia de una versión de nuestra novela en tres Libros gracias a un poema de Pero Ferrús o Ferrandes, recogido en el *Cancionero de Baena*, del que citamos los últimos versos:

Sus [i.e. de Amadís] proesas fallaredes
En tres lybros é dyredes
Que le Dios dé santo poso.

En la segunda mitad del siglo XV, aproximación cronológica que nos importa sumamente precisar más adelante, Garcí Rodríguez de Montalvo se puso a compilar los antiguos textos del *Amadís* primitivo, muy probablemente producto de diferentes escritores, según se desprende de su Prólogo. Lo cierto es que estas redacciones antiguas se han perdido.[1] La novela nos ha llegado en la versión definitiva que le ha dado Garcí Rodríguez de Montalvo. La primera edición es la de Zaragoza fechada en 1508. Pero es muy probable que ya existiera otra anterior, hoy perdida, en 1496.[2] En la edición de 1508, el *Amadís* no consta de tres sino de cuatro Libros. ¿Formó este cuarto Libro parte de la versión primitiva del *Amadís*? No lo sabemos. El mismo Montalvo parece hacer una distinción entre este Libro y los tres anteriores del *Amadís* diciendo en el Prólogo que corrigió tres Libros, "trasladando y enmendando el libro cuarto." Lo que sí podemos asegurar es que la narración de este Libro IV representa un momento de vacilación y de transición entre los primeros tres Libros del *Amadís* y el Libro V, creación original de Montalvo, que se publicó en 1510 con el título de *Las Sergas de Esplandián*.[3] Veremos más adelante como la unidad del designio artístico e ideológico del *Amadís* primitivo se va resquebrajando en este cuarto Libro pero sin llegar a alterar fundamentalmente, como lo hará más tarde el *Esplandián*, la unidad de composición de la novela.

De vital importancia para la tesis central que vamos a

---

[1] Recientemente Antonio Rodríguez-Moñino ha descubierto cuatro breves fragmentos de un manuscrito del *Amadís* primitivo que had dado a conocer en su libro: *Relieves de erudición* (Del *Amadís* a Goya), Madrid, 1959, pp. 27–36. Por breves que son, estos textos revelan el hecho sorprendente de que Montalvo ha tendido a comprimir la narración del antiguo *Amadís* más bien que a ampliarlo en su refundición, así como la mayoria de los críticos habían asumido hasta ahora. Además, aparece en estos fragmentos el nombre de Esplandián, comprobando el buen juicio literario de M. R. Lida de Malkiel quien había defendido la tesis, en contra de la opinión de Menéndez Pelayo, que Esplandián, hijo de Amadís, era un personaje que ya existía en las versiones antiguas, y no una invención de Montalvo.

[2] Véase el artículo de G. S. Williams, "The Amadís Question," *Revue Hispanique*, XXI (1909), p. 155.

[3] Henry Thomas, *Las novelas de caballerías españolas y portuguesas*, Madrid, 1952, p. 52, asume que también de este Libro V debiera de existir ya una edición anterior a la de 1510.

proponer en este capítulo es la cuestión de la cronología de las composiciones de Montalvo. Eloy Reinerio González, en un estudio que yo considero como uno de los mejores que se han publicado sobre el *Amadís*,[4] acepta la cronología ya propuesta unos diez años antes por Edwin B. Place, el benemérito editor de *Amadís de Gaula*. Esta cronología está basada principalmente en evidencias interiores del texto del *Amadís*. La refundición del *Amadís* primitivo estaba terminada antes de 1474, fecha del advenimiento de los Reyes Católicos. La composición del Libro IV fue emprendida después de 1482 y, por último, la continuación del *Amadís* en el Libro V se escribió entre 1492 y 1504.

Terminemos esta introducción sucinta con algunas observaciones acerca de *Tirante el Blanco*, novela caballeresca de crucial importancia para el desarrollo de nuestras ideas sobre el *Amadís*.

Esta novela fue primero escrita en catalán y luego traducida al castellano. La primera edición castellana es la de 1511 de Valladolid. La parte compuesta por Joanot Martorell fue redactada entre los años 1460 y 1465. Es problemática la forma que tomó la colaboración de Martí Joan de Galba en la composición de la novela que alcanzó su versión definitiva en manos de Galba entre 1468, año de la muerte de Martorell, y 1490, año de la muerte de Galba y de la publicación de la novela. Sin embargo, según la opinión autorizada de Martín de Riquer, de quien tomamos prestados los datos que anteceden, lo más probable es que los últimos dos de los cinco Libros del *Tirante* provengan de la mano de Galba.[5]

La novela de *Tirante el Blanco* es sin duda una de las obras más singulares y menos estudiadas del siglo XV español. Su

---

[4] "El *Amadís de Gaula*: análisis e interpretación." Ph.D. Thesis, Ohio State University, 1974.
[5] *Tirante el Blanco,* ed. M. de Riquer en Clásicos Castellanos, Madrid, 1974, Introducción, p. LXXVII.

interés para el presente estudio estriba en el hecho de que no es una novela derivada de la materia bretona, como lo es el *Amadís*, sino que retrata la vida cortesana y caballeresca de la segunda mitad del siglo XV. El *Tirante* nos proporciona un cuerpo único de testimonios literarios que nos informan sobre una fase más avanzada de la nueva cultura afectiva que la *matière de Bretagne* y el culto al amor cortés trajeron a la Península. Que esta fase contiene también el momento decisivo que remata y pone fin a la evolución de la sensibilidad específica creada en España por la literatura idealista de origen extraño, hace tanto más precioso para nosotros el texto del *Tirante*.

La proximidad de la materia narrativa del *Tirante* a la vida real y literaria de la época hace más complejos e íntimos sus enlaces con la lírica coetánea. Ilustremos esto con un solo ejemplo.

Es de indiscutible procedencia cancioneril la pregunta "¿qué cosa es amor?" que en el Cap. 109 (II, 106) Felipe le hace a Tirante. Contrasta el tono burlesco en que la cuestión es tratada en este pasaje del *Tirante* con la intención seria que inspira la composición poética que Pedro de Cartagena dedicó a esta misma pregunta. Cfr. *Cancionero castellano del siglo XV*, ed. Foulché-Delbosc, no 928.

Empecemos ahora nuestro estudio del *Amadís* desde la vasta perspectiva que las nociones de *Ardimiento* y *Sabiduría* ofrecen sobre la realidad literaria de esta gran novela.

Ardimiento (Libros I a III)

1. *"Ardimiento" como ímpetu instintivo.* -Como es sabido, la acción esforzada de los caballeros andantes que pueblan el mundo fabuloso de *Amadís de Gaula*, es motivada por una serie de obligaciones idealmente sociales y propias de la caballería andante. Entre ellas destacan la defensa de la virtud y el honor de doncellas y viudas desamparadas, ayuda a los menesterosos, lealtad del vasallo al rey y sentimiento de solidaridad

para con los compañeros de armas. En el fiel cumplimiento de todos estos deberes se cifra la honra del caballero. El honor eleva las actividades caballerescas a un plano solemne e ideal en el que la generosidad de los móviles parece, si no legitimar al menos mitigar el carácter sangriento y muchas veces bárbaro de estos actos. La crítica amadisiana nos ha acostumbrado a aceptar las evidencias *prima facie* que se dan en este plano de la novela como el único nivel desde el cual la personalidad y el comportamiento del caballero andante pueden y deben ser evaluados. Este punto de vista ha resultado necesariamente en la visión idealista del *Amadís* que hoy por hoy es común encontrar en todos los estudios dedicados a la gran novela. Sin embargo, si las motivaciones del caballero se hallan enfáticamente comentadas y alabadas en el plano, digamos, oficial o más visible del *Amadís*, en otro nivel más recóndito de la narración y más contiguo a la acción inmediata, el caballero parece actuar aguijado por unos impulsos altamente vitales, primitivos y, por ende, íntimamente constitutivos de su persona, pero que parecen difícilmente conciliables con la imagen del caballero mesurado, de sentimientos delicados y románticos, que se nos pinta en aquel primer plano de la novela. Los términos referentes a estos impulsos primitivos suelen ser en el libro: *ardimiento, saña, ira, esfuerzo* y *osadía*.

Lo que distingue a los nobles guerreros entre sí en el *Amadís*, no es la fuerza física -que todos parecen tener más o menos en igual medida-, sino el ardimiento. Es esta cualidad la que eleva a Amadís por encima de todos sus compañeros. Galaor, intrépido y fuerte como ningún otro caballero, confiesa a Oriana: "tanto ay de la ygualanza y ardimiento mío al de Amadís como de la tierra al cielo."[6]

El ardimiento, encendido por la ira o saña, es esta

---

[6] III, 698. Usamos la edición de Edwin B. Place, *Amadís de Gaula*, Madrid: Tomo I, 1959; Tomo II, 1962; Tomo III, 1965.

"biueza de coraçón" (II, 532) que dispara al héroe contra un adversario a veces mucho más experimentado que él, es este hervidero de incontenible pasión que desata la energía bélica del caballero dándole una fuerza sobrehumana y haciéndole insensible al dolor de las heridas y a los duros golpes de espada que recibe en la batalla. En un combate singular el Donzel del Mar se enfrenta con el rey Abies, guerrero, formidable y más experimentado que el Donzel. Los dos héroes no se cansan de herirse uno a otro "y salía dellos tanta sangre que sostenerse era marauilla, mas tan grande era el ardimiento que consigo trayán que quasi dello no se sentían" (I, 78).

En la gran batalla que dan el rey Lisuarte y los suyos contra don Galuanes en el Cap. LXVII, se muestra el gran ardimiento de Galaor y Quadragante que "como *leones sañudos* se metieron entre la gente, derribando y feriendo los que delante sí fallauan," y brilla el esfuerzo de Florestán, hermanastro de Amadís, que "andaua como *vn rauioso can* buscando en qué mayor daño fazer pudiese" (III, 708).[7]

Cuando en el Cap. XXXIII Amadís y su hermano Galaor se ven tomados presos por traición de una doncella, "Amadís

---

[7] También en los poemas de Chrétien de Troyes aparecen a veces estas comparaciones del ardimiento del caballero con la ferocidad de los animales salvajes. En el poema *Cligès*, por ejemplo, Chrétien describe la saña con que el héroe ataca a los raptores de su amada Fénice en estos terminos:

Onques nule beste salvage,
Lieparz, ne huivres, ne lieons,
S'ele vit perdre ses feons,
Ne fu si ardanz, n'enragiee,
Ne de conbatre ancoragiee,
Con fu Clygés, car lui ne chaut
De vivre, se s'amie faut.

(3658–64, Alexandre Micha, ed. *Les Romans de Chrétien de Troyes*, II, Paris, 1957).

El historiador inglés, Richard Barber, descubre en el *Amadís* "a streak of wanton cruelty which is surprising" y añade: "violence is apparently relished purely for its own sake, not as a necessary byproduct of skill in arms." *The Knight and Chivalry*, Totowas, N.J., 1975, p. 319.

estaua tan sañudo que la sangre le salía por las narizes y por los ojos" (I, 265).

En el nivel infrahumano de vida caballeresca que aquí se pone al descubierto, el ardimiento aparece como un ciego ímpetu que impele al caballero incesantemente a un desgaste gratuito de energía física. En el Libro IV, ya establecida la paz entre Amadís y el rey Lisuarte, los caballeros mancebos renuncian a gozar en la tranquilidad de la Insola Firme, los premios bien ganados de su victoria, porque "de propósito estaban de no se entrometer en otras ganancias ni reposo sino en buscar las venturas donde *sus cuerpos ejercitar pudiesen.*"[8] Apremiado por este mismo desasosiego físico, el rey Perión, cuando joven, solía dejar su reino y vasallos por una vida andariega en busca de aventuras. Sus vasallos, temiendo por su vida, "deseauan todos tenerlo consigo; mas no lo podían acabar, que su fuerte coraçón no era contento sino quando *el cuerpo ponía en los grandes peligros*" (I, 25).

Dentro de esta perspectiva primitiva del *Amadís* cabe también la insensibilidad bárbara de los caballeros ante los ríos de sangre vertida, los cuerpos hendidos desde arriba abajo, los miembros segados con una tajada de espada, la decapitación del enemigo vencido, las cabezas colgadas del petral del caballo de Lasindo en el Cap. LXXV (III, 835). A veces las mujeres asisten a estas atrocidades, como en la gran batalla del rey Lisuarte con el rey Arábigo y otros seis reyes en el Cap. LXVIII donde las doncellas animan con sus gritos a los caballeros desde la torre del castillo.

En el Cap. LV, Beltenebrós mata a los dos gigantes que tenían prisioneras a Leonoreta, hija del rey Lisuarte, y sus doncellas. Después de libertar a la princesa y sus acompañantes, el héroe manda cargar los dos cuerpos muertos en una carreta para transportarlos a la corte de Lisuarte:

---

[8] Para el Libro IV del *Amadís* usamos la edición de Felicidad Buendía, *Libros de caballerías españoles*, Madrid, 1960, p. 1033.

16

> Los caualleros con mucho plazer hizieron su mandado, y pusieron
> en la carreta los gigantes, que como quiera que ella grande fuesse,
> leuauan de las rodillas abaxo colgadas las piernas; tan grandes
> eran. Y Leonoreta y las niñas y donzellas hizieron de las flores de la
> floresta guirlandas, y en sus cabeças puestas, con mucha alegría
> riendo y cantando se fueron a Londres (II, 463).

Nuestra sensibilidad no deja de estremecerse ante la cándida
barbaridad de tal cuadro.

El ardimiento, pues, es pura ansia de acción esforzada y
física. Es el prurito de la acción por la acción, el cual hace
detenerse a los caballeros en el cruce de los caminos en espera
de alguna aventura o "fecho de armas" en el cual probar la
fuerza de sus brazos. Esta ansia de actividad bélica es esencialmente irracional, carente de objeto y altamente individualista. Donde mejor se despliega es en los combates singulares
que abundan en los primeros tres Libros del *Amadís*. Pero hasta
en las batallas campales, que se van haciendo más frecuentes
en los Libros III y IV, la atención se concentra en los hechos de
armas individuales perpetrados por los caballeros más famosos. Cuando en el Cap. LXVIII Amadís tiene noticia de que el
rey Arábigo con sus aliados está a punto de pasar de la Insola
Leonida a la Gran Bretaña donde le esperan las huestes del rey
Lisuarte, sabe que se anuncia una grande y magnífica batalla.
El y su hermanastro don Florestán arden en deseos de participar en ella de un lado u otro de los bandos beligerantes. Dícele
Florestán: "Y quiero yr en vuestra compañía, que siempre en
gran congoxa mi ánimo sería si tal batalla passasse sin que yo
en ella fuesse, *en qualquiera de las partes*" (III, 723–4). Los motivos que mueven finalmente a Amadís a tomar una decisión no
se fundan en ninguna convicción partidaria, sino en una de-
terminación personal inspirada por la generosidad de su corazón: tomará el lado del rey Lisuarte por dos razones, "la
primera, por tener [Lisuarte] menos gente, a que todo bueno
deue socorrer," y la segunda, por no verse en la necesidad de
luchar contra su propio hermano Galaor con otros amigos
suyos que están del lado del rey Lisuarte. Magníficamente

armados y sin ser conocidos de nadie, los caballeros aparecen en el campo de batalla. "Mucho fueron mirados de ambas partes, y de grado los quisiera cada vna dellas de su parte; mas ninguno sabía a quién querían ayudar, ni los conoçían" (III, 727).

Lo que resalta en este episodio como en tantos otros del *Amadís*, es la disponibilidad absoluta del héroe a volcar toda su energía en cualquier empresa caballeresca que se le ofrezca. Es tan fuerte esta tendencia que en ciertas descripciones de batallas, la idea de oposición, de adversidad entre los bandos beligerantes, se relega a un plano secundario para ceder el paso a la pintura de un cuadro único en el que los esfuerzos combinados de los contendientes resultan en la realización de "una batalla hermosa." Buen ejemplo de ello se halla en el Cap. LXVII donde el ejército del rey Lisuarte se enfrenta al de don Galuanes. Don Florestán y don Quadragante, que en esta ocasión son adversarios de Lisuarte, mandan pedir a éste último que retire a "los ballesteros y archeros de medio de las hazes de los caualleros, que haurían vna de las más hermosas batallas que él viera." Consintiéndoles la petición, el rey dice al emisario: "Tirad los vuestros y Cendil de Ganota apartará los míos" (III, 706–7).

Pónese en evidencia aquí la conocida aversión del caballero medieval por el arco y la flecha, arma intensamente odiosa por ser sólo usada por la gente plebeya. Pero este prejuicio aristocrático quedó sin duda reforzado por la eficacia que tenía esta arma arrojadiza en matar o herir los caballos, derribando a sus jinetes, y causando así, que el soberbio caballero tuviera que bajarse a luchar a pie contra la gente común de la infantería. [9] Una vez quitado el formidable obstáculo de los arqueros, puede desarrollarse "la hermosa batalla" deseada por ambas

---

[9] Cfr. Raymond Rudorff, *Knights and the Age of Chivalry*, New York, 1974, pp. 87–8.

partes y en la que destacan los hechos de armas individuales de los héroes.

Desde el punto de vista deliberadamente limitado que se ha adoptado en las páginas anteriores, el ardimiento del caballero aparece como un ímpetu vital perteneciente a uno de los estratos más profundos en la arqueología de la gran novela. Sobre este estrato primitivo, el autor o los autores del *Amadís*, han elevado una superestructura de ideas y sentimientos idealistas, sin lograr fundir completamente esta parte razonada e ideológica con los supuestos y condicionantes irracionales de aquel estrato básico. La fusión precaria entre estas dos partes constitutivas de la personalidad del caballero se actualiza en el *Amadís* por vía de una representación psicológica en la que el corazón asume una función central y a la vez ambigua. Por un lado, el corazón se concibe como asiento del ardimiento del caballero, ímpetu que más bien debe identificarse, como vimos arriba, con las fuerzas instintivas; por otro lado, en el corazón se asientan también los anhelos capaces de elevar al héroe a un plano de humanidad más alto en donde aquellos primitivos impulsos aparecen impregnados de un sentido ideal y sujetos a los imperativos de un principio moral: el de la honra. Se concibe en estos términos, como el corazón viene a ser la facultad unificadora y más representativa de la figura caballeresca en el *Amadís*. "Los coraçones de los hombres fazen las cosas buenas," dice Beltenebrós en el Cap. LV (451). Y en el Libro IV, que forma una etapa más avanzada en la elaboración del *Amadís* primitivo, Galaor afirma: "No hay en el mundo más fuerte ni mayor cosa que el coraçón del hombre" (p. 1033).

Si la presencia de ciertos residuos instintivos irreductibles en la motivación del héroe amadisiano parece justificar nuestro método de haber aislado primero el estudio del ardimiento de los demás datos literarios de la novela, importa ahora extender la vista hacia el amplio contexto dentro del cual ese mismo ímpetu se expresa a través de unas formas y símbolos investidos de tal prestigio cultural que tienden a suavizar y

19

aun a ocultar la índole primitiva del mismo. Estas formas y símbolos pertenecen a las manifestaciones del amor y del honor. De ahí la doble aproximación a este asunto que presentamos en los dos apartados siguientes. En la descripción del amor en el *Amadís* primitivo incluimos también, con fines comparativos, las manifestaciones de este sentimiento en los primeros tres Libros de *Tirante el Blanco*.

2. *El amor*. -Conviene fijarnos primero en las muchas concordancias que la concepción del amor del *Amadís* y el *Tirante* presentan, con el amor cortesano cantado por los poetas cancioneriles. El ideal de amor que profesan los amantes de ambas novelas, pese a ciertas diferencias en su modo de manifestarse, entra de lleno en la concepción del amor cancioneril. En este sentido se puede decir que estos primeros libros de caballerías han contribuido, junto a la poesía amatoria del siglo XV, a orquestar la dinámica cultural engendrada por el injerto foráneo del ideal del amor cortés en la vida literaria de Castilla.

En el *Amadís* y el *Tirante* tanto como en la lírica del siglo XV, la dama es objeto de la adoración y el servicio que le dedica el caballero enamorado. Harto conocidos son los extremos a los que el amor lleva a todos esos amadores: palidecen, tiemblan, se desmayan, no duermen ni comen, buscan la soledad, están fuera de sí (enajenación) y esperan la muerte para ser librados de las intolerables penas de amor. En ambos géneros también el amor adquiere el carácter de un culto religioso. Al mismo tiempo los amantes tienen conciencia de que el servicio de su dama les aparta del servicio de Dios. Muy especialmente en *Tirante el Blanco* abundan las hipérboles sacroprofanas, las transferencias al terreno del amor de representaciones y símbolos religiosos y expresiones blasfemas.[10] Sin pretender

---

[10] Véase, por ejemplo, la representación alegórica del Dios Amor y la súplica que le dirige la reina al comienzo de la novela (I, 148). En II, 296,

hacer exhaustiva la lista de propiedades comunes entre el amor caballeresco y el cortesano,[11] mencionemos dos rasgos más cuya concordancia, sin embargo, es mucho menos completa: el imperativo de guardar secreto el amor y la petición de galardones a la amada.

Amadís es un amador muy secreto. "Es lo más encubierto que lo nunca fue cauallero," dice de él la reina Briolanja (II, 497). En efecto, el cuidado del secreto responde a una tendencia profunda de la personalidad de Amadís. Hay que tener presente, sin embargo, que la obligación del secreto es una necesidad impuesta también por la situación novelesca misma: Amadís y Tirante aman a las hijas de personas reales cuyos vasallos son. Ambos héroes se casan en matrimonio secreto con su amada, arrostrando la pena de muerte que merecen tales deslices en la corte del rey Lisuarte, así como en la del emperador de Constantinopla. La necesidad del secreto se relaciona aquí con la vigencia de un código de honor aun muy moderada en estas primeras novelas de caballerías, pero que cobrará fuerza singular en las novelas de Juan de Flores y Diego de San Pedro.

Los amadores caballerescos lo mismo que los de la poesía cortesana piden constantemente a sus damas galardón por el servicio que les rinden. En el *Amadís* y el *Tirante* este galardón incluye no sólo toda clase de favores, sino también la consumación física del amor. En cambio, la entrega total de la

---

Diafebus, al despedirse de Estefanía, la besa tres veces en la boca "a honor de la Santa Trinidad." Otro ejemplo se halla en el Capítulo 162 donde se relata una cita nocturna entre dos parejas de enamorados: Estefanía y Diafebus, la princesa Carmesina y Tirante. Este último y su amigo Diafebus se dirigen en el secreto de la noche hacia el aposento de Estefanía quien ha preparado esta cita. Después de cerciorarse de que las doncellas de la princesa están dormidas, Estefanía "abrió la puerta, sin hazer ruydo porque ninguno no lo sintiese, e ya halló a la puerta a los cavalleros, que estavan esperando *con más devoción que no hazen judíos al Messias*" (II, 393).

[11] J. Ruiz de Conde, *El amor y el matrimonio secreto en los libros de caballerías*, Madrid, 1948, pp. 181–3, nos presenta con una lista que contiene nada menos que treinta y dos puntos de concordancia.

amada queda rigurosamente excluida del patrón de expectativas propio del amador de la lírica cancioneril. Tenemos, pues, aquí un punto de máxima divergencia entre el amor caballeresco y el cortesano al que volveremos más adelante.

Es curioso observar en el *Amadís* (menos en el *Tirante*) como las relaciones de vasallo-señor corren paralelas a las que unen al amante con su dama, usando para manifestarse los módulos expresivos del lenguaje del amor cortés. Este proceso de la "feudalización del amor," cuyas representaciones ya se han petrificado en formas convencionales y fijas en la lírica del siglo XV y en el teatro de Juan del Encina, aún está en plena vía de desarrollo dentro del ámbito caballeresco de esta novela. Amadís lo mismo que los demás vasallos suelen pedir al rey Lisuarte galardón por sus servicios. Cuando Lisuarte, mal aconsejado por Gandanel y Brocadán, destierra a Amadís de su corte y reino, el héroe se queja de la ingratitud y crueldad de su señor, pero cumple este injusto mandato con la misma humildad y paciencia con que antes había sufrido el enojo de Oriana que le apartó de su servicio en la Insola Firme (II, 571).

Hasta aquí nos hemos referido al *Amadís* y al *Tirante* de una manera indiscriminada, sin atender a las importantes diferencias que existen entre ambas novelas. Pero si es posible entresacar de la narración del *Amadís* gran número de meditaciones amorosas, situaciones, posturas y quejas que han hallado simultáneamente una réplica en la lírica de los poetas del siglo XV, en cambio, el autor del *Tirante*, contemporáneo escéptico de aquellos poetas, no ha dejado de marcar con acentos irónicos y satíricos la distancia que media entre el mundo de sus enamorados y el universo artificioso de los melifluos amadores de la poesía cancioneril. La singularidad atractiva, la unicidad, de la novela de Martorell es debida en gran parte a la mezcolanza armoniosa de rasgos heterogéneos en la constitución de los personajes principales. La adherencia de éstos al ideal tradicional de vida cortesana, se halla mitigada por una conciencia aguda de lo anticuado y artificial, que representaba este mismo ideal para la sensibilidad más moderna, con que dotó el autor a los personajes de su novela, y la cual forma, sin duda, su más firme punto de enlace con la realidad de la época.

Me parece útil examinar algo más detalladamente estos tres componentes que entran en la constitución de las figuras literarias del *Tirante*. El primero de los tres comprende los valores idealistas encerrados en la tradición aristocrático-cortesana. El segundo componente lo forma la tendencia, cada vez más acusada en la segunda mitad del siglo XV, a poner en cuestión aquellos valores idealistas en nombre de unos criterios procedentes de la literatura didáctico-popular fuertemente teñida de una religiosidad de tipo ascético. El último componente, íntimamente vinculado al segundo, saca sus fuerzas de la savia misma de la realidad. Es a través de la combinación, y el juego de estos tres componentes, como se manifiestan a nosotros los personajes del *Tirante* y, si lo miramos bien, de muchas otras producciones literarias de esta centuria y de la siguiente. La medida en que estos ingredientes se hallan dosificados en la constitución de las diferentes figuras literarias nos proporciona un principio ordenador para ver más claro la variedad y multiplicidad de los personajes de muchas obras literarias de este período. El inmovilismo, por ejemplo, la disposición anémica de las *dramatis personae* de varias églogas de Juan del Encina se explica por el hecho de que estos personajes, lo mismo que los amadores de la lírica cancioneril que forman su modelo, se manifiestan exclusivamente en la dimensión unilateral del amor cortés. Les faltan los dos importantes componentes que acabamos de mencionar más arriba. Sería seductor contrastar esta atmósfera enrarecida del mundo dramático de Encina con el dinamismo vibrante del mundo celestinesco de Rojas, pero no hace falta salir de los límites del asunto tratado en estas páginas, porque los mismos personajes del *Tirante*, como ya dijimos, reflejan en su personalidad polifacética la presencia combinada de estos tres

23

ingredientes característicos, como se ejemplifica en el pasaje siguiente.

En el Libro III, tan rico en incidencias amorosas muy informativas, Ypólito, escudero de Tirante, se niega a satisfacer la petición de Carmesina de entregar a Tirante los tres cabellos que la princesa acaba de arrancarse de la cabeza. Indignado, Ypólito exclama:

> Y ¿cómo, señora! ¿Piensa vuestra alteza que somos en el tiempo antiguo, que la donzella quando tenía un enamorado a quien mucho amava dávale un ramito de flores perfumado, o un cabello o dos de la cabeça, y el enamorado se teníe por bienaventurado? No, señora, no, que aquel tiempo ya es pasado; lo que mi señor Tirante dessea bien lo sé yo: que os pudiesse tener en una cámara desnuda o en camisa. (III, 230)

Vemos, pues, como en el personaje de Ypólito se manifiesta aquí el juego de los tres componentes: el cortesano, el anticortesano y el realista, a que antes aludimos.

Que Ypólito se hace aquí fiel portavoz de Tirante y, por extensión, de todos los amadores cortesanos, sean damas o caballeros, es un hecho que se atestigua a lo ancho y a lo largo de los primeros tres Libros del *Tirante*. En contraste absoluto con la dama ingrata y cruel de la lírica cortesana cuyos rigores le quitan al amante hasta la esperanza de jamás encontrar remedio a la pasión que le consume, las nobles doncellas del *Tirante* se dejan mover piadosas a aliviar el ardor de los enamorados caballeros que por sus esfuerzos heroicos defienden y conservan el Estado.

Hay en el Libro III un episodio que parece parodiar cínicamente la costumbre del amador cortés de lucir en los torneos y fiestas de la corte una cinta u otra prenda que la dama le ha concedido como muestra secreta de su favor. En una escena llena de viveza y de juvenil encanto las doncellas de Carmesina le tienen sujetas las manos a Tirante para impedir que éste "no la destocase con las burlas y juegos que le hazía. E como Tirante vio que Carmesina se yva, y con las manos no la

24

podía tocar, alargó la pierna y metiógela debaxo de las faldas, y con el çapato tocó en el lugar vedado y su pierna le puso entre los muslos" (III, 78–9). Después, Tirante hace bordar ricamente esta "calça y çapato" y ornarlos con perlas, rubíes y diamantes que valían "más de veinticinco mil ducados," y con la pierna así adornada toma parte en las fiestas y justas que por estos días se celebraban en la corte de Constantinopla. Todo el mundo se maravilla de tan rico y singular atavío, pero sólo a Carmesina el caballero revela el secreto motivo debajo de esta gala, trayéndole a la memoria el recuerdo de aquella tarde cuando, le dice Tirante, "el pie tocó en el lugar donde el amor mío dessea alcançar bienaventurada felicidad." A lo que responde la princesa: "¡Ay, Tirante! Yo me acuerdo bien de todo lo que dizes, que señal quedó en mi persona de aquesa jornada; y tiempo verná que así como agora bordas la una pierna, que bordarás las dos, y las podrás poner a tu voluntad donde tú desseas" (P. 89).

Todo el pasaje está impregnado con un tono de benévolo y tierno humor en que la ironía se conjuga con cierta condescendiente indulgencia hacia los excesos fetichistas de los amadores cortesanos. Pero lo que merece destacarse aquí es la expresión directa y sin rodeos de que la unión carnal de los amados es elemento fundamental en la concepción del amor caballeresco. Indisolublemente ligada a esta concepción se halla la obligación de la mujer a guardar "el lugar vedado," punto preciso de la anatomía femenina, donde yace su honor. Los elementos de esta concepción del honor se encuentran dispersos en la narración del *Tirante* y *Amadís* como en estado latente, y sin la carga eléctrica que irán adquiriendo después al entrar en la órbita del universo dramático de la Comedia.

El panorama impreciso de estas primeras novelas de caballerías, muy en especial los escenarios de ensueño del *Amadís* (palacio, bosque, floresta, montaña, isla, mar), ofrecen ancho campo al libre desenvolvimiento de las actividades guerreras y amorosas, al encuentro fortuito y la entrevista

25

secreta. [12] Los moradores de este mundo caballeresco se mueven en una atmósfera de inocencia, en un estado de gracia, que casi hace olvidar los ríos de sangre derramada gratuitamente en el *Amadís*, ya en nombre de un ideal de proselitismo religioso en el *Esplandián* y en los últimos Libros del *Tirante*. También el trato entre los sexos se despliega en esta misma atmósfera de libertad sobre un fondo impreciso de normas socio-religiosas. Corre una difusa sensualidad por toda la narración del *Amadís*. Aquí las doncellas andan libremente por los caminos y bosques o entran en la floresta donde a veces pierden la flor de su virginidad, sin que nadie haya de volver por su honra. Al mismo Amadís, cuando se halla ausente de su Oriana, nunca le faltan doncellas para acompañarle, dondequiera que vaya, hasta en su cuarto de dormir: "Amadís ... se fue con la donzella a su cámara y acostóse en vn lecho y ella en otro que ende hauía" (I, 83–4).

Lo que aflora pues en el *Amadís*, mirado desde este ángulo es un sentimiento de proximidad, de solidaridad humana, aún no diferenciada decisivamente bajo la acción divisoria de una polarización entre los sexos. Sin duda tocamos aquí uno de los estratos más antiguos en la arqueología del *Amadís*, el que lleva impresos los vestigios de la inmortal pareja de amantes que fueron Tristán e Iseo. A esta misma luz hemos de ver también los lazos que unen a los amantes del *Amadís* después de consumado ya su amor, los cuales "con más fuerça quedaron, assí como en los sanos y verdaderos amores acaecer suele" (II, 285). A pesar de esta consumación física del amor, Oriana y Amadís siguen siendo modelos de amadores cortesanos en el resto de la novela. Bajo el rigor de esta perspectiva,

---

[12] En su *Amadís de Gaula*, Boston, 1976, p. 89, dice Frank Pierce: "The older romance, with the *Amadís* as one of its chief representatives, moves in an essentially changeless world of ultimate optimism and thus recalls that of the literary epic derived from Virgil and much cultivated during the 1500s and 1600s."

también las pruebas a que se someten los dos amantes y la intervención de la sabia Urganda cobran su pleno sentido: gracias a estos recursos mágicos y supraterrestres, los amantes pueden reforzar, por encima de la fragilidad inherente al vínculo amoroso entre hombres y mujeres, el nudo del pacto solemne que entre sí han contraído. Beltenebrós persuade a Oriana a tomar parte en el experimento "de unas joyas de prueba de leales amadores," para que puedan quedar libres para siempre de las dudas e incertidumbres del amor "de que tan atormentados han sydo" (II, 471).

También en el *Tirante* el encuentro amoroso se encaja armoniosamente en un contexto más amplio de relaciones de proximidad y confianza entre ambos sexos. Hoy en día resultan de todo punto inadmisibles los severos criterios con que Menéndez Pelayo llega a calificar de "cuadros lascivos" aquellas escenas,[13] llenas de encanto y de gracia juveniles, que forman precisamente la parte más innovadora de la novela de Martorell, brindándonos un acopio de datos informativos sobre la evolución de la sensibilidad en el siglo XV. De estas escenas Dámaso Alonso ha dicho: "No sólo son de un extraño y pormenorizado realismo, sino que están como musicalmente escritas en un tiempo alegre, humorístico, impulsivo, desenfadado y primaveral."[14]

Dentro de esta dimensión del *Tirante* caben también las

---

[13] *Orígenes de la novela*, Tomo I, p. 401. -A este respecto, J. Ruiz de Conde hace prueba de la misma intransigencia ética que Menéndez Pelayo, como lo sugiere la frase siguiente: "Por este mar de disolución y liviandad navegan Tirante y Carmesina procurando mantenerse a flote" (pp. 147–8). En vista de la liberalización de las normas éticas y sociales que ha adquirido en la era posfranquista de España un carácter casi explosivo, resulta si no grotesco por lo menos anacrónico seguir acercándose a la literatura española con el afán de proselitismo puritano que ya no sirve, sino más bien ofende al nuevo espíritu del país.

[14] *"Tirant-lo-Blanc*, novela moderna," *Primavera temprana de la literatura europea*, Madrid, 1961, p. 244.

interesantes observaciones hechas por personajes femeninos acerca de la psicología y la fisiología del amor. Dice Estefanía a la princesa: "La buena condición de nosotras, por la gracia de Dios, es tal, que si los hombres la supiesen, con menos trabajo inducirían las donzellas a su voluntad guardando esta forma." Porque hay tres cualidades, prosigue Estefanía, que todas las mujeres tienen en común: son codiciosas, golosas y lujuriosas. Todo lo que el hombre ha de hacer para triunfar es determinar cuál de estas cualidades predomina en la mujer que ama. "Y aún tiene mayor bondad, que las que son casadas e se enamoran de alguno, no quieren tener amistad con hombre que sea mejor que su marido, ni igual, antes nos baxamos a más viles y menores que ellos, e somos engañadoras de nuestra honra y de la corona de nuestra honestidad" (II, 171). Más tarde, Carmesina se acordará de esta lección de psicología femenina al exhortar a Tirante a que se aparte de su preocupación amorosa para dedicarse por entero a la tarea más honrosa de la guerra. Dícele la princesa:

Que no me parece buena cosa que por una donzella queráys perder tanto bien; que yo os hago cierto que no ay cosa en el mundo más secreta que es el coraçón de la donzella, que muchas vezes *la lengua razona el contrario de lo que está en el coraçón*. Y si vos supiésedes nuestras viles pláticas, que son tales que ningún hombre del mundo nos devría estimar en nada, sino por la gran magnificencia de vosotros, que es natural cosa los hombres amar a las mugeres. Empero, si vosotros supiésedes nuestros defectos, impossible es que nos quisiédes bien, sino que el apetito natural os fuerça que no miréys derecho ni envés. (III, 34)[15]

Estos argumentos, claro está, no logran convencer a

---

[15] Compárese esta confesión de Carmesina con un pasaje en el Aucto VI de *La Celestina* donde la sabia alcahueta, refiriéndose a las "escondidas donzellas," dice: "Las quales, avnque están abrasadas é encendidas de viuos fuegos de amor, por su honestidad muestran vn frío esterior, vn sosegado vulto, vn aplazible desuío, vn constante ánimo é casto propósito, vnas palabras agras, que la propia lengua se maravilla del gran sofrimiento suyo, *que la fazen forçosamente confesar el contrario de lo que sienten*" (Ed. J. Cejador, Madrid, 1955, I, 208).

Tirante ni era la intención de la princesa que tal efecto tuvieran en el ánimo de su amante. Pero lo que nos interesa aquí como en otros muchos pasajes del *Tirante* es que al margen del trato amoroso apunta una relación de complicidad entre los sexos que les permite racionalizar los efectos de la ciega fuerza del ímpetu sexual. Esta especie de compromiso racional entre los sexos trasciende en cierta medida las manifestaciones del amor en el *Tirante*, enriqueciéndolas con una nueva dimensión desconocida hasta entonces en la cultura afectiva de la época y que, en última instancia, es responsable de la impresión de asombrosa novedad que produce la lectura de esta novela en el lector moderno.

Una de las figuras femeninas más atractivas de la obra de Martorell es sin duda Plazer de mi Vida, doncella de una viveza chispeante y de increíble desparpajo. Resulta que la indiscreta muchacha ha sido testigo de la entrevista nocturna entre las dos parejas de amantes, mencionada más arriba, cuyo relato es despachado por el autor en unas pocas líneas. Pero gracias a Plazer de mi Vida el lector no queda privado de la relación pormenorizada de los desvelos amorosos de aquellos amantes. Al día siguiente la doncella pide permiso a la princesa y a Estefanía para contarles lo que ha "soñado" la noche anterior. Como entrada en materia, la maliciosa doncella hace reparo en el gesto cansado de Estefanía. Esta pretende tener un dolor de cabeza: "que anoche el ayre del río me hizo mal." A lo que replica Plazer de mi Vida:

Mira bien que no te hagan mal los talones, como yo aya oýdo dezir a los físicos que a nosotras las mujeres el primero dolor nos viene en las uñas, después a los pies, sube a las rodillas y a los muslos, e a vezes entra en lo secreto y allí da gran tormento, y de aquí se sube a la cabeça y turba el seso, y de aquí se engendra el mal de caer. (II, 394)

He aquí, pues, el itinerario fisiológico de los movimientos de la pulsión sexual a la que se reducía el amor "sano" según los tratados médicos de la Edad Media. Hay que advertir, sin embargo, que la etapa final, cuando la pasión "sube a la cabeça y turba el seso," ya entra de lleno en el dominio de las enfermedades mentales o sea la locura, según las autoridades médicas medievales.[16] Lo que en la descripción de Plazer de mi Vida forma la última fase de la pasión amorosa representa precisamente el suelo nutricio del amor cortés: es en este dominio predilecto donde crece y florece. Señalemos este punto de divorcio entre el amor en cuanto mero apetito sexual de un lado y de otro, el sentimiento amoroso en su forma idealizada del amor cortés. En su estudio mencionado en la nota 16, Keith Whinnom explora con lúcida atención el problema desconcertante que estos aspectos aparentemente inconciliables del amor presentaban al espíritu del hombre de la baja Edad Media. Muy atinadamente Whinnom pone en evidencia los factores que dificultaban los intentos por parte de los artistas literarios de elaborar una psicología del amor. Porque el hecho es que la general teoría psicológica acerca del ser humano de la cual tal elaboración forzosamente había de partir, fue en gran parte, nos dice Whinnom, creación de los teólogos y éstos en sus tratados o guardan "un silencio desconcertante" sobre la pasión del amor o la identifican con la *concupiscentia*, la lujuria, que es pecado mortal. Igual frustración, si no mayor, aguardaba a los que buscaron un esquema explicativo en los tratados fisiológicos medievales puesto que, como ya dijimos, según el radicalismo del punto de vista médico, por cierto no menos angosto que el de la Iglesia, el amor era mirado, o como un complejo de reacciones puramente fisiológicas, como mero sexo, o bien como una forma de locura. Según esta visión, el enemigo no era, pues, el instinto sexual, sino la superestructura psíquica acumulada por la imaginación sobre el instinto.[17] Fue este sedimento espiritual

---

[16] Cfr. Keith Whinnom, ed. *Cárcel de amor* de Diego de San Pedro, Madrid, 1971, Introduction, pp. 13–5.

[17] " ... medecine agreed in regarding sex as normality, passion as ill-

inflamado por la candente materia en que se depositaba, el que llevaba a la locura.

Sin estar del todo ausente del *Amadís* ni del *Tirante* los síntomas de esta "locura de amor," ya vimos en las páginas precedentes no sólo que el fin del amor caballeresco es la posesión carnal de la amada, sino también como, dentro del mundo sentimental de ambas novelas se despliega todo un aparato de recursos destinados a refrenar los excesos enloquecedores del amor. En el *Amadís* esto ocurre principalmente por vía de unas pruebas simbólicas que tienden a aquietar el ánimo de los amantes, aligerándoles de las dudas y los celos que les atormentan; en el *Tirante*, gracias al vigor del componente realista y anticortesano, y la relativa debilidad del componente cortesano, los cuales, como se indicó arriba, entran en la configuración literaria de los protagonistas. Correlacionada con estos fenómenos, vimos en las dos novelas, *Amadís* y *Tirante*, la confusa presencia de un sentimiento de solidaridad humana que tiende, si no a trascender, al menos a amortiguar la rigurosa oposición entre los sexos que vemos surgir en la literatura sentimental española a partir de las novelas de Juan de Flores y Diego de San Pedro.

El anterior análisis de unas tendencias y posturas comunes a los amadores del *Amadís* y el *Tirante* pone en evidencia el hecho de que estas dos novelas nos presentan un desarrollo único del tema amoroso dentro del cuadro general de la literatura sentimental de la época. El acusado sensualismo del amor caballeresco lo distingue del amor cortés celebrado en la lírica del siglo XV. Sin embargo, ni el deseo del amor físico ni la consumación misma del amor impiden que los protagonistas del *Amadís* y el *Tirante* se nos presenten como modelos de

---

ness. Not the animal instinct or appetite was considered the enemy, but the psychic superstructure built on it by the imagination. Matter was healthier than the spirit" (Aldo D. Scaglione, *Nature and Love in the Late Middle Ages*, Berkely–Los Angeles, 1963, p. 61).

31

amadores cortesanos. Les es completamente ajena la concepción de que la posesión de la amada pone fin a las ansias y exaltaciones del amante, concepción que con tanta fuerza comienza a imponerse en otros sectores de la literatura sentimental. Lo que en definitiva nos importa señalar como el más significativo punto de concordancia entre el amor caballeresco y el cortesano es que ambas concepciones implican relaciones de proximidad y de armonía entre los sexos. Amante y amada son partícipes en la experiencia enaltecedora del amor; no se enfrentan todavía como oponentes o enemigos; el encuentro amoroso entre hombre y mujer aún no se ha convertido en la palestra de la literatura anticortesana en donde va a desatarse la guerra entre los sexos. El aroma más persistente de las dos "plantas exóticas" del amor cortés y de la materia de Bretaña, la semilla henchida de futuras discordias que esos trasplantes foráneos han dejado en el panorama socio-literario de la Península se reduce, en último análisis, a esta conformidad de ánimo, este acuerdo mutuo, este pacto íntimo, que, dentro de la desigualdad ideal entre amada y amante, condicionaban en aquel universo las relaciones amorosas entre hombres y mujeres. Pero, como lo veremos más adelante, el curso de maduración de estos frutos, tan prometedores para el crecimiento psicológico y afectivo de la personalidad histórica del español de la época ha sido interrumpido bruscamente en la segunda mitad del siglo XV.

3. *Amor y honor*. Contrariamente a lo que ocurrirá más tarde en las comedias de honor del teatro del siglo de oro en donde amor y honor se presentan muchas veces como dos aspiraciones antagónicas dentro del mismo individuo, se observa en el *Amadís* una correlación muy estrecha entre el amor y el honor. Ambos sentimientos parecen reforzarse mutuamente. Incitado por el amor a su dama, el caballero se pone en los mayores peligros para realizar las grandes hazañas que aumentan su honra y fama. Esta honra y fama le hacen cada

vez más merecedor del amor de su dama. Pero hay más. La total entrega a la amada hace que el amante quede enajenado de sí mismo hasta el extremo de no poder valerse de los recursos de su persona ni de su propia vida sino a través de la voluntad de su dama. "¡O, mi señora Oriana, de os me viene a mí todo el esfuerço y ardimiento!" -exclama Amadís en el Cap. XLIV (II, 367). Desterrado en la Insola Firme por el injusto enojo de Oriana, Amadís languidece desesperado en una vida inútil, en gran detrimento de su honra. En cambio, cuando le asiste la buena gracia de su amada, el héroe no se arredra ante ningún adversario por más temible que sea. En el Cap. LXI, Oriana presencia desde su ventana el feroz combate entre Amadís y Ardán Canileo. Para animar a Amadís la princesa se vuelve de espaldas a la lucha "porque Amadís viesse los sus muy fermosos cabellos porque más esfuerço y ardimiento su amigo tomasse" (II, 533).

En el plano idealista del *Amadís*, la honra añade al sentimiento del amor una dimensión social en la que la dama participa de la gloria de su amigo. Al oír el elogio que Galaor hace de su hermano Amadís, Oriana se dice a sí misma: "¡Ay, Oriana, si ha de venir algún día que tú te falles sin el amor de tal como Amadís, y sin que *por ti sea posseýda tal fama*, assí en armas como en hermosura!" (III, 698). [18]

---

[18] Comparemos estas palabras de Oriana con un pasaje del *Geraint*, que es un cuento gálico del siglo XIV (*Mabinogi*) adaptado del poema *Erec* de Chrétien de Troyes. Enide, joven esposa de Geraint, es presa de una gran angustia al enterarse de que el honor de su esposo está en entredicho en la corte del rey Artús. La vida ociosa de Geraint, apartada de la caballería y entregada por completo a los deleites amorosos con su amada Enide, ha sido causa que en aquella corte se murmure de la mengua que ha sufrido su honra. El dilema que se presenta ahora al espíritu atormentado de la pobre Enide es si debe o no informar a su marido. Una mañana, los dos acostados en el lecho, Enide, despierta, contempla el cuerpo hermoso de su esposo que duerme. "Elle se mit à considérer combien son aspect était beau et merveilleux et dit: 'Malheur à moi, si c'est à cause de moi que ces bras et cette poitrine perdent toute la gloire et la réputation qu'ils avaient conquise'" (Citado por Myrrha Borodine, *La Femme et l'amour au XIIe siècle*, Genève, Slatkine Reprints, 1967, p. 43). Al contrario de Oriana, quien siente que "posee" la honra de Amadís

Tanto o más que suya, pues, la honra del caballero pertenece a la mujer amada. Esto se evidencia muy claramente en el episodio en donde Amadís le pide permiso a Oriana para ausentarse de su presencia. El rey Lisuarte, mal aconsejado por unos caballeros envidiosos, le ha retirado su favor desterrándole de su corte y reino. A Amadís no le queda más remedio que cumplir este injusto mandato porque, dice a Oriana:

de otra manera toda aquella gloria y fama que con vuestra sabrosa membrança yo he ganado se perdería, con grande menoscabo de mi honrra, tanto, que en el mundo tan menguado ni tan abiltado cauallero como yo no auría; por que os pido, señora, que no sea por vos mandado otra cosa, porque assí *como seyendo más vuestro que mío, assí de la mengua más parte os alcançaría*, lo que, a todos ahunque oculto fuesse, siendo a vos, mi señora, manifiesto, siempre el ánimo vuestro en gran congoxa sería puesto (II, 549–50).

Notemos en estos pasajes y muy especialmente en este último como el culto ideal del amor cortés llega mediante la sutileza y el refinamiento de sus conceptos a moldear el ímpetu primitivo del héroe en un sentimiento noble y complejo cuyas manifestaciones nos representan a un Amadís que pone "a *la braueza del su fuerte coraçón* vna orla de gran sofrimiento y contratación amorosa" (III, 823). Pero observemos también que hay en esta "contratación amorosa" de Amadís algo desmesurado que, llevado a su último extremo, tendería a romper el equilibrio entre el plano sentimental y el de la acción en la novela. Es tan grande, en efecto, el señorío de Oriana sobre su amante que virtualmente ella pudiera paralizarle en

---

como signo de la total entrega al culto amoroso que le rinde su amigo, Enide concibe el amor como algo que puede inducir a su amante a ser "recréant," es decir, a olvidarse de su misión de caballero andante. En el *Geraint* lo mismo que en el *Erec* de Chrétien de Troyes, la llamada a la acción, a la vida esforzada del caballero andante, resulta más fuerte que la seducción de los deleites amorosos. En este sentido, el *Amadís* está mucho más cerca de otros poemas refinadamente cortesanos de Chrétien, tales como el *Cligès* y más que nada el *Lancelot*.

un estado permanente de completa inacción. Prueba de ello es el largo exilio de Amadís en la Insola Firme y los trece meses que permanece en Gaula alejado de todo hecho de armas para cumplir el mandato de su señora (III, Cap. LXVIII).

Me interesa sobremanera destacar ese atributo concedido a la mujer en el culto cortés que es la potencialidad, nunca plenamente realizada en la novela, para mover al hombre que deje todo lo que le aparte de la presencia de la amada para entregarse por entero a la práctica, los ocios y cuidados del culto amoroso. A este imposible anhelo femenino se opone la aspiración ambivalente del hombre a buscar la fusión completa con la amada y a la vez a sustraerse al yugo de la servidumbre amorosa que le hace prisionero de la esfera de vida femenina, divorciándole de la acción. Por muy idealista que sea la pintura del amor en el *Amadís*, hay que notar, sin embargo, que el compromiso entre estas dos aspiraciones hasta cierto punto inconciliables de la mujer y el hombre forma el tuétano mismo de la historia de amor entre Oriana y Amadís. Entre los numerosos episodios del libro en que Oriana tiene que otorgar a Amadís, en contra del deseo de su corazón, licencia de despedirse de ella para acudir a alguna batalla u otro ineludible deber al que le obliga su honra, hay uno que brinda un interés muy especial al desarrollo de la idea que presentamos aquí.

Hacia el final de la gran novela en el Cap. CXXVII del Libro IV, después de establecida ya la paz entre Amadís y el rey Lisuarte, los dos esposos reunidos en la tranquilidad de la Insola Firme pueden darse, por fin, al disfrute de los gozos de una felicidad que nada parece ya poder estorbar:

Así como habéis oído quedó en la Insula Firme Amadís con su señora Oriana en el mayor vicio y placer que nunca caballero estuvo, de lo cual no quisiera él ser apartado porque del mundo le hiciesen señor, que así como estando ausente de su señora las cuitas y dolores y congojas de su apasionado corazón sin comparación le atormentaban no hallando en ninguna parte reparo ni descanso alguno, así extremadamente se tornaba todo al contrario estando en su presencia, viendo aquella su gran hermosura que par

35

no tenía, y así se le fueron todas las cosas pasadas de la memoria que en otra cosa no tenía mientes, salvo en aquella buena ventura en que entonces se veía. (p. 985)

Nótese que estos gozos del idilio amoroso nos son relatados como experimentados, no por el íntimo estado de ánimo de la mujer, sino del hombre. Pero en medio de la felicidad al fin alcanzada y en la quietud idealmente estática de los deseos colmados, Amadís se despierta de nuevo a la llamada a la aventura, al prurito de la acción. Adviértase en el pasaje que sigue que este sentimiento de desasosiego, causado por el hastío, es interpretado por el autor correctamente -si traducimos los términos de su esquema explicativo a los de la psicología moderna- como algo que está ordenado por Dios, es decir, como un rasgo inherente a la condición masculina.

> Pero como en las cosas perecederas de este mundo no haya ni se puede hallar ninguno acabado bien, pues que Dios no lo quiso ordenar que cuando aquí pensamos ser llegados al cabo de nuestros deseos, luego en punto somos atormentados de otros tamaños o por ventura mayores, al cabo de algún espacio de tiempo, Amadís tornando en sí, conociendo que ya aquello por cuyo fin ningún contraste lo tenía, comenzó a acordarse de la vida pasada cuanto a su honra y prez hasta allí había seguido las cosas de las armas, y como estando mucho tiempo en aquella vida se podría oscurecer y menoscabar su fama, de manera que era puesto en grandes congojas no sabiendo que hacer de sí, algunas veces lo habló con mucha humildad con Oriana, su señora, rogándola muy ahincadamente le diese licencia para salir de allí e ir a algunas partes donde creía menester su socorro (p. 985).

Pero esta vez Oriana se niega con mucha firmeza a darle licencia para apartarse de su lado rogándole que "diese descanso a su cuerpo de los trabajos que hasta allí había pasado" (p. 985). La caza, ese substitutivo habitual de la guerra, le ofrece luego a Amadís el fácil pretexto para "ejercitar su cuerpo" y encontrar nueva aventura (la de "la dueña del batel" con el caballero muerto).

En *The Allegory of Love*, libro aparecido en 1936 pero cuyo interés no ha decrecido pese a la inmensa bibliografía que en los últimos cuarenta años se ha ido formando en torno al tema del amor cortés, C. S. Lewis dice: "The courtesy of the Troubadours, of Andreas, of Chrétien, was a truancy. Behind the courtly scale of values rose the unappeasable claims of a totally different and irreconcilable world: it was to this truancy and insecurity that the courtly life owed half its wilful beauty and pathos." (p. 104) Ahora bien, no sólo fuera sino también dentro de la misma realidad literaria del *Amadís* percibimos el trasfondo desdibujado de aquel mundo totalmente diferente e irreconciliable contra el cual se proyecta la "truancy" del amor cortés. Tratemos de definir en este trasfondo algunos datos fundamentales que se hallan implicados en la constitución literaria del universo del *Amadís*.

Señalemos en primer lugar la presencia de los caballeros, cuya figura más representativa es Galaor, que se dedican exclusivamente a buscar la aventura heroica. Para éstos el amor no es más que un pasatiempo, un breve deleite y un puro placer sensual. No faltan indicios en el *Amadís* que nos sugieren que es este tipo de amor y no el amor cortés el que inspira las experiencias amatorias de los compañeros de armas de Amadís. Al ofrecerles a estos últimos la hospitalidad de la Insola Firme, Amadís encarece los encantos de la isla en estos términos: "porque aquella tierra es muy viciosa, abunda de todas las cosas y de muchas caças y fermosas mugeres, que son causa, doquiera que las haya, de plazer a los caualleros más loçanos y orgullosos" (II, 552). El contexto sugiere que los caballeros podrían satifacer sus ansias de acción en la caza y llenar sus ocios en la grata compañía de mujeres hermosas.

Pero hasta en el amor idealista entre Amadís y Oriana la armonía entre los amantes deja de ser completa. Vimos en el largo pasaje antes citado como los gozos amorosos disfrutados en la paz de la Insola Firme no logran apagar en Amadís la sed de aventuras y acción. ¿Cómo se ha de explicar este "paradoxe amoureux"?

4. *La paradoja amorosa del "Amadís".* -Para explicar esta

contradicción aparente es preciso recordar las relaciones de proximidad y de armonía entre los sexos, las cuales se han señalado en la conclusión del apartado 2 como el rasgo fundamental que el amor caballeresco tiene de común con el amor cortés. Pero al aislar así el ingrediente más potente que iba mezclado en las dos corrientes extrañas, la del *amour courtois* y de la *matière de Bretagne*, que vinieron a fecundar la vida socio-literaria de Castilla, hemos identificado al mismo tiempo el factor que es responsable de la dificultad de distinguir el amor caballeresco del amor cortesano. Establecer una clara distinción entre estos dos tipos de amor parece ser, según opinión general de la crítica, punto menos que imposible. Roger Boase, en el magnífico instrumento de trabajo que nos ha dado en su estudio sobre el origen y el sentido del amor cortés, afirma: "it is impossible to draw a hard-and-fast distinction between these two species of love, or to argue that there was a definite evolution from the former to the latter."[19]

René Nelli es el único crítico, que yo sepa, quien se ha detenido a examinar las implicaciones más obvias de esta distinción. Según este autor, los trovadores querían distinguirse por la *cualidad* de sus sentimientos. No tenían la intención de rivalizar con los caballeros en valentía física ni en proezas heroicas. Afirma Nelli:

> dans la plupart des cas, l'érotique chevaleresque ne tendait qu'à développer les qualités viriles du héros pour le rendre *digne de l'amour*, alors que l'érotique courtoise se proposait de faire naître cette passion d'une épreuve sentimentale purificatrice. Et c'est en cela, peut-être, qu'elles s'opposaient le plus radicalement.[20]

Pero para profundizar nuestra visión sobre el amor cortés español y el caballeresco y su ulterior desarrollo en el

---

[19] Roger Boase, *The Origins and Meaning of Courtly Love. A critical study of European scholarship*, Manchester, 1977, p. 77.

[20] René Nelli, *Les Troubadours. Le Trésor poétique de l'Occitanie*, Bruges, 1960–66, Tomo II, p. 338.

siglo XV, es preciso dar un paso más, contraponiendo el campo vital dinámico del caballero andante con los imprecisos contornos de vida ociosa que deslindan el ámbito del amador cortesano. Gran parte de la ambigüedad e incongruencia, por ejemplo, de la famosa novela de Diego de San Pedro, *Cárcel de amor*, es precisamente debida a que el protagonista, Leriano, participa de las cualidades características de ambos tipos de amadores en su constante vaivén entre los dos ambientes que acaban de señalarse.

A pesar de ser escasos los datos concretos que se dejan desprender del nebuloso universo poético de la lírica cancioneril, no por ello hemos de dejar de esbozar el perfil del hombre que habita ese universo. Porque es bajo el disfraz de los amadores de la poesía cortesana como se presentarán los protagonistas del nuevo mundo teatral y novelesco que se va abriendo con las primeras églogas profanas de Juan del Encina y, más que nada, con la aparición de *La Celestina* de Fernando de Rojas. Ahora bien, el amador cortés español es esencialmente un hombre que se ha segregado voluntariamente de una vida de acción para entregarse por completo a su culto a la mujer. Las pruebas con que espera merecer la gratitud de la dama resultan de un esfuerzo espiritual realizado, por decirlo así, bajo la mirada misma de la mujer. En otros términos, el culto cortesano encierra al hombre en una esfera de vida típicamente femenina. En cambio, las dos esferas de vida, la del hombre y de la mujer, se perfilan con toda nitidez en la novela de caballerías. Hemos recalcado el privilegio que gozan los caballeros del *Amadís* y *Tirante* de poder acceder libremente al medio ambiente femenino, libertad no estorbada todavía por un código de honor muy estricto a este respecto. Pero en contraste con los amantes cortesanos, estos caballeros realizan sus actos esforzados, que les hacen dignos del amor de su dama, en una esfera de vida típicamente masculina de la cual queda rigurosamente excluida la mujer. Por tanto, la cuestión de las diferencias entre el amor cortés y el caballeresco me parece ser, en el fondo, un problema mal planteado, porque ambos conceptos se encuentran en la realidad literaria íntimamente relacionados con dos tipos de hombres claramente distintos. Esta distinción forma el factor decisivo que se ha de tener en cuenta al estudiar los dos fenómenos aludidos aquí.

Sin embargo, esta distinción entre dos tipos de hombres, uno siendo el modelo para el amador-cortesano de la lírica cancioneril, otro para el caballero-amante de la novela, no resuelve por completo la ambivalencia del amor caballeresco. Para ello es preciso introducir además este mismo criterio distintivo dentro de la realidad literaria de la novela de caballerías. Lo que salta a la vista entonces es la doble vertiente por la cual se actualiza el amor caballeresco. En la primera vertiente el caballero-amante se confunde en gran medida con el amador cancioneril. Lo que le distingue de este último es el intento carnal de su amor, diferencia de poca consecuencia, como vimos más arriba, y por otra parte, un mayor grado de racionalización de la pasión amorosa. En la segunda vertiente se despliegan las actividades ejecutadas por el hombre en la esfera de vida masculina. Estas actividades forman la misión del caballero andante. Existe una interacción ideal entre el comportamiento amoroso del caballero en la vertiente sentimental, y sus esfuerzos heroicos en la vertiente de la acción. Pero al mismo tiempo hay una manifiesta oposición y hasta contradicción entre la delicadeza de los sentimientos amorosos de los héroes de los ciclos artúricos y del mismo *Amadís* y la barbaridad de los actos cruentos que ellos cometen sin que les guíe, como lamenta Menéndez Pelayo, "ningún propósito serio de patria o religión" (*Orígenes de la novela*, I, Cap. IV).

Lo que en definitiva nos parece de sumo interés destacar es el hecho de que la perspectiva de la doble vertiente que hemos introducido en el concepto del amor caballeresco es, en el fondo, idéntica a la que ilumina las diferencias entre el universo del hombre y el de la mujer. En la vertiente de la acción resuena la llamada a la aventura en tonos a veces tan seductores que llega a silenciar momentáneamente la del amor en el corazón del hombre. Ser hombre es participar en las dos esferas de vida, la del amor y la de la honra, ese epítome aristocrático de la acción caballeresca. Ser mujer es participar sólo en la del amor. La estrecha correlación entre amor y honor, creada -según vimos arriba- por las sutilezas del raciocinio cortés, puede disfrazar, embellecer pero no abolir la realidad de que esta diferenciación esencial, esta división de la vida en una esfera masculina, muy amplia y dinámica, y otra femenina, estrecha y pasiva, forma parte integrante del entramado ideológico en el cual está fundada, no sólo la sociedad cortesana del *Amadís*, sino la sociedad medieval en general y, si bien lo miramos, la de tiempos más modernos también. En los tratados feministas del siglo XV y el XVI vemos puesto en evidencia ese concepto de la unidimensionalidad de la vida del "sexo débil." En su *Jardín de nobles doncellas* (1468), Fray Martín de Córdoba afirma:

los carnales amores a todos paren peligro, asi a donzeles como a donzellas; pero mucho más a las donzellas que a los mancebos; aunque conciban amor, pero tienen otras cosas que entender, como es en monte, en caça, en domar cavallos e otros hechos humanos que les resfrían aquel amor necio. Las donzellas, si una vegada son ocupadas de amor, son perdidas, *que no tienen otro oficio sino amar.*[21]

---

[21] BAE, T. 171, p. 81. -Es curios hacer notar tanto la antigüedad como la modernidad de esta idea estereotipada relativa a las diferencias entre los sexos con respecto a la experiencia amorosa. Más de un siglo antes, Boccaccio declaró en el Proemio a su *Decamerone* que las mujeres no tienen más remedio que sufrir, resignadas, la pena y la melancolía causadas por el deseo del amor, mientras que los hombres tienen muchas distracciones que pueden hacerles olvidar la melancolía amorosa, tales como la caza, la pesca y montar a caballo. Mucho más tarde, en la comedia de Guillén de Castro *El cerco de Tremecén*, Clarinda, dejada sola y como olvidada por el Conde Dionís, quien sólo un momento antes se mostró su tierno amante, pero que acude a la irresistible llamada a las armas de sus compañeros, exclama:

¡Gran negocio es el honor,
no hay a los hombres honrados
pensar que los venza amor,

En última instancia "le paradoxe amoureux", el mundo diferente que se opone a la "truancy" del amor cortés en los primeros tres Libros del *Amadís*, resulta de una ambivalencia que es inherente a la condición masculina. Esta ambivalenca radica en las dos aspiraciones irreconciliables que confieren a la existencia del varón su equilibrio inestable, su perenne estado de íntimo desasosiego: de un lado, el anhelo de perderse en la amorosa fusión con la mujer y del otro, el deseo de huirse de esta temible sujeción que le priva de su libertad y le aparta de "su vida de hombre," es decir, de la vida de acción. "Manhood is always in doubt, and its reconfirmation can only be made believable in an exclusively masculine ambience hedged with rules and physical difficulties."[22] Si esta caracterización es perfectamente válida para definir la caballería andante de todo el género caballeresco, el singular mérito del autor o de los autores del *Amadís* primitivo es el de haber querido subordinar idealmente las exigencias inherentes a este aspecto masculino de la vida a los anhelos de una unión en la que se fundan armoniosamente las dos esferas de vida, la femenina con la masculina. Este es, en el fondo, el tema de la gran novela, y tras definirlo así, importa añadir que la refundición del *Amadís* por Montalvo señala el punto preciso desde el cual la cultura afectiva de Castilla quedará escindida de la secular tradición sentimental europea cuyo máximo repre-

---

que de amorosos cuidados
lleva el son del atambor!

(*Obras de Don Guillén de Castro*, ed. Eduardo Juliá Martínez, Madrid, 1926, T. I, p. 316)

Por otra parte, cinco siglos después de la aparición del escrito de Fr. M. de Córdoba, en otro tratado sobre el amor, leemos: "Men can fill their libido with physical play, work, and acquiring material things in a contest; women cannot. Woman surrenders to her libido, hence, if no real sublimation comes about, she drowns herself in instinctual and elemental activities. Inhibitions and repressions make her life an agony (Donald Day, *The Evolution of Love*, New York, 1954, p. 458).

[22] Frederic Crews, *Out of my System. Psychoanalysis, Ideology, and Critical Method*, New York, 1975, p. 47.

sentante era Chrétien de Troyes. Porque lo que Chrétien explora en sus grandes poemas de *Erec, Cligès, Lancelot* e *Yvain* son en definitiva, como nos ha demostrado Myrrha Borodine (véase n. 18), las diferentes alternativas ensayadas por los héroes arturianos en sus esfuerzos por reconciliar sus deberes de caballero andante (es decir, su condición masculina) con las exigencias del amor. En la historia del *Amadís* se ha plasmado este mismo esfuerzo artístico por elevar a un plano idealista la *quête* del hombre para realizar su ineludible pacto con la mujer. Que este mismo anhelo y los obstáculos que dificultan su realización se hayan perpetuado como preocupación vital, artística e incluso científica en la cultura afectiva de occidente hasta el día de hoy, explica la fascinación y esa sensación de cercanía que siente el lector moderno con respecto al mundo sentimental de *Amadís de Gaula*.

5. *El "Amadís": literatura secularizada.* -El *Amadís* primitivo nos presenta la misión del caballero andante como una forma de vida institucionalizada que le permite al héroe buscar escape a su ardimiento en puro desgaste gratuito de energía bélica con el que aumenta su honra y gana el amor de su dama. Las hazañas de Amadís no sirven otro fin que éste. Sus actos son motivados por un ideal altamente individualista y puramente mundano de autoafirmación y engrandecimiento personal, como lo fueran los de los héroes artúricos en los poemas de Chrétien de Troyes hasta el *Perceval*. Según vimos en los tres apartados que preceden, el ardimiento del caballero es transformado por vía de la disciplina ideal del culto cortés y el código de honor caballeresco en un sentimiento y un anhelo altamente espiritualizados que se expresan a través del comportamiento aristocrático-cortesano del caballero. Este estilo de vida, de pura esencia terrenal, no es producto espontáneo e irracional del azar histórico, sino una forma de vida consciente, elaborada a lo largo de una evolución histórico-cultural cuya dialéctica procede de una racionalidad también laica. En

otros términos, el *Amadís* primitivo es producto de una literatura secularizada. Para mejor hacer ver este aspecto peculiar y único de la novela conviene dar una breve digresión sobre la actitud adoptada por los pensadores y poetas frente al conflicto entre razón y fe en la Francia de los siglos XII y XIII.

En su bien conocido libro *The Heresy of Courtly Love*, Alexander Denomy discute la problemática inherente a la oposición entre el ideal del amor cortés y la doctrina cristiana. Andreas Capellanus en su *De Amore*, "libro de texto del amor cortés," tenía conciencia de que el nuevo culto cortés era inconciliable con la visión cristiana de la vida en la cual la razón servía la revelación divina. Según Denomy, los pensadores y poetas de los siglos XII y XIII en Francia encontraron a través del averroísmo en las doctrinas aristotélicas y en la tradición filosófica de los árabes un sistema de pensamiento que establecía una clara distinción entre las enseñanzas de la revelación y las conclusiones filosóficas alcanzadas por la razón natural. La emergencia de este principio de "la doble verdad," afirma Denomy, hizo posible el divorcio entre razón y fe, entre filosofía y teología, entre la esfera de vida secular y la religiosa. La dicotomía entre ambas esferas ha permitido al hombre occidental neutralizar las contradicciones entre razón y fe en una zona inoperante de su conciencia. La doctrina de "la doble verdad" constituye así una condición básica para la eclosión de una cultura laica dentro de las sociedades cristianas de occidente.[23]

Pese a la consabida tendencia manifiesta en la refundición del *Amadís* a depurar la *matière de Bretagne* de cuanto fuera contrario a la austeridad del alma de Castilla, muy en especial del amor adulterino, lo cierto es que esa materia "exótica" estaba tan compenetrada con la doctrina de "la doble verdad"

---

[23] Alexander D. Denomy, *The Heresy of Courtly Love*, New York, 1947, pp. 33–52.

que resultó imposible borrarla del fondo ideológico de la novela. Puédese comprobar este hecho desde dos niveles distintos, uno en que el refundidor trata conscientemente de resolver la paradoja, otro en donde admite sin quererlo la validez del principio de "la doble verdad" dentro del mundo sentimental de la novela.

En el Cap. XXXV, para dar alivio a la mortal ansia amorosa de Amadís, Oriana consiente entregarse a su amante, diciéndole: "Yo haré lo que queréys, y vos hazed como, avnque aquí yerro y pecado parezca, no lo sea ante Dios" (I, 284). El subterfugio usado aquí para salvar las apariencias, claro está, es la palabra de esposo (matrimonio secreto). Sin embargo, que Oriana se sienta partícipe en dos esferas de vida en el fondo irreconciliables, lo parecen indicar las palabras con que revela a Mabilia, en el Cap. LIX, su constante preocupación amorosa con Amadís: "que mi cautiuo coraçón nunca en ál piensa sino en le complazer y seguir su voluntad, *no guardando a Dios* ni la yra de mi padre" (II, 505). Las hermosas palabras que Oriana dirige en el Cap. XXX a Amadís "y si yo del mundo he sabor, por vos que en él biuís lo he" (I, 247), parecen evocar también la antítesis y la separación entre los dos mundos.

Pero es en el Cap. LII donde estos dos ámbitos, el del culto mundano al amor cortés y el del servicio a Dios, se nos representan como dos esferas de vida claramente separadas. La "donzella de Denamarcha" encuentra a Amadís en la Peña Pobre sin reconocerle porque su aspecto físico ha cambiado a consecuencia de la vida áspera que lleva en aquel lugar apartado. La doncella se entera de que se trata aquí de un caballero que "faze penitencia." Expresa su asombro al hermitaño quien acompaña a Amadís (que ahora se llama Beltenebrós) en su soledad: "Mucho culpado deue ser -dixo ella-, pues en parte tan áspera fazerla quiso." A lo que responde el hermitaño: "Assí es como vos dezís, pues que más por las cosas vanas y pereçederas *desde mundo que por seruicio de Dios lo faze*" (II, 423).

45

Si en el nivel primero se trataba del aspecto físico del amor, manifiestamente contrario a la moral cristiana por ser pecado de la carne, en este segundo nivel vemos, si no la aceptación, al menos la conciencia de que el ideal del amor cortés constituía un culto mundano separado de la religión, incompatible con ésta y, no obstante, considerado como una alternativa válida, como un estilo de vida que seguía sus propios preceptos y reglas.

El *Amadís* primitivo representa así una fase durante la cual la literatura sentimental española llega a emanciparse de la tutela de la autoridad eclesiástica, afirmándose como la expresión de una cultura laica, no opuesta a, sino separada de, la cultura religiosa. En la segunda parte de este capítulo veremos como estos presupuestos ideológicos se pondrán en tela de juicio y serán rechazados en los Libros IV y V del *Amadís*. Esta evolución implica, pues, el rechazo de los valores más representativos del legado cultural de occidente que la *matière de Bretagne* trajo a la Península. Pero antes de emprender este estudio, detengamos un instante más nuestra mirada en el vínculo de parentesco que une el *Amadís* primitivo a la literatura europea, muy en especial a los poemas de Chrétien de Troyes. Desde ahora en adelante los caminos hasta este punto paralelos, del *Amadís* y la literatura arturiana, se bifurcan. En el *Perceval*, último poema de Chrétien, el caballero, propulsado por la fuerza generosa de su propio ardimiento, se lanza más allá del amor mundano a buscar la aventura mística: la *quête* del Graal. Esta materia quintaesenciada, inaugurada por Chrétien, será ampliada por los novelistas franceses de la primera mitad del siglo XIII, hasta desembocar en el colosal cuerpo literario de *Lancelot-Graal* que desarrolla de manera lógica y completa la leyenda del Graal.[24] En cambio, la continuación de

---

[24] J. Bedier et P. Hazard, *Histoire de la littérature française illustrée*, Paris, 1923, p. 41. -El ciclo Lancelot-Graal no era desconocido en la Península y hasta precedía la historia del *Amadís*. Pero la difusión de esta materia se hizo a través de adaptaciones y traducciones muchas veces incoherentes: "none of them had the good fortune of *Amadís de Gaula*, which chanced on a transcriber who

Amadís de Gaula en el Libro IV y sobre todo en el quinto (*Las sergas de Esplandián*) nos introduce en un nuevo mundo caballeresco muy distinto del universo espiritual que se despliega en las cinco partes de la leyenda del santo Graal. Esta evolución inesperada se estudiará en nuestra discusión de la noción de *Sabiduría* que empezamos ahora.

Sabiduría (Libros IV y V)

1. *Preeminencia de la Sabiduría.* -Llegados a este punto en nuestra discusión del ardimiento del caballero en los primeros tres Libros del *Amadís,* nos importa destacar el hecho singular de que los fenómenos puestos de relieve en los apartados anteriores se relacionan con una teoría psicológica acerca del caballero que se ha hecho cuestionable a partir del Libro IV del *Amadís* y la cual se halla explícitamente rechazada en *Tirante el Blanco,* novela rigurosamente coetánea a la refundición y composición del *Amadís.* Antes de examinar este interesante desarrollo, conviene primero elucidar el concepto de ardimiento con la ayuda de una serie de ideas expuestas por C. S. Lewis en su conocido estudio *The Discarded Image.*

Para bien entender este concepto de ardimiento es preciso, según Lewis, remontarse hasta el pensamiento platónico. Platón asignó a los líderes filósofos el más alto rango en la organización política y social del Estado. Luego venía la clase guerrera a la que incumbía el ejecutar las órdenes de esos líderes. Por último, había el pueblo común o el vulgo del que sólo se esperaba obediencia y sumisión. Es curioso resaltar que esta tripartición se introdujo también en la concepción psicológica del hombre medieval. La parte racional vive en la cabe-

---

presented it anew in a manner of speech that became a model and an inspiration to succeeding ages. Yet Montalvo's *Amadís* is but the end of a process which begins approximately in the *Merlin y Demanda*'s languid and literal incoherence" (William J. Entwistle, *The Arthurian Legend in the Literatures of the Spanish Peninsula,* rpt. New York, 1975, p. 197).

za. En el pecho mora la energía "que asemeja a ira" y que hace al hombre enardecido. El apetito, que corresponde al pueblo común, se localiza en el abdomen, por debajo de las otras dos facultades. C. S. Lewis afirma que según la idea medieval esta concepción tripartita de salud psíquica debía reflejarse en el temple del verdadero caballero. "Reason and appetite must not be left facing one another across a no-man's-land. A trained sentiment of honor or chivalry must provide the 'mean' that unites them and integrates the civilised man."[25]

Tengamos presente esta teoría medieval expuesta por Lewis al examinar ahora el famoso debate entre la Emperatriz de Constantinopla y su hija, la princesa Carmesina, en el Libro III del *Tirante* sobre la cuestión de cuál de las dos virtudes, Ardimiento o Sabiduría, debe predominar en el caballero. La Emperatriz opina que Ardimiento es la gran fuerza que mueve al caballero a hacer actos heroicos y a despreciar todos los peligros de la guerra. No necesita Sabiduría porque ésta hace cobardes a los hombres. La "sabieza" -dice, claramente aludiendo a la concepción tripartita que discutimos arriba- es indispensable a "los cibdadanos y juristas, que han de regir las comunidades y administrar la justicia; estos tales con la Sabiduría trabajan continuamente en hazer bevir a sí mismos y a la gente popular en reposo, apartando tanto como pueden toda manera de guerra." (III, 57)

La Emperatriz se refiere en términos elogiosos al rey Artús, Lanzarote, Tristán y otros caballeros de Bretaña que se distinguieron por su ardimiento y de "los quales no fuera hecha tal cuenta y memoria si fueran sabios" (p. 58). Donde la Emperatriz se aparta de la teoría medieval y, en cambio, concuerda plenamente con la concepción que hemos señalado como típica del *Amadís* es en la jerarquía que asigna a las tres partes, dando el lugar excelso al corazón en cuanto asiento del

---

[25] *The Discarded Image. An Introduction to Medieval and Renaissance Literature*, Cambridge, 1964, p. 58.

ardimiento y principio de "todas las virtudes que el cuerpo puede posseer" (p. 63).

Frente a esta defensa de un punto de vista tradicional ya no acorde sin duda con el espíritu del tiempo, se alza la concepción más moderna de la princesa quien sostiene que Sabiduría es de mayor excelencia en el caballero que Ardimiento. Dice Carmesina: "el hombre que tiene ardimiento, sin saber, es tenido por loco" (p. 56). La princesa vuelve a enderezar la jerarquía de facultades humanas invertida por su madre al advertir que Sabiduría es fruto del entendimiento, mientras que Ardimiento se halla asentado en el corazón que es parte del cuerpo corruptible, "e como el ánima es salida del cuerpo, él queda en gran menosprecio" (p. 56).

El Emperador, quien ha presenciado el debate entre su esposa y su hija, somete la cuestión a su consejo de caballeros y letrados. La discrepancia de pareceres a que dan lugar las deliberaciones entre los miembros del consejo se resuelve finalmente mediante una toma de votos, cuyo resultado es comunicado, bajo forma de sentencia, en el curso de una sesión solemne a la que asisten todas las damas y caballeros de esa corte, así como los embajadores de países extraños. El decreto establece que Sabiduría y Ardimiento son dos virtudes necesarias y complementarias en el caballero, pero que la primera tiene preeminencia sobre la segunda.

Lo que se perfila en este debate, al que Martorell consagra varios capítulos de su libro, son los contornos de un proceso de elaboración de un nuevo tipo de caballero. Anotemos que este proceso se lleva a cabo, no por vía de rechazo del pasado, sino por síntesis e integración de lo pretérito con lo moderno. Si el caballero que sólo posee ardimiento no es más que una figura rídicula y siempre sujeta "a las miserias y penalidades deste mundo," según palabras de la princesa (p. 62), y si, por otra parte, es fácil que el hombre que sólo tiene sabiduría sin ardimiento sea cobarde, el noble que tenga "sciencia y ardimiento" forzosamente ha de ser más perfecto que ninguno de los dos anteriores. Este nuevo tipo de caballero perfecto queda muy bien resumido por boca de alguien quien tal vez fuera el más representativo modelo histórico de este *homo novus*, el Marqués de Santillana, en su célebre frase: "la sciencia no embota el hierro de la lanza, ni haze floxa la espada en la mano del caballero." Sin embargo, apuntemos aquí de antemano que el nuevo modelo de caballero del *Esplandián* está muy lejos de reflejar esta imagen ideal del hombre renacentista que se nos presenta en el *Tirante*. Si en la realidad histórica del siglo XV el Marqués de Santillana puede haber sido la figura que más fielmente haya representado este ideal, hay que reconocer que no existe una réplica literaria de esta figura en toda la literatura de aquella época.

Sabido es que el proceso evolutivo expresado en este debate del *Tirante* ha tomado en la cultura francesa la forma de una lucha entre las dos clases dominantes de aquella sociedad, la de los clérigos y la de los caballeros. Las manifestaciones literarias de esta controversia se encuentran en los numerosos "Débats entre un Clerc et un Chevalier."[26] Reto Bezzola afirma en su gran obra sobre la literatura cortesana francesa que las dos visiones del mundo, antagónicas hasta entonces, del clérigo y del caballero, del hombre de pensamiento y del hombre de acción, se funden en un nuevo ideal humano en el curso del siglo XII. Refiriéndose a los debates medievales donde un clérigo y un caballero solicitan ambos los favores de la misma dama, Bezzola se pregunta: "Lequel des deux se montrera le plus digne de son amour?" -Y contesta: "Ni l'un ni l'autre, mais bien celui qui sera à la fois l'un et l'autre: penseur et homme d'action, celui qui réalisera le type nouveau du gentilhomme cultivé."[27]

---

[26] Muestras literarias de estos debates son muy escasos en la literatura española. Mencionemos la *Disputa de Elena y María*, escrita en dialecto leonés, que corresponde al último tercio del siglo XIII.

[27] Reto R. Bezzola, *Les Origines et la formation de la littérature courtoise en Occident (500–1200)*, Paris, 1958–67, Prologue.

Entre esta evolución y la eclosión de una refinada literatura cortesana existe una correlación evidente. La aparición relativamente tardía en la cultura castellana de este nuevo tipo de caballero explica hasta cierto punto porqué también el amor cortés viene a ser lo que Menéndez Pidal ha llamado "fruto tardío" en la literatura de Castilla.

Si el debate en el *Tirante* marca el punto final de la elaboración de un nuevo modelo de caballero perfecto en el que el ardimiento queda subordinado a los mandatos de la razón, en cambio, la narración del *Amadís* no nos presenta con una trayectoria articulada en etapas sucesivas que marquen el deterioro progresivo del prestigio de la virtud caballeresca del ardimiento y la emergencia de la de sabiduría o discreción. Pero lo que se evidencia en el *Amadís* es el hecho de que en el paso del Libro III a los Libros IV y V se ha producido un brusco cambio de actitud: desde ahora en adelante el ímpetu guerrero (ardimiento, ira, saña, osadía) del caballero es valorizado negativamente si no queda sojuzgado a la razón. Importa ilustrar esta transformación trascendental con algún acopio de pasajes. El énfasis en los pasajes citados es nuestro.

En el capítulo inicial del Libro IV, ya muerto el famoso príncipe romano Salustanquidio en la batalla narrada en el Libro III, Amadís y sus compañeros le dan una sepultura digna del gran valor de este caballero a la vez que perdonan la vida a los romanos que han sobrevivido la gran batalla. "Lo cual -prosigue el autor- en los virtuosos caballeros acaecer debe, que apartada la ira y saña la razón quedando libre dé conocimiento al juicio, que siga la virtud" (pp. 810–11).

En el Cap. CXIII, el rey Perión exhorta a sus vasallos con estas palabras: "Nobles príncipes y caballeros, así como todos somos obligados en defendimiento de nuestras honras y estados a poner las personas en todo peligro por las defender y mantener justicia, así lo somos para *sin toda saña y soberbia de nos volver y recoger en la razón* cuando manifiesta nos fuera" (p. 916).

En el Cap. CXXXI, Agrajes y algunos otros caballeros se

51

admiran de ver "la buena condición" y discreción del gigante Balán, "y por esta causa le preciaron mucho más que por su valentía, … teniendo que aquel grande esfuerzo *sin buena condición y discreción* muchas veces es aborrecido" (p. 1031).

Pero es en el Libro V del *Amadís* o sea *Las sergas de Esplandián*, creación original de Rodríguez de Montalvo, donde la voz sermonera del autor añade a la crítica del ardimiento un tono de severa condenación moral. En el Cap. XLVI, el maestro Elisabat cuenta al caballero Norandel algunas de las hazañas de Esplandián. "Y asimismo le dijo cómo su propósito [de Esplandián] era, si su ventura lo guiase, de se ir á la montaña Defendida por hacer guerra y daño á los enemigos de la fe, creyendo que para esto, y no para las otras soberbias y liviandades, daba el Señor del mundo la valentía del cuerpo y el esfuerzo del corazón, y *sobre todo, el juicio razonable.*"[28]

En el Cap. LXXXIV, después que Frandalo y sus tropas han salvado a Esplandián y sus caballeros de un trance peligroso, el autor comenta:

> Bien se podria aqui decir que en aquella compañía de caballeros habia muchos que en bondad de armas serian iguales de Frandalo, y otros que en gran parte le sobrasen. Pero ni los unos ni los otros no se le deben igualar en este caso, porque la osadía, por grande que sea, sin ser gobernada de la sábia discreción y cuidado, en lo que tener lo deben muchas veces, *es convertida en locura ó necedad* (p. 485).

Nótese el claro paralelismo entre estas últimas palabras y la opinión dada por Carmesina en la conclusión del debate en el *Tirante*. Además conviene recordar el pasaje del Libro III del *Amadís* donde Galaor compara su ardimiento con el de Amadís (698).

En el Cap. CI, Esplandián acaba de salvar de muerte segura a unos caballeros suyos que, sedientos de ganar honra

---

[28] Para el Libro V o sea *Las Sergas de Esplandián*, citamos por la edición de Gayangos en BAE, Tomo 40.

en alguna aventura, quisieron enfrentarse, en contra del sabio consejo de Belleriz que les guiaba por aquellos parajes, con un enemigo mucho más numeroso que ellos. Esplandián les reprocha su demasiado ardimiento y falta de juicio, concluyendo su discurso con estas palabras:

> Tomad siempre todas las cosas por razón, sin tentar aquel nuestro muy poderoso Señor, cuyos somos, y seréis dél ayudados y guardados de peligro, porque semejantes milagros que estos no vos vernán muchas veces; que, como quiera que todos seamos en el servicio suyo, como decis, *no quiere ser él servido sino por el camino de la razón* (p. 503).

Demos remate a esta serie ya larga pero imprescindible de pasajes con este último que encierra unos juicios de valor de sumo interés para la evolución discutida aquí. En el Cap. LV, la noche antes de empezar una gran batalla contra una hueste muy grande de turcos, Esplandián comienza la arenga a sus caballeros reunidos con estas palabras:

> Ea, buenos señores, que estas no son las aventuras de la Gran Bretaña, que mas por vanagloria y fantasía que por otra justa causa las mas dellas se tomaban; *que si la ira y saña en aquella gravemente os eran defendidas, en estas que agora se representan, no tan solamente no es pecado ejercitarlas, mas ante aquel muy alto Señor Dios muy gran mérito se gana* (V, 459).

En esta mirada retrospectiva sobre el mundo caballeresco de los primeros tres Libros del *Amadís*, el ardimiento, la cualidad caballeresca *par excellence* de aquellos héroes, aparece ahora como una inclinación pecaminosa a no ser que se halle puesta al servicio de Dios. La raíz instintiva del ardimiento se pone en clara evidencia por el paralelismo que presenta en este contexto con la pulsión sexual, inclinación también "gravemente defendida" a no ser "ejercitada" a la mayor gloria de Dios dentro del recinto sagrado del matrimonio cristiano.

2. *Transformación de la misión del caballero andante en el "Esplandián"*. -Adentrémonos ahora en el *eon* o tiempo nuevo que ya se anuncia confusamente en el Libro IV y que se impone

53

con verdadera pujanza propagandística en *Las sergas de Esplandián*. De la esfera del corazón pasamos al reino de la Sabiduría. El modelo de caballero perfecto que corresponde a este mundo nuevo es el héroe que refrena el ardimiento de su corazón para seguir "el camino de la razón." Pero esta razón, lejos de ser la facultad humana autónoma, presupuesto de la cultura laica que se manifiesta, según vimos, en la realidad literaria del *Amadís* primitivo, es ideada en estos Libros IV y V de acuerdo con los conceptos derivados de la antropología cristiana medieval en que la razón se concibe como la imagen del espíritu divino, como una potencia del alma que con su luz ilumina las verdades de la fe, guiando a la criatura por los senderos peligrosos del mundo hacia Dios. Según esta concepción medieval, "reason remains the servant of revelation. Its task within the realm of the mind is to lead to, and to help prepare the way for, revelation."[29] Es lo que nosotros hemos llamado "la monopolización religiosa de la razón." La nueva misión del caballero andante en las *Sergas* se halla modelada rigurosamente con arreglo a los preceptos éticos impuestos por este tipo de racionalidad.

El título completo de la novela original de Montalvo reza: *El ramo que de los cuatro libros de Amadís de Gaula sale; llamado Las Sergas del muy esforzado caballero Esplandián, hijo del excelente Rey Amadís de Gaula*. Sin embargo, es despistante este título porque encubre las diferencias radicales que distinguen este Libro V de los cuatro anteriores. Desde la perspectiva que se abre en las *Sergas*, los hechos narrados en el *Amadís de Gaula* parecen retroceder en la lejanía de un pasado remoto que Montalvo visualiza ahora con una mezcla de severa censura moral y de escepticismo en cuanto a la veracidad de esos relatos. La impresión creada así de distanciamiento, desproporcionadamente grande si se tiene en cuenta que Esplandián es hijo y

---

[29] E. Cassirer, *The Philosophy of Enlightenment*, Princeton, 1951, p. 241.

nieto de Amadís y Lisuarte, personajes que actúan todavía en este Libro V, contribuye a hacer sensible la pretensión de Montalvo de crear un mundo nuevo y, hasta un punto insospechado, antitético con respecto al universo caballeresco del *Amadís*.

Esplandián siempre tiene a su lado al maestro Elisabat, personaje ya presente en los Libros anteriores pero que asume aquí la función de reportero encargado por el rey Lisuarte de "poner en escripto" las proezas, o sergas, del héroe. Queda así asegurada la veracidad de la historia: "Aunque en las cosas de Amadís alguna duda con razon se podia poner, en las de este caballero se debe tener mas creencia; porque este maestro solamente lo que vió y supo de personas de fe quiso dejar en escrito" (p. 427).

Ya desde el Cap. II el lector se entera de que Esplandián sigue un estilo de vida caballeresca totalmente nuevo y opuesto al de Amadís. Si los esfuerzos heroicos de mi padre -dice Esplandián a su fiel criado Sargil- fueran empleados en luchar contra los enemigos de la fe católica, ningún hombre pudiera aventajarle en virtud ni valentía. Y prosigue: "Pero él ha seguido con mucha aficion mas las cosas del mundo perecedero que las que siempre han de durar" (p. 405). En esta misma conversación con Sargil, Esplandián reprueba las enemistades y matanzas entre los caballeros de Bretaña. Cuando Sargil arguye que éste es el estilo que todos siguen, Esplandián dice: "El mal estilo tanto mas es peor, y mas yerran y pecan los que lo siguen, cuanto mas es usado y envejecido" (p. 405). El carácter antitético del ideal de Esplandián con respecto al que animaba a los caballeros del *Amadís* resalta en las palabras de Esplandián con que se da fin a esta conversación: "Y si á Dios plugiera que mi deseo se cumpla, tú verás que cuanto mis obras serán mas diversas de las de los otros, tanto serán mas dignas de alcanzar galardon de aquel que darlo puede" (p. 406).

A la disponibilidad de los caballeros del *Amadís* a lanzarse a cualquier aventura que se les ofrezca en sus andanzas se contrapone el firme propósito de Esplandián de sólo gastar su energía en defensa de la fe cristiana. En el Cap. XXVIII, al salir de la ciudad de Londres, después de despedirse de sus padres y abuelos, Esplandián "tomó el camino derecho de la ínsula Firme ... con intención de se desviar de cualquier justa ó batalla que ofrecer se le pudiese, porque su deseo ni su saña no era encendida en ál, salvo en hacer guerra á los enemigos de la fe." Pero llegado a un puente, Esplandián se ve prohibido el paso por un caballero desconocido. Le vence en un combate feroz, casi matando a su adversario que, al final, resulta ser su propio padre. Así fracasó el intento de Amadís para recobrar el brillo de su antigua fama que había quedado eclipsada por las hazañas de su hijo. Hay algunos, nos dice el autor, quienes han divulgado el rumor de que Amadís fue muerto en aquel trance. Y prosigue: "Pero la muerte que de Amadís le sobrevino no fué otra, sino que quedando en oluido sus grandes hechos, casi como so la tierra, florecieron las del hijo con tanta fama, con tanta gloria, que á la altura de las nubes parecian tocar."[30] Esta "muerte civil" de Amadís le convierte en testigo mudo de las ulteriores hazañas de Esplandián, eliminándole de este nuevo mundo heroico de manera más eficaz que si hubiera perecido en alguna gloriosa batalla.[31]

La llegada de una multitud de caballeros venidos de la Gran Bretaña brinda al autor, en el Cap. LXXVIII, nuevo

---

[30] V, 435. -La última parte de esta frase recuerda un pasaje del Prólogo en que Montalvo, refieriéndose a la conquista de Granada por el rey Fernando, medita qué magnífico tema hubiera brindado esta hazaña al ingenio y la imaginación de los grandes historiadores clásicos: "Por cierto creo yo que así lo verdadero como lo fingido que por ellos fuera recontado en la fama de tan gran príncipe, con esta causa sobre tan ancho y verdadero cimiento *pudiera en las nubes tocar;*"

[31] En su artículo "El desenlace del *Amadís* primitivo," *Romance Philology*, 6 (1952–53), 283–89, M. R. Lida de Malkiel aduce argumentos plausibles en apoyo de su tesis de que, en la versión primitiva hacia el final de la obra, Amadís fue muerto por su propio hijo Esplandián en un lance similar al que Montalvo reproduce aquí en su novela.

pretexto para censurar el estilo de vida caballeresca del *Amadís* primitivo. Estos caballeros desembarcan en el puerto de Constantinopla para ayudar a Esplandián en su lucha contra los turcos. Impresionados por "el santo propósito" de Esplandián, los caballeros de Bretaña ya tienen las aventuras pasadas en su patria "por una grande y vana locura," y "como cosas que no pertenecian mucho á la salvacion de sus ánimas." Por boca de Frandalo, mano derecha de Esplandián, se condena la aventura solitaria y gratuita del caballero bretón, contraponiéndola a la acción colectiva con que Esplandián y los suyos se consagran al servicio de Dios.

Lo que percibimos tras las transformaciones que el autor del *Esplandián* ha introducido así en el sentido de la misión del caballero andante es el impulso de un brusco cambio de rumbo ideológico. ¿De dónde procede este impulso? He aquí una pregunta de crucial interés para nuestro estudio la cual trataremos de contestar en el apartado que sigue.

3. *Imitación literaria - realidad histórica - "mito goticista".* -Como ya se mencionó antes, Chrétien de Troyes parece haber sido el primero en asociar la leyenda del Graal a los cuentos artúricos. Esto lo hizo en su poema *Perceval* que dejó sin acabar. La novela en prosa de *Lancelot du Lac* (hacia 1225), de autor anónimo, desarrolla extensamente el tema de la "quête" del Graal. Las aventuras de los caballeros de la Tabla Redonda son presentadas ahora como una fase preparatoria para la gran empresa espiritual de la búsqueda del santo Graal. Las "chevaleries terriennes" se convierten en "chevaleries célestiennes."[32] Retrospectivamente las ficciones de la materia de Bretaña van cobrando un sentido distinto del que tenían en el siglo XII. El estilo de vida caballeresca de aquellos héroes sirve ahora el propósito de mejor hacer resaltar el nuevo ideal ascéti-

---

[32] Bédier et Hazard, p. 41.

co de los caballeros del Graal. En esta nueva disposición de la materia bretona apunta con toda nitidez la intención fundamental del autor anónimo de *Lancelot du Lac*. "Contre l'idéal mondain des premiers poètes qui ont traité la 'matière de Bretagne,' il a dressé l'idéal ascétique de la pureté" (Bédier et Hazard, p. 41). Ahora bien, esta misma fórmula del autor francés ha sido usada por Montalvo para trazar el designio literario de su *Esplandián*.[33]

Igual a lo que pasó en la narración del *Lancelot du Lac*, las aventuras pasadas de los caballeros andantes de la corte del rey Lisuarte cobran en las *Sergas* un sentido nuevo y distinto del que tenían en los primeros tres Libros del *Amadís*. Aquí también el ideal supraterrestre de Esplandián y los suyos se contrapone al ideal mundano de Amadís y sus compañeros de armas. Estas coincidencias demuestran sin dejar lugar a dudas que Montalvo ha sacado del modelo francés el principio estructurante del *Esplandián*. Sin embargo, hay que notar que este principio no es más que un recurso puramente técnico de que se ha valido Montalvo para componer el anti-*Amadís* que se proponía crear en el *Esplandián*. Las relaciones de oposición entre esta novela y el *Amadís* primitivo son totalmente distintas de las que existen entre la novela del Graal y la literatura artúrica del siglo XII en Francia. Aquí, la "quête" del santo Graal, iniciada por los caballeros bretones, les lleva por un camino de perfección espiritual hacia Dios. Pero esta búsqueda alegórica sigue siendo una empresa solitaria y altamente individualista, como lo fueran las hazañas de los héroes de la corte del rey Artús. Uno tras otro, los famosos caballeros de aquellos *temps aventureux* del ciclo de la Tabla Redonda, Lancelot,

---

[33] Parece fuera de duda que Montalvo conoció el *Lancelot del Lago*. Traducciones en portugués y en castellano de la leyenda completa del santo Graal circulaban en la Península desde los primeros años del siglo XV o antes (Entwistle, p. 143). Además, el nombre del hermitaño Nasciano, personaje que aparece en el Libro IV del *Amadís*, está tomado del *Santa Grial*. Cfr. A. Rodríguez-Moñino, p. 31.

Gauvain, Bohort y, finalmente, Perceval, se lanzan en busca del castillo Corbenic donde está guardado el santo Graal. Pero todos se hallan maculados, en grados diversos, por el pecado y por eso ninguno de ellos llega a alcanzar el fin deseado. Es Galaad, el caballero puro, el que, por fin, será digno de contemplar los misterios del santo Graal. En cambio, la nueva misión del caballero andante en las *Sergas* va encaminada a establecer el reino de Dios en la tierra. Esta misión, confiada a Esplandián, no será llevada a cabo por él solo, sino que representa una empresa colectiva en la que ha de participar toda la caballería cristiana, de que Esplandián es el nuevo modelo de caballero perfecto. Recordemos que en Francia la conversión de las "chevaleries terriennes" en "chevaleries célestiennes" es gradual y no implica la emergencia de un nuevo esquema psicológico en la constitución literaria de los personajes. En cambio, la transformación del ideal mundano del héroe amadisiano en la nueva misión del caballero cristiano no es gradual, sino más bien súbita en el *Esplandián* y trae consigo la imposición de un modelo de caballero ideado con arreglo a una concepción psicológica diferente de la persona humana. Esta concepción procede directamente de la dialéctica que estableció, como vimos arriba, la preeminencia de la Sabiduría sobre el Ardimiento. Hemos de concluir, por lo tanto, que si bien parece indiscutible que el ciclo francés del Graal del siglo XIII le ha proporcionado a Montalvo la idea central de la oposición entre *chevaleries terriennes* y *chevaleries célestiennes*, esta idea se ha concretizado en las *Sergas* dentro de un contexto y un cuadro de referencias totalmente distintos. El molde de su novela Montalvo lo ha tomado de la obra francesa, pero lo ha rellenado con una sustancia narrativa impregnada con la más candente actualidad de la vida socio-política de su tiempo.

Que el impulso del brusco cambio de rumbo ideológico en las *Sergas* proceda directamente de la realidad histórica de la época de los Reyes Católicos es un hecho que se puede demostrar gracias al Prólogo mismo que Montalvo antepuso a su obra después de ya terminada ésta. En este Prólogo el autor compara los grandes hechos llevados a cabo por los emperadores griegos, troyanos y romanos, los cuales quedan consignados y alabados en las historias antiguas, con la gloriosa conquista del reino de Granada por los Reyes Católicos. Los grandes hechos realizados por aquellos emperadores quedan muy por debajo de los realizados por Fernando e Isabela, porque, nos dice Montalvo,

> los primeros siruieron al mundo, que les dió el gualardón, y los nuestros al Señor dél, que con tan conoçido amor y voluntad ayudar y fauorescer los quiso, por los hallar tan dignos en poner en esecuçión con mucho trabajo y gasto lo que tanto su seruicio es; y si por ventura algo acá en oluido quedare, no quedará ante la su real majestad, donde les tiene aparejado el gualardón que por ello merescen.

Hay que advertir que esta idea de la oposición entre los emperadores paganos, que *siuieron al mundo*, y los Reyes Católicos, que *sirven a Dios*, está en la base de toda la concepción del *Esplandián*. En esta novela, Montalvo contrasta la soberbia y ambición mundana de los caballeros del *Amadís* primitivo, quienes "sirvieron al mundo," con el nuevo ideal del caballero cristiano que pone todo su esfuerzo y ardimiento al servicio de Dios. La nueva misión del caballero andante en el *Esplandián* constituye una réplica literaria de la nueva tarea histórica que Dios les había reservado a aquellos príncipes: conquista del reino de Granada, conservación de la religión católica, destrucción de los enemigos de la fe.

En el pasaje citado del Prólogo de Montalvo se resume el nuevo espíritu que bajo la acción inspiradora de los Reyes Católicos había ido embargando el ánimo de los españoles en el último cuarto del siglo XV. La Reina Isabela era la gran instigadora de la enfervorización religiosa que hizo de la guerra de Granada (1482–1492) una verdadera cruzada donde se estrenó este nuevo espíritu de unidad y solidaridad entre los castellanos. "No cabe duda de que Castilla tenía entonces la conciencia histórica de estar rematando una empresa secular," dice Manuel Fernández Alvarez.[34] Según el gran historiador William Prescott, Isabela era el alma de esta guerra. Su exaltación religiosa la hizo ver en ella una ocasión no tanto para conquistar nuevos territorios como para reestablecer el imperio de la Cruz sobre el antiguo dominio de la cristiandad.[35] Esta enfervorización religiosa en el reinado de los Reyes Católicos hizo también posible la idea de que la divina Providencia les había confiado a estos principes una misión especial en la Historia. Proclaman en las Cortes de 1476, nos dice Fernández Alvarez, "que ellos son meros administradores de un poder que reciben de más alto y ante el que deben dar cuenta de sus actos. Y así han de acometer la guerra divina contra el poder nazarí de Granada, y también han de ser consecuentes, derrocando el poder judaico en el interior del Reino." (pp. 206–7) El mismo autor afirma que con la expulsión de los judios, ordenada por los Reyes Católicos a raíz de la toma de Granada, ellos querían manifestar su agradecimiento al cielo por haberles elegido para reconquistar el último baluarte de los infieles en la Península.[36] Del mismo modo, dice Fernández Alverez, se veía en el descubrimiento del Nuevo Mundo por Colón "la señal, mandada desde lo alto, de que el pueblo español iba por buen camino y que resultaba grato a los ojos del cielo" (p. 207).

Enfervorización religiosa, conciencia de la misión providencialista de España, guerra santa contra los infieles, conquista de los nuevos e inmensos territorios de ultramar incorporados al imperio de la Cruz, todo eso apelaba a unos anhelos profundamente arraigados en el alma hispana y explica los

---

[34] *La sociedad española del Renacimiento*, Salamanca, 1970, p. 211.
[35] W. H. Prescott, *History of the Reign of Ferdinand and Isabela the Catholic*, abridged and edited by C. Harvey Gardiner, Carbondale, 1962, p. 129.
[36] "La conquista del último reducto, el reino de Granada, por los Reyes Católicos, en 1492, fue considerada como una compensación suficiente por la pérdida de Constantinopla," dice Felicidad Buendía en el Estudio Preliminar a su edición de *Libros de caballerías españoles*, Madrid, 1960, p. 38.

ideales de unidad religiosa, política, y de defensa y expansión de la fe cristiana que se implantaron en España bajo la inspiración exaltada de la Reina muy Católica.

Para bien entender todo el alcance de las ideas de Montalvo expresadas en el Prólogo -y luego ampliadas bajo el velo de la ficción novelesca en las *Sergas*- es preciso ver cómo estas ideas se enlazan con lo que José Antonio Maravall ha llamado "el mito goticista."[37]

El recuerdo de los godos siempre ha sido muy vivo en España. Pero, según Maravall, importa hacer una distinción entre la auténtica influencia visigótica en la historia de España y el concepto histórico que se ha ido cristalizando en la Península a partir de Covadonga (718) en torno a la presencia y actuación de los godos. Afirma el autor: "la tradición de la herencia goda que se expande finalmente por toda España no puede tomarse, claro está, como una versión auténtica de lo sucedido en nuestra Edad Media; pero al trazar la historia del concepto de España en esa época hay que recogerla, sí, como uno de los más vigorosos factores de esa idea y de la acción política que de ella deriva. Constituye -aparte de los elementos de real influencia visigótica que hayan podido quedar en la comunidad hispánica- un a modo de esos mitos sorelianos o, mejor, de esas 'creencias' en el sentido de Ortega que forman el suelo firme en el que la acción histórica de los pueblos se apoya" (p. 334). En efecto, uno de los dos objetivos complementarios de la Reconquista era la restauración del antiguo dominio visigodo (*Hispaniam restaurare et recuperare*), siendo el otro la Cruzada contra los infieles. Pero advirtamos que se trata aquí de una creación culta, de una creencia colectiva, que, en la historiografía de Castilla, sólo comienza a hacerse sentir con fuerza a partir de mediados del siglo XIII. En la *Historia Gothica*

---

[37] *El concepto de España en la Edad Media*, Madrid, 1963, p. 301. Seguimos aquí de muy cerca la exposición de Maravall en los seis apartados de su Capítulo VII, Segunda Parte, pp. 249–337.

de Rodrigo Jiménez de Rada, arzobispo de Toledo bajo el reinado de Fernando III, vemos desarrollada con plenitud la tesis neogoticista. Establécese aquí el hecho "histórico" de que los reyes de Castilla descienden en línea recta de la antigua monarquía visigoda y que, por ende, a ellos les incumbe el deber de llevar adelante el programa del legado godo. Refiriéndose a esta *Historia Gothica*, dice Robert Tate en un reciente estudio muy importante: "El *Toledano* representa el reino progresista e innovador de Castilla."[38] Es en la obra del *Toledano* donde el goticismo de la historiografía castellana de las dos centurias siguientes encuentra su punto de arranque.

Pero, como todo mito, el mito neo-gótico actuaba en la sociedad hispana de la baja Edad Media, no como un valor constante, incambiable, sino como una fuerza inspiradora capaz de renovarse e intensificarse al calor del impacto que las nuevas circunstancias socio-políticas del siglo XV ejercieron en el ánimo de los españoles de aquel tiempo. Pese a las discordias e inquietudes que marcan los reinados de Enrique III, Juan II y Enrique IV, se refuerza en esta época el anhelo de rematar la empresa secular de la Reconquista, de dar cima a la gran obra restauradora del antiguo poderío visigodo en la Península. Al mismo tiempo se hacen manifiestas nuevas tendencias y actitudes en la historiografía latina que renace en el siglo XV. La *Anacephaleosis* de Alfonso García de Santa María, Obispo de Burgos, y la *Compendiosa Historia Hispanica* de Rodrigo Sánchez de Arévalo (1404–1470) sirven el propósito de divulgar entre la gente culta dentro y fuera de la Península, sobre todo entre los humanistas italianos, un mejor conocimiento de la historia antigua del país.[39] Ambos autores habían viajado extensamente en el extranjero con largas estancias en Basilia y Roma.

---

[38] *Ensayos sobre la historiografía peninsular del siglo XV*, Madrid, 1970, p. 15. Citaremos muchas veches esta valiosa colección de estudios de Robert Tate a lo largo de nuestro trabajo.

[39] Resumo en estas páginas las ideas de R. Tate, pp. 55–104.

Como más tarde Nebrija, Vives y otros grandes humanistas españoles, se sentían mortificados por la ignorancia que encontraron allí de su país, el poco prestigio que tenía entre los historiadores humanistas el pasado español. Italia, colocada en el centro de Europa, miraba con desprecio a España situada en "extremo mundi angulo" y habitada por gente sin cultura ni erudición. Además, en Italia el nombre de godo tenía carácter infamante porque los godos eran considerados como los causadores de la destrucción del Imperio romano (Tate, p. 93). En cambio, la glorificación del pasado visigodo, fundamento del mito neo-gótico, era para los habitantes de la Península un factor poderoso en la toma de conciencia de su específica identidad nacional.

En los obras de Alfonso García, de Arévalo y otros historiadores del siglo XV sale al primer plano el papel particular de Castilla en la historia peninsular. Los autores se empeñan en demostrar que la casa real de Castilla desciende en línea recta e ininterrumpida de los reyes visigodos. Pero hay más. En las Historias de Alfonso García y de Arévalo se da una ingente ampliación a la historia mitológica de los godos. Invéntase toda una serie de reyes para establecer que el origen de la monarquía goda es anterior a la fundación de Roma. Según Robert Tate, se trata aquí de "la búsqueda de una herencia exclusiva, lo más independiente posible de un fondo europeo" (pp. 20–21). Hay, en efecto, una marcada tendencia en estas Historias a restar importancia a la herencia de Roma y a dignificar el domino visigodo en la historia primitiva de la Península. La superioridad de los godos con respecto a los romanos se evidencia, según estos autores, en el éxito de sus intervenciones militares en Italia y la toma de Roma que traía como consecuencia que el destino de España quedara separado del Imperio romano. Vemos, pues, aquí el rechazo de la función rectora de Roma, concepción que, a pesar de su goticismo, era todavía central en la visión histórica de San Isidoro. En otros términos, asistimos a un desplazamiento del eje del enfoque histórico. Esta transición de una historiografía centrada dentro de la gran esfera de la cultura romana hacia otra de carácter resueltamente local, ya se ha producido, según Tate, en el paso de la obra histórica de San Isidoro a la *Historia Gothica* de Jiménez de Rada (p. 14). Pero lo que merece resaltarse es el hecho de que en la historiografía del siglo XV se da un renuevo y un fortalecimiento de la tesis neo-goda bajo un nuevo impulso ideológico encaminado a reivindicar para España una posición de igualdad en el trato internacional y para Castilla un papel rector en la ejecución de las nuevas tareas históricas que se presentaron al país.

En la *Compendiosa* de Arévalo se establece una clara distinción entre la tradición cultural de lo cristiano-godo y lo cristiano-romano, y lo que el autor preconiza es "el retorno a los ideales de la raza que había desafiado y derrotado al Imperio Romano" (Tate, p. 103). En este mensaje se expresaba, según Tate, "la creciente vitalidad política y la auto-afirmación de Castilla no solamente en la Península, sino también en Europa.... Los romanos movidos por 'superbia et ambitione dominandi et aviditate gloriae mundanae,' pudieron sobreponerse a los tercos hispanos sólo con dificultad y sucumbieron por último al valor de los godos" (p. 104).

La reivindicación por Castilla, heredera directa de la antigua monarquía goda, de continuar la acción militar y política de los godos está basada no sólo en la preeminencia que le ganó su papel decisivo en la Reconquista, sino que se justifica también como una misión reservada especialmente para ella por la divina Providencia. La conciencia de estar llamada Castilla a ejecutar en el mundo una parte del plan divino ya existía, por tanto, con anterioridad al advenimiento de los Reyes Católicos. "Poco antes e inmediatamente despues del comienzo de reinado de los Reyes Católicos, el aire está cargado con profecías de la futura grandeza indefinida de Castilla. Se la identifica con el poder que va a forjar el destino futuro de España en virtud del papel que se le atribuye en la

Reconquista, desde los tiempos más antiguos, por historiadores y panfletistas políticos" (Tate, pp. 98–99). Pero, añade el autor, a diferencia de Alfonso García y Arévalo, quienes aún esperaban esta gloriosa era para Castilla, otros cronistas de la segunda mitad del siglo XV, tales como Valera, Palencia y Pulgar, ya creyeron ver con sus propios ojos el cumplimiento de estas profecías en el reinado de los Reyes Católicos.

Guiados por los valiosos estudios de Maravall y Robert Tate, hemos resumido aquí lo más brevemente posible unos conceptos históricos totalmente desatendidos por la crítica literaria, los cuales, sin embargo, proveen al medievalista español de una clave importantísima para descubrir sentidos nuevos en la realidad literaria del siglo XV, muy en especial en la creación por Montalvo del *Esplandián*. Porque no hay una sombra de duda que Rodríguez de Montalvo se adhería a las teorías patrióticas de un Arévalo y Alfonso García y que incluso estaba familiarizado con los escritos de estos historiadores adeptos a la tesis neo-goda. En su extraño Prólogo, de estilo enrevesado y tan lleno de hipérbatos que parece una transcripción literal del latín, Montalvo, apoyándose en la autoridad de Salustio, arguye que la gran fama de los griegos y troyanos se debe a la excelencia de los historiadores que han ensalzado los hechos de armas de estos pueblos, más bien que a lo que en verdad pasó. Si hubiera acontecido, prosigue el autor, la gloriosa conquista de Granada por los Reyes Católicos en tiempos de aquellos historiadores hábiles, "¡cuántas flores, cuántas rosas en ella por ellos fueran sembradas!" La opinión expresada aquí por Montalvo refleja la idea, muy generalizada en la historiografía del siglo XV y hasta del XVI, de que tanto los historiadores clásicos como los humanistas italianos, cegados por su egocentrismo nacional, se habían descuidado de consignar en sus historias los grandes sucesos de la antigüedad peninsular. Al pueblo hispano, más inclinado a actuar que a escribir, le han faltado historiadores para perpetuar la memoria de sus grandes hazañas. Es más que probable que Montalvo haya tomado el pasaje discutido de la *Compendiosa*. Aquí Arévalo menciona también la misma alegación de Salustio, aludida en el Prólogo de Montalvo, pero transponiéndola al contexto de la historia de España (Tate, p. 80). Que este mismo contexto con su correspondiente alusión a los romanos estaba muy presente al espíritu de Montalvo lo prueba la referencia que hace a renglón seguido, a las grandes hazañas del rey Fernando que tanto más alabanza merecen por ser verdaderas y hechas al servicio de Dios, y no dudosas como lo son los hechos de aquellos emperadores paganos movidos por *superbia et ambitione dominandi et aviditate gloriae mundanae.*

En este intrigante Prólogo de Montalvo se hace confusa la diferencia entre historia y narración novelesca. Porque también en la historia, nos afirma el autor, hay una gran parte de ficción. ¿Cuál es, entonces, el "fruto provechoso" que el lector puede sacar de la historia y del relato novelesco? Y contesta Montalvo: "Por cierto, á mi ver, otra cosa no salvo los buenos ejemplos y doctrinas que mas á la salvacion nuestra se allegaren." Si la historia o crónica tiene mucho de común con la obra de ficción, para Montalvo, el oficio de novelista podía estar más cerca de lo que se pensaba del quehacer profesional del cronista. Que teóricamente al menos Montalvo ha considerado aquella otra opción, la de *historiar* en vez de *novelar* el asunto de su libro, lo sugieren estas palabras suyas: "E yo esto considerando, y deseando que de mí alguna sombra de memoria quedase, *no me atreviendo á poner mi flaco ingenio en aquello que los mas cuerdos sábios se ocuparon* [es decir, los cronistas], quisele juntar con estos postrimeros [i.e. autores de ficción] que las cosas mas livianas y de menor sustancia escribieron."

4. *Trasfondo mitológico, histórico e ideológico del "Esplandián"*. -Una de las formas en que se ha expresado en el siglo XV la tendencia a disociar el destino histórico de España del legado grecorromano, era, como vimos arriba, la oposición entre lo cristiano-romano y lo cristiano-godo. "Se presentaba a

67

los romanos como minando las virtudes rudas de los primitivos iberos al introducir placeres afeminados y sofisticados tales como los baños de agua caliente y el beber vino. A los visigodos, aunque igualmente colonizadores, se les mira como hermanos espirituales de los iberos, siendo alabados por su virilidad y su fuerte vigor, causa en último término del derrumbamiento de la Roma decadente" (Tate, pp. 293–4).

Esta idea de la raza visigoda como fuerza redentora de la decadencia del Imperio romano cobra nuevo vigor al calor de la exaltación optimista que engendra en la segunda mitad del siglo XV la acción enérgica de los Reyes Católicos. Como tal, es uno de los términos contrastantes que entran en el fondo común de las ideas asociativas sobre el cual se destaca la acción de las *Sergas*.

Otro conjunto contrastante, íntimamente entrelazado con el anterior, es formado por lo que la propaganda histórica de la facción isabelina marcaba como el nadir de la monarquía castellana, a saber, el reinado de los últimos Trastámara Juan II y Enrique IV (Tate, p. 288). Ahora bien, estas dos visiones, una procedente del mito goticista, otra de la experiencia inmediata de los bruscos cambios históricos que se produjeron en la sociedad española bajo la impronta de la intervención de los Reyes Católicos, ᷠe han fundido en la nueva óptica desde la cual Montalvo se pone a censurar los ideales mundanos de los caballeros del *Amadís* primitivo en su *Esplandián*.[40] El mundo

---

[40] El historiador literario que ha sido el primero en señalar la actitud crítica adoptada por Montalvo en las *Sergas* ante el ambiente artúrico del *Amadís* es Samuel Gili Gaya en su breve artículo "Las Sergas de *Esplandián* como crítica de la caballería bretona," *Boletín de la Biblioteca de Menéndez Pelayo*, XXIII, No 1 (1947), 102–111. Sin embargo, este autor no se ha percatado de la relación que nosotros hemos establecido entre la idea central contenida en el Prólogo de Montalvo y la capital importancia que reviste esta misma idea en el designio fundamental de todo el *Esplandián*. A mi juicio, resulta también algo desenfocada la perspectiva histórica que Gili Gaya proyecta sobre los acontecimientos literarios del *Esplandián*, al considerar la narración de éstos como posterior a la toma de Granada (p. 104). Refiriéndose a la guerra emprendida por Esplandián contra los turcos, afirma el autor: "Montalvo, a falta de una

caballeresco del *Amadís* aparece a la mirada retrospectiva de Montalvo como representativo de valores tradicionales que se hallaban en pugna con el auténtico destino histórico de España que acaban de reformular los Reyes Católicos en su nuevo programa de acción política y social. Es en este sentido, como el *Amadís* primitivo adquiere la función de servir de telón de fondo contra el cual se destaca la nueva misión del caballero cristiano-godo en las *Sergas*. Como ya se indicó, el Prólogo de Montalvo contiene la esencia de este programa nacional proclamado por los Reyes católicos, a saber, los monarcas son los instrumentos de la Providencia divina en la tierra; la acción esforzada que reclaman de sus súbditos no va encaminada a realizar ambiciones mundanas, sino que debe estar consagrada al servicio de Dios, es decir, a ejecutar en el mundo los designios divinos. Y por último, la recompensa o galardón que se espera recibir por este servicio divino es la salvación del alma. Es este mensaje inspirador de la nueva era que se abre para España con el advenimiento de los Reyes Católicos, el que forma el revulsivo que desintegra el universo del *Amadís* a la vez que constituye el principio estructurante de toda la narración de *Las sergas de Esplandián*.

En la ya mencionada conversación con su criado Sargil, Esplandián pregunta:

> ¿y quieres ver el galardon que *los que al mundo siguen* alcanzan? Mira aquel grande y poderoso rey Lisuarte, mi abuelo, cuántos tiempos permitió nuestro Señor Dios que su gran gloria y fama por todo el mundo ensalzada fuese; y esto por le dar lugar que hubiese conos-

---

cruzada real, inventa contra ellos una cruzada imaginaria, pone a Esplandián al servicio del emperador bizantino, y obtiene las victorias aplastantes con que soñaba para aniquilar a los enemigos de Dios" (pp. 109–110). Pero lo cierto es que Montalvo se puso a escribir las *Sergas* antes de la guerra de Granada. Además, el regidor de Medina del Campo, lugar de residencia favorito de los Reyes Católicos y muy próximo al escenario de aquella guerra, ha conferido a la relación de la "cruzada imaginaria" de Esplandián contra los turcos un tono de tan acuciante actualidad actualidad que resulta seductora la idea de que la empresa bélica del héroe contra "la montaña Defendida" no es sino una transposición transparente de las guerras de Granada.

cimiento, como dando ocasion que *los suyos unos con otros se matasen*, era contra su servicio, y asi como en aquellos tiempos el placer y gloria que los que obrando mal reciben, él recibió, cuando mas seguro y ensalzado estaba, hubo la pena que merecia, perdiendo su honra y fama, y al cabo su persona, que della no se sabe. (pp. 405–6)

Condénase aquí la ambición mundana de Lisuarte en cuya corte se centraba buena parte de la narración del *Amadís*, así como la acción individualista y anárquica de sus caballeros. Y no digas, añade Esplandián, que sus desgracias fueron causadas por la fortuna mudable, "no creas que otra fortuna hay sino el bien que de Dios viene." Sabido es que en el ideario religioso de los Reyes Católicos la idea de la fortuna, de tan frecuente recurso en la Edad Media, no hallaba cabida, ya que todo se gobernaba por la voluntad divina.

Pero dentro de la acción redentora del *Esplandián* les es dado a los moradores extraviados del mundo del *Amadís* encontrar finalmente el camino de la salvación, "siendo ya mas en edad de salvar sus ánimas que de sostener las pompas y vanaglorias que hasta allí siguieron" (p. 466), Lisuarte y la reina Brisena, su mujer, se retiran, "dejada la pompa mundana," a un convento en Miraflores, cediendo sus coronas reales a su hija Oriana y a Amadís. El papel de este último se reduce a asistir de lejos a su hijo, al gran paladín llamado a llevar a cabo la gloriosa empresa, de la que sólo él era digno, contra los infieles de "la montaña Defendida," la cual sin duda simboliza la guerra de Granada.

Mas porque ya las cosas del rey Amadís á este nuestro cuento no convienen, como pasadas y recontadas antes desto, desde agora se dejarán, por haceros saber aquellos de aquel que con mas esfuerzo y con mas fe, *por otra mas diversa y católica via*, las procuró, y pasó asi a la honra deste mundo como á la salvacion de su ánima. (p. 470)

"La salvación de su ánima," y ya no "las otras soberbias y liviandades de este mundo" (p. 452) es el premio que buscan los héroes del mundo caballeresco de las *Sergas*: "Pues ahora, buen Señor, vamos, dijo Esplandián, en el nombre del muy

70

alto Señor Dios, y él nos guie cómo la honra que en este mundo ganáremos *sea para alcanzar la bienaventuranza del otro"* (p. 453).

Citemos por último las palabras que Urganda la Desconocida dirige al ejército de los caballeros abanderados bajo el mando de Esplandián:

> Mis buenos señores, yo vine aqui para ver a Esplandián y á todos vosotros, y en hallarvos con aquel deseo de cumplir mas la órden de caballería *por la via del servicio del muy alto Señor, que por la vanagloria del mundo,* que siempre á quien le sirve le da mal galardon, ...huelga mi corazon ... etc. (p. 515)

El pecado de Amadís y de los demás caballeros andantes ha sido el de haber perseguido estas "vanaglorias del mundo" en vez de tomar a pecho la defensa de la fe católica. Pero al final de la obra, también a ellos se les ofrece la oportunidad para redimir su malgastada vida. Cuando el rey Armato con las fuerzas combinadas de "todo el paganismo" está a punto de cercar la ciudad de Constaninopla con sus flotas, Esplandián envía cartas a sus aliados pidiendo que todos acudan en defensa de aquel baluarte de la cristiandad. En la misiva dirigida a su padre, Esplandián advierte que ésta es la ocasión para Amadís de pagar la deuda "que fué gastando vuestro tiempo, empleando vuestras fuerzas muchas veces en grandes peligros, en la vanagloria deste mundo, de que perdon os conviene pedir" (p. 527). No sólo Amadís, sino también Lisuarte, Perión, Agrajes, Cildadán, Cuadragante y otros héroes representativos del antiguo estilo de vida caballeresca del *Amadís,* acuden ahora a la llamada de Esplandián, y cuando se ven reunidos "rogaban á Dios muy de corazon que les diese lugar de hallarse con aquellos infieles, porque con algun servicio pagasen los yerros y pecados que contra él havian cometido" (p. 543–4). Al relacionar este episodio con el narrado en el curioso Cap. XCIX, se hace particularmente transparente el designio fundamental desde el cual Montalvo ha ideado las *Sergas,* insertando el viejo mundo caballeresco del *Amadís* dentro de un marco de referencias alusivas a la época pre-isabelina, cuando la soberbia, la codicia y el egoísmo de los reyes y nobles dividieron al país, lo que redundó en tanta mengua de la fe católica. En este Cap. XCIX, Urganda le enseña al autor en una especie de gran cueva, que recuerda la de Montesinos en el *Quijote*, los cuerpos encantados de Amadís junto a otros personajes principales del *Amadís*. Estos, le dice Urganda, se resucitarán junto al rey Artús para reconquistar un día el imperio de Constantinopla, cometido descuidado por los reyes cristianos, "á lo que nunca estos reyes que dije quisieron volver cabeza para lo remediar, antes con mucha codicia, con mucha soberbia, no piensan ni trabajan sino en aquellas cosas mas conformes á sus dañados apetitos, que al servicio de aquel Señor que en tan grandes señoríos y estados los puso" (p. 501).

Bastan estos pasajes para demostrar que el antes aludido mensaje del Prólogo junto a unas ideas estereotipadas procedentes del mito goticista se hallan también inscritos en el entramado ideológico de toda la novela de Montalvo. En las *Sergas* se propugna el nuevo espíritu del tiempo de los Reyes Católicos que se afirma sobre el rechazo del ideal y estilo de vida que seguían los caballeros del mundo antiguo de *Amadís de Gaula*. Los acentos fuertemente antitéticos con que la contraposición entre estos dos estilos de vida caballeresca se manifiesta en el libro de Montalvo, indican que la censura de la acción individualista y anárquica de los caballeros del *Amadís* iba apuntada principalmente contra la nobleza castellana en tiempo de los últimos Trastámara, los cuales nobles, cayendo en estos mismos defectos, llevaron el país al borde de una guerra civil de que lo salvó la casi milagrosa intervención de Isabela y Fernando.

La novela de Montalvo forma una etapa intermediaria entre el *Amadís de Gaula* y sus continuaciones en el siglo XVI. En esta etapa, la *matière de Bretagne*, ya depurada en el *Amadís* con especial arreglo a unos criterios relativos al comportamiento sexual de los personajes, es radicalmente españolizada a consecuencia del brusco cambio de rumbo ideológico que orienta la nueva misión del caballero cristiano. Casi justo un siglo antes de que Cervantes lanzara el último ataque contra los libros de caballerías, Garcia Rodríguez de Montalvo quiso rematar en el Libro quinto del *Amadís la planta ex*ótica de las ficciones célticas cuyas fragancias habían enfebrecido la imaginación y exaltado los corazones de muchas generaciones de lectores y oyentes del gran libro en la Península.

Conviene dedicar aquí alguna atención a un fenómeno análogo que ha ocurrido en *Tirante el Blanco*. Como ya se indicó antes, la parte compuesta por Joanot Martorell fue redactada antes del advenimiento de los Reyes Católicos y lo más probable es que los últimos dos de los cinco Libros del *Tirante* fueran escritos por Galba entre los años 1468 y 1490. Esta conjetura queda plenamente confirmada al advertir la solución de continuidad del designio y equilibrio artistico que se hace patente en la narración de los últimos dos Libros. En esta parte Tirante se aleja de la corte de Constantinopla, aquel escenario de incontables trazas y juegos amorosos, para ir a Africa a luchar contra los moros. Tirante, el liviano amador cortesano de la primera parte de la novela, se transforma aquí en defensor de la fe católica, trayendo a los moros vencidos en millares a las fuentes bautismales. En este Tirante regenerado en caballero cristiano, defensor de la fe, se redime, pues, el caballero-cortesano entregado al culto del amor que fue su *alter ego* en los primeros Libros. La relación entre estos dos aspectos antitéticos de la personalidad de Tirante es análoga a la que hemos establecido entre Esplandián y Amadís.

Las fechas y las circunstancias de la composición del *Tirante* nos permiten con seguridad aún mayor relacionar los cambios introducidos en la misión del caballero andante con el nuevo programa de renovación religiosa y política instaurado por los Reyes Católicos. Los hechos documentados y comprobados por la evidencia interior del texto indican que Martorell compuso su parte de la novela antes del advenimiento de

Isabela y Fernando (1474), y que las alteraciones introducidas por su continuador en los materiales que le dejó Martorell, tanto como la parte original añadida por él mismo, son resultado del ineludible compromiso que la nueva era de los Reyes Católicos impuso a Martí Joan de Galba al enfrentarse éste a una obra magistral pero inacabada, concebida en un tiempo cuando la inspiración artistica había podido todavía vagar libremente por los ámbitos desenvueltos de vida cortesana dentro y fuera de la Península.[41]

Los datos cronológicos bastante precisos que marcan la composición del *Tirante* indican, por lo tanto, que la solución de continuidad aludida antes entre la parte atribuible a Martorell y la del continuador Galba, coincide con el advenimiento de los Reyes Católicos. La posibilidad de establecer aquí una relación causal entre el fenómeno literario y el momento histórico nos la proporciona el *Esplandián* compuesto por estos mismos años. Dentro de la lógica interna de la concepción artística de la obra, los últimos dos Libros del *Tirante* significan una ruptura con respecto a los tres Libros anteriores, del mismo modo que el *Esplandián* se opone en una relación antitética a los primeros tres Libros del *Amadís*.

Esta solución de continuidad motivada por los cambios repentinos que se produjeron en la realidad sociohistórica de la época, constituye un punto de máxima discrepancia entre mi manera de ver estas obras y la de los demás estudiosos que se han ocupado del mismo asunto. Otis H. Green se hace portavoz del punto de vista generalmente aceptado por la crítica al afirmar que el *Amadís* es esencialmente una introducción a *Las sergas de Esplandián*.[42] Según Eloy Reinerio González, quien had dedicado al *Amadís* todo un estudio interpretativo (véase n. 4), el *Esplandián* representa la última etapa de una

---

[41] Más adelante, en el apartado 7, volveremos sobre el corte ideológico entre la época de los Trastámara y la de los Reyes Católicos.

[42] *Spain and the Western Tradition*, Madison, 1968, Vol. I, p. 287.

gradual elaboración literaria cuyo punto de arranque se halla en la historia del *Amadís*. En esta obra, dice el autor, "la historia se concibe como una sucesión ascendente de ciclos: esta sucesión alcanza su etapa cumbre en el ciclo de Esplandián, el héroe cristiano perfecto.[43]

En absoluto desacuerdo con esta concepción de González, afirmamos nosotros que a través de las *Sergas* se traduce un espíritu del tiempo cuyos componentes socio-políticos eran todavía imprevisibles en el momento en que Montalvo puso mano a la obra de refundir los tres Libros del *Amadís* y que seguían siéndolo sin duda cuando comenzó a redactar el Libro IV. Hacia el final de esta añadidura de Montalvo se perfilan nítidamente los contornos de lo que se anuncia como otra aventura solitaria más de caballero andante: la búsqueda y la liberación del rey Lisuarte que ha desaparecido misteriosamente en los últimos capítulos del Libro IV. Pero esta misión, reservada para Esplandián, es despachada en los primeros capítulos de las *Sergas*, y a partir de entonces, se inicia la gran empresa colectiva de cruzada contra los enemigos de la fe católica.

Al hacer caso omiso de los acontecimientos trascendentales que se produjeron en esa encucijada de la historia de España, como lo hace por ejemplo Armando Durán en un libro reciente,[44] o a no tener suficientemente en cuenta estas peripecias históricas, como lo hace González en su trabajo ya

---

[43] Insistiendo en esta misma idea, dice González algo más adelante: "En el *Amadís* evoluciona y se cierra un ciclo de héroes, y se abre otro -que lógicamente, será superior en ideales y realizaciones- y que se desarrollará en las *Sergas*" (p. 224).

[44] *Estructura y técnicas de la novela sentimental y caballeresca*, Madrid, 1973. -El desdén de este autor por las referencias históricas e ideológicas que deslindan en las *Sergas* la esfera dentro de la cual toda interpretación razonable del libro se ha de encerrar, le lleva a formular ideas como éstas: "lo cierto es que la figura de Esplandián, cuya función en el texto primitivo ni siquiera podemos sospechar, resulta tan gratuita, inútil e innecesaria como la mayoría de las envidiables aventuras de su padre" (p. 108). Y más adelante: "En las *Sergas*, pues, no debemos buscar más que una muy leve variación del *Amadís*, y lo que se diga de uno también tendrá que decirse del otro" (p. 110).

mencionado,[45] todo el quinto Libro del *Amadís* se nos presenta como un producto enigmático, arbitrario e incluso gratuito del ingenio de Montalvo, causando asombro y hasta indignación en estudiosos tan familiarizados con el *Amadís* como por ejemplo Edwin B. Place. Este último en su artículo "Montalvo's outrageous recantation," *Hispanic Review*, XXXVII (1969), 192–8, ha expresado su desencanto ante el brusco cambio de actitud que Montalvo manifiesta hacia los protagonistas del *Amadís*. En el famoso capítulo XCIX de las *Sergas* reniega, en efecto, del natural afecto de autor que siempre ha mostrado por Amadís y Oriana en los Libros anteriores, afirmando ahora su predilección por Florestán y la reina Briolanja. Edwin Place llama esta recantación de Montalvo "a cold-blooded attempt at literary assassination without any justification whatsoever" (p. 196). Más adelante Place sugiere que la única explicación lógica para esta "outrageous recantation" de Montalvo es "that he must have penned it in a sudden fit of disgust at the whole fantastic fabric of the work over which he had been poring so long" (p. 198). El elemento de juicio que me importa destacar en las consideraciones de Place es la percepción del carácter repentino, inesperado, de la retractación de Montalvo. Pero esta retractación no es sino una de las muchas manifestaciones del intento de total rechazo del mundo caballeresco del *Amadís* que se percibe con toda claridad en el diseño original de la novela del *Esplandián*.

Yo tengo para mí que los innumerables pasajes moralizantes de Montalvo, sus protestas de buen cristiano, el tono doctrinal de sus escritos y, más que nada, su apostasía literaria de una doctrina caballeresca por él divulgada pero que era irreconciliable con los nuevos ideales promulgados por los Reyes Católicos, nos revelan la angustia y la incertidumbre de

---

[45] Me importa señalar el interés sólo tangencial que tiene la discusión del *Esplandián* en el conjunto del estudio de Eloy González, el cual es, sin duda, uno de los mejores trabajos interpretativos que se han escrito sobre el *Amadís*.

un converso, aterrorizado por las señales de fanatismo religioso que marcaron desde un principio la acción de estos Reyes y que eran de tan fatídico presagio para los que practicaban la fe judaica en público o en secreto o, como los llama el mismo Montalvo, los "visibles" y los "invisibles," en este pasaje donde alude a la expulsión de los judíos por los Reyes Católicos, quienes "limpiaron [el país] de aquella sucia lepra, de aquella malvada herejía que en sus reinos sembrada por muchos años estaba, asi de los visibles como de los invisibles" (V, 505).

5. *Retorno a una concepción del amor carnal.* -La transformación de la misión del caballero andante ha afectado directamente las manifestaciones del sentimiento del amor en las *Sergas*. Esta transformación fundamental ha tenido como efecto el ensanchar considerablemente la esfera de vida masculina a expensas del amplio espacio que en el *Amadís* se concedió al desarrollo de la aventura amorosa. Si en el *Amadís* y los primeros Libros del *Tirante* los caballeros gozan el privilegio de poder acceder libremente al medio ambiente femenino, ya se acusa en el *Esplandián* una escisión más o menos nítida entre ambas esferas a la vez que la de la mujer queda restringida muy notablemente. Y esto viene de que la misión de los caballeros del *Esplandián* ya no es, como en el *Amadís*, una forma de vida institucionalizada que le permite al héroe buscar escape a su ardimiento -que son ansias de actividad bélica- en puro desgaste gratuito de energía con el que aumenta su fama y gana el amor de su dama, sino que, en cambio, forma una nueva moral caballeresca que encierra en sí el medio y el fin, ofreciendo al hombre un programa de acción, y a la vez, el premio ultramundano que le merece este santo servicio: la salvación de su alma. De este modo, los actos del héroe, antes motivados -como ya dijimos- por un ideal puramente mundano de auto-afirmación y engrandecimiento personal, vienen a servir ahora la empresa colectiva de guerra santa contra los

infieles. Este servicio divino y su premio ultramundano implican la renuncia a los placeres y honores de este mundo. El nuevo ideal caballeresco que se abre camino en las páginas del *Esplandián* preconiza, por tanto, un estilo de vida sujeto a las normas de la moral ascético-cristiana. En nombre de este nuevo ideal se condena como liviandad mundana el ansia de honra perseguida por los caballeros de la corte del rey Lisuarte y se censuran también los excesos de pasión implicados en el culto cortés. Cuando en el Libro IV, Cap. CXX, Amadís "con gran humildad" le agradece a Oriana la merced de haber descubierto su amor al rey Lisuarte, su padre, ella le responde:

> Señor, *ya no es tiempo* que por vos se me diga *tanta cortesía* ni yo la reciba, que yo soy la que os tengo de servir y seguir vuestra voluntad con aquella obediencia que mujer a su marido debe; de aquí adelante en esto quiero conocer el gran amor que me tenéis en ser tratada de vos mi señor *como la razón lo consiente, y no en otra manera* (IV, 951).

Es como un adiós definitivo al amor cortés. La mujer renuncia, "en nombre de la razón," al lugar excelso al que la había elevado ese culto idealista, para asumir de nuevo su puesto humilde al lado del hombre, el puesto que le asignaba en "The Scheme of Things" la doctrina ascética. Y con esto hemos llegado a tocar en la conversión de la misión del caballero andante, el punto neurálgico que nos revela, el nexo que existe, entre esta transformación, y la que se ha operado al mismo tiempo en la concepción del amor. Porque la doctrina ascético-cristiana es esencialmente anticortesana, es decir, opuesta radicalmente al culto del amor que vemos celebrado en el *Amadís* y en la lírica del siglo XV, condenando este culto como pecado del espíritu, mucho menos perdonable a los ojos de Dios que el pecado de la carne, transgresión ésta casi inevitable a causa de la flaqueza del hombre y su inclinación hacia el mal.

Aunque Montalvo ha conservado las apariencias del culto cortesano en la historia de amor entre Esplandián y la princesa Leonorina de Constantinopla, su actitud negativa hacia la pasión amorosa, su tendencia a eliminar de su relato los lances de amor, quedan muy patentes a lo largo del libro. En el Cap. XLIX, refiriéndose brevemente a los trastornos que las cuitas de amor causan a Leonorina y Esplandián, concluye:

> mas como de Amadis, su padre, tantas y tales se hayan contado en esta grande historia, donde este ramo o parte de su hijo sale, con tantos suspiros y tanta abundancia de lágrimas, si ahora de nuevo lo deste leal enamorado quisiésemos escrebir, no deleite, antes gran fastidio, á los leyentes atraería. Asi, *quedando las mas dellas en olvido, como cosa ya superflua y demasiada,* irá procediendo la historia (p. 455).

La nueva valorización negativa del amor que, como consecuencia de la transformación de la misión del caballero andante surge en las *Sergas*, no sólo se hace manifiesta a través del uso frecuente de epítetos despreciativos referentes al amor, tales como cruel, engañoso, tirano, peligroso, deshonesto, etc., sino que se revela en forma más sistemática, en la relación ambigua que Esplandián tiene con la doncella Carmela a lo largo de toda esta historia. Carmela es una muchacha pobre, "sin mucha parte de gran linaje" (p. 426), que se ha enamorado pérdidamente de Esplandián. Por la desigualdad de su condición con respecto a la del héroe, no puede abrigar la menor esperanza de unirse a él por vía de una alianza matrimonial. Al rey Lisuarte, la doncella le pide como merced, que ella siempre pueda servir y acompañar a Esplandián, y nunca apartarse de su presencia. El caballero acepta muy agradecido, de la mano del rey, el don de la hermosa muchacha. Crecen la honra y fama de la fiel Carmela en este servicio, hasta el punto de que grandes señores la quieren por mujer,

> mas ella jamás no se quiso casar, ni trocar el amor primero por otro alguno; antes siempre estuvo en aquel mesmo propósito, sirviendo y aguardando á aquel que mas que á si mesma amaba, y durmiendo en su cama, sirviéndole á su mesa, nunca de su presencia se partiendo (p. 426).

Esplandián suele enviar a Carmela como embajadora a las cortes de reyes tanto aliados como enemigos, y muy especialmente la encarga, como su intermediaria e intercesora, de llevar y traer toda clase de mensajes entre él y la princesa Leonorina de Constantinopla, la dama de su corazón. Anotemos que estos vaivenes de la infatigable mensajera entre la corte de su señor y la de la dama de éste contribuyen a reducir considerablemente la parte reservada en la economía del libro a la narración de la aventura amorosa. Además, es tan intimo el papel de intermediaria desempeñado por Carmela en esta empresa amorosa, que no deja de añadir un sabor muy ambiguo a la representación del sentimiento del amor en las *Sergas*. Un día, Leonorina encarga a la doncella, en una de sus embajadas, de llevar a Esplandián no sólo el don de un "rico prendero" que la princesa "con sus manos de encima de su cabeza [había] quitado," sino también el de unos ricos paños "de su mesmo cuerpo." Estos paños, adornados "con la devisa de las coronas," Carmela tiene que llevarlos en su mismo cuerpo. Al ver y oír esto, Esplandián de puro gozo casi pierde los sentidos y no sabe cómo recompensar tan alto servicio a su doncella. Esta le dice que se tendría por muy pagada si su señor la besara en la cara, en donde Leonorina, al despedirse de ella, había puesto sus labios, y

> Esplandián, tomándola con sus mesmas manos por los carillos, juntó la boca en aquella parte que la doncella le señaló, y allí la tuvo un gran rato; de manera que él, con la dulzura de la sabrosa memoria de su señora Leonorina, y la doncella, con el gran placer que su apasionado corazon sentía, tuvieran ambos por bien de no ser apartados de aquel auto en que estaban, hasta, que la muerte les sobreviniera. (p. 464).

Es posible que el mismo *Amadís de Gaula* haya suministrado a Montalvo los elementos para su creación de la curiosa figura de Carmela. Amadís y sus caballeros suelen ser acompañados en sus andanzas por muchas doncellas de indefinida categoría nobiliaria, pero en todo caso inferior a la excelsa de

80

las damas que ocupan el pensamiento de aquellos héroes, y cuya única función parece ser la de entretener los ocios de los caballeros cuando están ausentes de sus damas: "Amadís folgó aquel día con las donzellas" (I, 132). Si bien es posible que incluso hayan existido relaciones de mayor intimidad entre éstas y los héroes del *Amadís*, como lo parece sugerir el pasaje siguiente: Amadís "se fue con la donzella a su cámara y acostóse en vn lecho y ella en otro que ende hauía" (I, 83–4), también es cierto que estas incidencias aparecen faltas de un preciso fondo explicativo en el texto del *Amadís*, y que lo más exacto seria considerarlas como meras reminiscencias o residuos en la arqueología de la obra, evocatorios de una primitiva etapa en la formación de las leyendas célticas, y como tales, reflejando las costumbres de la sociedad matriarcal de los Celtas con su patrón de comportamiento sexual radicalmente distinto del que se puso en vigor en las sociedades cristianas a partir del siglo IV. Con todo, si nuestro autor ha encontrado en el *Amadís* un vago esbozo de este tipo de doncellas, hay que confesar que, sin quizás alterar el designio original de este esbozo, lo ha desarrollado en una forma muy amplia en la intrigante figura de Carmela. Sus relaciones con Esplandián se nos presentan en la historia, no como una cosa anómala, sino más bien como algo plenamente aceptado por todos, incluso por la misma Leonorina, como una alianza, puesto que sancionada por la opinión común, parece formar parte de la cultura especifica del mundo caballeresco del *Esplandián*. Como tal, esta costumbre aparece como una versión renovada de la institución medieval de la barraganería o sea, el amancebamiento de un noble con una mujer de condición social inferior a la suya. El acto oficial con que el rey Lisuarte hace entrega de la muchacha a su nieto refuerza la impresión de que Carmela es lo que en otros tiempos se llamaba la barragana, o sea, la concubina de Esplandián.

Esta conclusión viene a contradecir radicalmente la opinión de M. R. Lida de Malkiel quien veía ilustrada en la figura de Carmela la intención de Montalvo para revestir a este personaje de una nueva dignidad femenina.[46]

6. *Implicaciones literarias de esta evolución.* -El anterior análisis nos lleva a la conclusión de que no hay nada en la novela de Montalvo que venga a contradecir de manera más flagrante el ideal del amor cortés, que la condición y el papel de Carmela como acabamos de definirlos. Porque en el centro del culto cortesano se halla el respeto, la veneración, de parte del hombre, no por una mujer, sino por la mujer. El amor cortés es en su esencia incompatible con el amor-apetito. Si el anhelo de la fusión siempre precaria entre estas dos formas, percibidas por la razón como irreconciliables, del amor, orienta la dinámica específica de la cultura afectiva de occidente hasta el día de hoy, hay que reconocer que las peculiares circunstancias socio-históricas, puestas de relieve en el presente estudio, han venido a interrumpir bruscamente en la España renacentista el curso del desarrollo natural que parecían presagiar los presupuestos psicológicos ya ampliamente elaborados en la literatura sentimental anterior, retardando así considerablemente la marcha de ese proceso, encaminado a reconciliar en la experiencia amorosa, el aspecto físico con el moral. La fuerte corriente anticortesana, iniciada en la literatura caballeresca con el *Esplandián*, tiende a negar validez al componente espiritual del amor tal como éste venía transmitido en la tradición de la poesía amatoria del siglo XV. Sin embargo, tan firme era el arraigo de aquella teoría del amor en la sensibilidad de la época y, sobre todo, tan compenetrado quedó el lenguaje del amor con el extenso aparato de medios expresivos forjado en la lírica cancioneril, que los intérpretes culturales del nuevo espíritu del país forzosamente habían de revestir la concepción del

---

[46] Véase: ''Don huellas del *Esplandián* en el *Quijote* y el *Persiles*,'' *Romance Philology*, IX (1955–6), p. 160.

amor impuesta por las normas del cristianismo ascético con el ropaje verbal y conceptual de la vieja tradición cortesana que pretendían precisamente combatir. Es este proceso complicado en el que la evolución literaria del tema del amor quedó desgoznada de los impulsos que parecían prefigurar la marcha de su ulterior desarrollo, por el impacto de los inesperados cambios de tipo socio-histórico que ocurrieron en tiempo de los Reyes Católicos, el que es responsable de la confusión, la ambigüedad y los contrasentidos que empiezan a hacerse manifiestos en la representación de la realidad psicológica del amor en la literatura sentimental a partir del último cuarto del siglo XV.

En *Las Sergas de Esplandián*, la historia de *Amadís de Gaula* cobra un sentido inesperado, que de ninguna manera procede de la concepción original de la obra, sino que emana de la nueva visión que, condicionada por la vitalidad renovada del mito goticista junto a los cambios trascendentales que se operaron en la sociedad española durante el reinado de los Reyes Católicos, el autor proyectó sobre el mundo caballeresco del *Amadís*. Desde esta nueva visión que se abre en las *Sergas*, los hechos y el estilo de vida de aquellos héroes adquieren retrospectivamente un valor de transparente alusión a la soberbia, la codicia y el espíritu cristiano-romano que caracterizaron la acción anárquica de los reyes y nobles en época de los Trastámara. A esta luz, la historia del *Amadís* aparece como la de un mundo antiguo, condenado a desaparecer. Los moradores de aquel mundo periclitado trasmigran al universo del *Esplandián* donde hacen *amende honorable* de sus yerros pasados a la vez que se someten a un aprendizaje del nuevo estilo caballeresco bajo el ejemplo edificante de Esplandián, modelo del perfecto caballero cristiano-godo. Lo que ocupa lugar central en toda la narración de las *Sergas* es la contraposición de dos épocas históricas, una pretérita, otra nueva; de dos sociedades aristocráticas, una adherida a un ideal de vida profano, otra animada por la nueva moral caballeresca de tipo ascético-cristiano.

Con *Las sergas de Esplandián* el crítico tiene la excepcional suerte de hallar a su alcance un texto literario que le proporciona los datos concretos que le faltaban para vincular el movimiento anticortesano de la literatura finisecular a la realidad del momento histórico en el que surgió. Hasta ahora, la crítica se ha limitado a señalar estas tendencias anticortesanas sin formular una teoría explicativa de su origen. En la interpretación del *Esplandián* que ofrecemos en el presente capítulo, el amor cortés aparece como un ideal representativo de la cultura profana del *Amadís* primitivo. La censura y el rechazo de esta cultura en las *Sergas* señalan el surgimiento y curso del movimiento anticortesano en las letras españolas.

En la nueva era que triunfalmente se inaugura en las *Sergas,* el presente se halla resueltamente proyectado hacia el porvenir, quedando escindido del pasado que ahora se mira con severa reprobación moral. Pero esta escisión significa la ruptura definitiva de los lazos -por cierto, precarios pero no por ello menos reales- que durante un inmenso lapso de tiempo habían unido la cultura afectiva de la Península con la tradición sentimental del *amour courtois* y la *matière de Bretagne.* El universo ancho, abierto, generalmente humano, del *Amadís* se convierte, en las *Sergas*, en un mundo muy específico, transido de anhelos sobrehumanos. El historiador literario de este período no puede desentenderse del hecho de que el volumen de las fuerzas represivas que se cierne sobre el mundo cerrado del *Esplandián* ha influido también en el ulterior desarrollo específico del amor cortés español.

7. *Caballeros, letrados y conversos en el cuatrocientos español.* -Ya hemos mencionado las nuevas tendencias y actitudes que se hicieron sentir en la historiografía del siglo XV (SABIDURIA, 3). Ahora nos importa precisar que esta nueva orientación histórica no se extendió a toda la vida intelectual de la época, sino que sólo era característica de la clase de los letrados. La distinción entre esta clase y la de los caballeros es algo

que muy poco relieve ha cobrado en la vida espiritual del siglo XV español. Ha sido tan fuerte el impacto de los letrados en la vida religiosa y política que los rastros salientes dejados en ella bajo el efecto de otros factores históricos han quedado como embutidos en la brillante superficie de la nueva era que se abrió con el advenimiento de los Reyes Católicos. Sin embargo, la coexistencia de dos actitudes intelectuales, en esencia, conflictivas, la ascensión de la clase de los letrados y el declinar de la influencia intelectual de los caballeros en la vida sociocultural de la segunda mitad del siglo XV constituyen fenómenos intimamente relacionados con los cambios que jalonan la transición del mundo literario del *Amadís* primitivo al de las *Sergas*. Estos fenómenos no han dejado de despertar el interés de algunos historiadores del cuatrocientos español entre los cuales merecen mencionarse los nombres de Robert Tate, Ottavio di Camillo,[47] Nicholas Round[48] y Helen Nadar.[49] Cierto es que no hay siempre concordancia entre los diferentes puntos de vista de estos historiadores. Pero lo que todos tienen en común es la convicción de que el viejo marco interpretativo del Renacimiento español ya no sirve sino para encuadrar una imagen falseada, una ficción forjada, según Helen Nader, por los letrados del siglo XV y perpetuada hasta nuestros días por los portavoces oficiales de la cultura española. Por eso es natural, aunque lamentable, que los resultados de estas nuevas investigaciones sigan amontonándose, sin que nadie se fije en ellas, al pie de la famosa torre de marfil, claustro, a la vez que baluarte, de la crítica literaria.

El libro muy reciente de Helen Nader, *The Mendoza*

---

[47] "Spanish Humanism in the Fifteenth Century," Ph. D. diss., Yale University, 1972.

[48] "Renaissance Culture and its Opponents in 15th Century Castile," *Modern Language Review*, 57 (1962), 204–15.

[49] *The Mendoza Family in the Spanish Renaissance 1350 to 1550*, New Brunswick, N. J., 1979.

Family in the Spanish Renaissance 1350 to 1550, es indudablemente uno de esos estudios que pueden arrojar inesperada luz sobre los fenómenos a que aludimos antes. La tesis central de Nader es que el Renacimiento español puede ser descrito en términos de una tradición que se originó y se desarrolló en la muy extensa familia de los Mendoza, la cual abarcó cinco generaciones, incluyendo a figuras tan famosas como Pedro López de Ayala, el ilustre cronista, Pedro González de Mendoza, Cardenal de Santa Croce, y Diego Hurtado de Mendoza, Amiral de Castilla. Miembros de esta prestigiosa familia eran también Iñigo López de Mendoza, Marqués de Santillana, Garcilaso de la Vega, Gómez y Jorge Manrique, Fernán Pérez de Guzmán y Fernando del Pulgar, nombres todos que tradicionalmente se asocian con el Renacimiento español. Pero según la concepción innovadora de Helen Nader, este primer Renacimiento se desarrolló exclusivamente como una tradición familiar de los Mendoza, separada tanto de las nuevas actitudes e ideas que engendró la acción sociopolítica de los Reyes Católicos como de las corrientes renacentistas originadas en Italia. La tesis es atractiva y la autora la defiende con gran acopio de soportes documentales y demostrativos. Pero lo que me interesa muy particularmente en este libro es la percepción de dos actitudes contrapuestas en la vida intelectual del siglo XV, la de los caballeros y la de la clase de los letrados.

Bajo los Trastámara, vigorosamente apoyados por los Mendoza, los caballeros siguieron considerándose a sí mismos y a la monarquía "como partícipes en un gobierno secular, aristocrático y particularista," mientras que los letrados "desarrollaron una teoría de la monarquía que colocó al rey en el apice de una jerarquía, ordenada por Dios e inmutable, de instituciones administradas por burócratas anónimos" (p. 20). En sus *Crónicas*, López de Ayala hace comenzar la historia de la Península con los romanos, sin remontarse al pasado mítico de los visigodos que tan abultado relieve alcanza en la historiografía de los letrados.[50] Es en la *Crónica del rey don Pedro* de Ayala, obra de propaganda política de la triunfante revolución de los Trastámara, donde los Mendoza del siglo XV encontraron, según Nader, el fundamento teórico de su acción política e intelectual (p. 56). En cambio, los letrados hallaron sus conceptos de la historia y de la realeza en las ideas desarrolladas en los escritos de Pablo de Santa María, Alonso de Cartagena y sus discípulos. Las obras de estos autores, muy en especial las de don Alonso, Obispo de Burgos (también conocido con el nombre de Alonso de Cartagena), son de crucial importancia no sólo por sus ideas sobre la historia y la monarquía, sino también por su empeño en propagar todo un sistema normativo cuyos valores, dice Nader, afectaban a todos los aspectos de la vida cotidiana (p. 130). Según estos tratadistas, la Providencia de Dios preside el acontecer histórico. Los cambios y vicisitudes históricos son manifestaciones de la voluntad divina para castigar los pecados de los hombres o recompensar sus buenas acciones. Esta concepción significaba, claro está, una inversión de los valores que regían las formas secularizadas de la vida social y política bajo los Trastámara. Por eso, no sorprende ver como, más tarde, en tiempos de los Reyes Católicos, las agitaciones políticas y los cambios sociales que marcaron los reinados inmediatamente anteriores a la época isabelina, serán interpretados por los historiadores letrados como manifiestas señales de la inminente destrucción del país de la que lo salvó la milagrosa intervención de los Reyes Católicos. Pero hasta los últimos decenios del siglo XV las dos

---

[50] Robert Tate, en su ensayo "López de Ayala, ¿ historiador Humanista?" recogido en su libro mencionado en la nota 38, pone en duda el carácter renacentista de las *Crónicas* de Ayala. Su opinón es compartida por Ottavio di Camillo y Nicholas Round. Sin embargo, los nuevos conceptos introducidos por Helen Nader para definir la fase inicial del Renacimiento español escapan hasta cierto punto al alcance de los criterios más tradicionales manejados por estos eruditos. No obstante esto, me apresuro a añadir que las magníficas investigaciones de R. Tate se hallan en la misma línea y van encaminadas a los mismos fines interpretativos que las de Nader.

teorías históricas, la de los caballeros y la de los letrados, coexistían una al lado de otra como opiniones de personas educadas, pero aún sin el formidable respaldo del poder totalitario que muy pronto iba a convertir la teoría de los letrados en la ideología oficial del estado español. Esta fase teórica de la oposición entre caballeros y letrados se ejemplariza, según Helen Nader, en los relatos de Diego de Valera, "último cronista-caballero de la época Trastámara," y el historiador letrado Andrés Bernáldez. Dice la autora:

> Bernáldez and Valera both wrote of the conquest of Granada, but they saw and described two different wars. Bernáldez saw God and his chosen agents, the Catholic Monarchs, defeating His enemies and entering into Promised Land. Valera saw a secular war of territorial conquest fought in the pursuit of honor, property, and liberty by the king and his fellow knights. (p. 29)

De sumo interés para mi propio análisis de la realidad literaria de aquella época es el carácter repentino que Helen Nader, en la página 31 de su libro, atribuye al cambio de rumbo ideológico que se produjo hacia 1480. Llegó a un fin abrupto la tolerancia hacia las dos visiones conflictivas, las cuales, sobre un abismo de diferencias vitales y sociales, habían agrupado a caballeros y letrados en la tarea intelectual de dirigir la sociedad, la política y la cultura de Castilla. Afirma la autora:

> The political needs of the Catholic Monarchs dictated that of the two major theories of Castilian history that flourished in the fifteenth century only the letrado theory was appropiate for their purposes. The rejected caballero concept of politics and history —with all its Renaissance characteristics—remained neglected throughout the sixteenth century. (p. 35)

Las indagaciones de Helen Nader en la historia intelectual del siglo XV español nos permiten ampliar nuestro estudio, comenzado en los apartados 3 y 4, sobre el impacto en el *Esplandián* de la nueva historiografía castellana. La teoría histórica de los letrados, que tiene su punto de partida en la *Historia Gothica* de Rodrigo Jiménez de Rada, va ensanchándose en el transcurso del siglo XV con nuevos elementos específicos. Surge la creencia en el papel misionero de Castilla y el carácter providencialista de su intervención histórica. Además, en las obras de Pablo de Santa María y muy en especial de su hijo, Alonso de Cartagena, se formula toda una doctrina relativa a las prácticas religiosas que más tarde adquirirá fuerza de ley. Porque lo que me importa destacar en este punto es el fenómeno trascendental de que la ascensión de los letrados bajo los Reyes Católicos marca el momento en que las ideas de esta clase acerca de la historia, la política y la monarquía de Castilla, se convierten en una ideología oficial, sancionada por los decretos del consejo real e impuesta al país con todo el rigor de los instrumentos del poder estatal, entre ellos siendo el más temible, el recién creado Santo Oficio de la Inquisición. Apenas si cabe imaginar circunstancias históricas, políticas y religiosas más desfavorables a la penetración del espíritu universalista del Renacimiento europeo que las que condicionaron la formación de la nueva sociedad monarquista, teocéntrica, de Castilla en tiempos de los Reyes Católicos. Refiriéndose a esta época, afirma Robert Tate: "el interés por la cultura grecorromana y su impacto en España está subordinado frecuentemente a problemas más domésticos." (p. 124) Es lo que se llama en inglés *an understatement*. También Helen Nader señala las tendencias anti-renacentistas de las obras de Alonso de Cartagena y sus discípulos en las que se formularon las nuevas teorías históricas y políticas acerca de la monarquía de Castilla y la misión sagrada a ella confiada. (p. 133)

Como ya se indicó, el intento de Helen Nader ha sido el de demostrar que la primera fase del Renacimiento español puede ser interpretada en términos de una tradición de la familia de los Mendoza. Era casi inevitable que esta tesis principal de la autora la llevara a extremar los rasgos distintivos entre caballeros y letrados, relegando a un plano muy secundario tendencias y características que ambas clases podían tener en común. Por ejemplo, desatiende la autora por completo el hecho de que tanto letrados como ilustres miembros de la familia Mendoza frecuentaron la corte papal en Aviñón, gran centro humanístico desde finales del siglo XIV.[51] Es verdad que gracias, precisamente, a este punto de vista algo unilateral Helen Nader ha llegado a establecer un principio diferenciador que nos ayuda a distinguir aspectos contrastantes en la vida intelectual del cuatrocientos que hasta ahora habían pasado inadvertidos.

Pero lo que sí le ha faltado a la visión de Nader, visión al fin y al cabo histórica y no histórico-literaria, es el impacto que el problema judío y converso ha tenido en la constitución de las diferentes actitudes intelectuales tanto de caballeros como de letrados. En *The Mendoza Family* hallamos agrupados en la clase de caballeros a cronistas como Pérez de Guzmán, Pulgar y Valera que en otros estudios suelen ser asociados con los nombres de Cartagena, Lucio Marineo Sículo y Palencia, es decir con la clase de los letrados. Lo que confunde particularmente a Nader es el caso de Pulgar. Explica la ambivalencia de este historiador-caballero en términos de un conflicto de intereses entre su posición oficial de cronista de los Reyes Católicos y su parentesco y relación cultural con la familia Mendoza. Queda muy lejos de la autora hacer de la condición conversa de Pulgar el componente principal del problema que presenta esta figura controversial en la vida intelectual de la

---

[51] O. di Camillo ve en la corte papal de Aviñón "el origen del movimiento humanístico en España." Véase su libro traducido al español *El Humanismo castellano del siglo XV*, Valencia, 1976, p. 154. Pero hay que reconocer que los viajes y estancias en el extranjero son de por sí criterios muy insuficientes para calibrar hasta qué punto los viajantes han sido influidos por los nuevos ambientes que han visitado. A este respecto, recordemos la invidencia casi absoluta de Pero Tafur, caballero-viajero del siglo XV, para el relieve intelectual de los nuevos ámbitos por los que pasaba. Véase: *Andanças é viajes de Pero Tafur por diversas partes del mundo avidos (1435–1439)*. Otra personalidad insensible a los nuevos estímulos renacentistas que le salieron al paso en sus numerosos viajes es la de Cristóbal de Castillejo, quien viajó a comienzos del siglo XVI por Francia, Italia, Polonia, Flandes y Alemania, pero cuya obra literaria es una mera continuación de la tradición cancioneril del siglo XV, sin ningún reflejo renacentista ni en la forma ni en el contenido.

época. La ambivalencia de Pulgar y Valera se explica por el hecho de que, a pesar de su identificación social con la clase de los caballeros, estos dos conversos -y sin duda, otros muchos como ellos- se sentían instintivamente atraídos a las esencias judaicas que iban mezcladas en las teorías históricas de los letrados. Por un razonamiento exactamente igual nos damos cuenta de que los lazos de amistad y respeto que podían existir entre letrados y caballeros, como los que unían al representante máximo de la clase de los letrados, Alonso de Cartagena, con el Marqués de Santillana, se explican por lo que había de exclusivista, de instintivamente aristocrático en el pensamiento judaico de Cartagena. No hay ninguna referencia en *The Mendoza Family* que nos recuerde que el *Defensorium Unitatis Christianae* de Cartagena es ante todo una obra pro-conversa, dirigida contra la *Sentencia-Estatuto* que se proclamó en Toledo en 1449 y que fue el primer estatuto de limpieza de sangre en España. Partiendo del postulado de la unidad de la Iglesia católica, el Obispo de Burgos arguye que las aguas del bautismo purifican tanto a los judíos conversos como a los hijos recién nacidos de los cristianos viejos, haciéndoles miembros de la Iglesia y dignos de gozar los mismos derechos y privilegios que los demás cristianos. Todo intento de discriminación contra ellos va en contra de la unidad de la Iglesia. El *Defensorium* de Cartagena está tan lleno de consideraciones teóricas en defensa de esta tesis que, según nos afirma Sicroff, durante dos siglos ha servido de manual a los apologistas de los conversos para la redacción de sus tratados contra los estatutos de limpieza de sangre.[52]

No hay duda de que "los problemas domésticos" que mantuvieron a Castilla apartada de las corrientes humanísticas de Italia, se hallan relacionados con la gran controversia que

---

[52] Albert A. Sicroff, *Les controverses des statuts de "pureté de sang" en Espagne du XVe au XVIIe siècle*, Paris, 1960, p. 41.

iba a dividir la sociedad española durante siglos. Ni tan larga duración ni el giro fatídico que en breve tiempo tomaría el conflicto eran previsibles a la mirada de Cartagena ni de sus contemporáneos. En el *Defensorium* se alza la voz autoritaria de un alto dignatario de la Iglesia española, plenamente confiado en que la fuerza persuasiva de sus argumentos no tardaría en mover la justicia real a restablecer el orden social, temporalmente alterado por algunos magistrados populacheros de Toledo. Lo que se transparenta también en la famosa Letra XXXI de Pulgar, dirigida al Cardenal de España (Mendoza), es una impresión de incredulidad. Al autor, en su altivo desdén por la gente plebeya de Guipuzcoa, le parece una burla digna de risa el recién creado estatuto en aquella región vasca que dispone que ningún converso pueda casarse con un cristiano viejo. "¿No es de reir que todos o los más enbían acá sus fijos que nos siruan, y muchos dellos por moços d'espuelas, y que no quieran ser consuegros de los que desean ser seruidores?"[53] Fernando del Pulgar, lo mismo que otros muchos conversos de la época que, como él, tenían altos cargos en la vida

---

[53] Clemencín fecha esta Letra de Pulgar hacia 1482. Véase: *Ilustraciones sobre varios asuntos del Reinado de Doña Isabel la Católica, Memorias de la Real Academia de la Historia*, T. VI, p. 488. -En *Los problemas de Villalobos*, Metro XXXI, el autor, también converso, relata una anécdota que recuerda la Letra de Pulgar. "E por cierto yo soy testigo de un acemilero mancebo que tenia que, conociéndole por muy vano, le quise tentar, y roguéle que se casase con una hija mia, y respondióme que él lo hiciera de buena voluntad por hacerme placer; mas ¿ con qué cara volveria á su tierra, sabiendo allá sus parientes que era casado con mi hija?" Llama Villabos "este disparate de la vanagloria ... el mayor que puede ser en el mundo." Este mismo metro XXXI contiene el siguiente pasaje frecuentemente citado: "es de maravillar que en lo peor de los establos y en lo mas sucio de los muladares allí presuma el diablo de aposentar la honra" (BAE, T. 36, p. 425). Vemos, pues, como unos veinticinco años después de la Letra de Pulgar la cuestión de la limpieza de sangre se ha contaminado con la idea de la honra. Nótese también como el tono burlón en que este autor trata del asunto contrasta con la grave preocupación que se adivina tras la risa amarga de Pulgar. Para este contraste en los escritos de autores conversos, véase un estudio reciente de Fr. Márquez Villanueva, "Planteamiento de la literatura del 'Loco' en España," *Sin Nombre*, X, No 4 (1980), 7–25.

pública o en la Iglesia, se identificaban hasta tal punto con el establecimiento aristocrático-erudito, siempre tan próximo a la esfera del poder político, que sin duda se sentían más escandalizados que atemorizados por aquella rabia anticonversa que, subiendo desde los bajos fondos de la sociedad, estalló en las escenas violentas de 1449 y 1467 en Toledo y las de Córdoba y otros muchos lugares en 1474 (Sicroff, pp. 63–67). En los escritos de Pulgar vemos aflorar más de una vez la conciencia aguda que tenía este autor de la superioridad intelectual de la raza judía. Refiriéndose a la animosidad del pueblo toledano contra los conversos, dice el autor en la Letra XIV, dirigida a un amigo de Toledo: "En esa noble cibdad no se puede buenamente sofrir que algunos que iuzgais no ser de linaje tengan honras e oficios de gouernación, porque entendeis que el defecto de la sangre les quita la habilidad del gouernar." Los que piensan así, dice Pulgar, yerran "contra ley de natura" y también "contra ley diuina, que manda ser todos en un corral e baxo de un pastor." Es la gracia divina la que reparte entre los hombres las inclinaciones naturales que hacen que unos ganen honras y riquezas y otros no. Ocurre que estos últimos, movidos por envidia, se oponen a esta disposición divina, queriendo "emendar el mundo e repartir los bienes y honores dél a su arbitrio, porque les paresce que va muy errado, e las cosas dél no bien repartidas." A éstos el autor les compara con la raza de los gigantes de la Biblia que quisieron pelear "con el cielo e quitar la fuerça de las estrellas," y que fueron destruidos por Dios. Y el autor concluye:

> Así que no se deue hauer por molesto tener riquezas e honras aquellos que paresce que no las deuen tener, y carescer dellas los que por linaje paresce que las merescen, *porque esto procede de una ordinación diuina que no se puede repugnar en la tierra, sino con destrucción de la tierra.*" (Subrayamos)

Es significativo el hecho de que esta Letra forma parte del discurso que el autor pone en boca de Gómez Manrique, alcalde de Toledo, en su *Crónica de Don Fernando é Doña Isabel.*

93

Aquí el magistrado pronuncia su discurso ante el pueblo congregado en la plaza de Toledo.[54]

Al combinar la pretensión revelada en las últimas palabras de esta cita con la afirmación de Cartagena acerca de la igualdad evangélica entre judíos convertidos y cristianos viejos, se llega a la conclusión de que conversos de la categoría intelectual y social de Pulgar, confiados en la excelencia de sus "inclinaciones naturales," creían que les correspondía de derecho, no sólo una posición de igualdad, sino de preeminencia, en la sociedad a la que habían llegado a incorporarse. Que tal mentalidad provocara gran irritación entre los cristianos viejos se evidencia en la *Historia de los Reyes Católicos* de Andrés Bernáldez. Este cronista no vacila en tachar de "judíos secretos" a la mayoría de los conversos. Refiriéndose a ellos, dice el autor:

> e así tenian presuncion de soberbia, que en el mundo no habia mejor gente, ni mas discreta, ni mas aguda, ni mas honrada que ellos, por ser del linaje de las tribus é medio de Israel. En quanto podian adquirir honra, oficios reales, favores de Reyes é señores,

---

[54] BAE, T. 70, pp. 334–6. -En su *Examen de Ingenios*, Cap. XV, el Doctor Juan Huarte de San Juan explica la agudeza de ingenio de los médicos de ascendencia hebraica por tres razones. Primero, la estancia de los judíos durante doscientos diez años en Egipto, región que por su clima "engendra en sus moradores esta diferencia de imaginativa," cualidad muy necesaria al buen médico, pero que no existe en España. Otra condición del buen médico es la astucia o "solercia," que los judíos han adquirido a lo largo de su existencia "en servidumbre, en tristeza y tierras ajenas ... por no tener libertad de hablar ni vengarse de sus injurias." Por último, durante cuarenta años se alimentaron con el maná "y porque todos los hebreos comieron un mismo manjar tan espiritual y delicado, y bebieron una misma agua, todos sus hijos y descendientes salieron agudos y de grande ingenio para las cosas de este siglo." Los descendientes de los judíos en España han conservado mucho de esta agudeza de ingenio, aunque con el tiempo y "por haberse mezclado con los que descienden de la gentilidad ... no son ahora tan agudos y solertes como mil años atras." (BAE, T. 65, pp. 465–73) -La misma conciencia de la superioridad de la raza judía se trasluce en el fondo de las reflexiones de Fray Luís de León sobre la espiritualidad del cuerpo de la Virgen, resultando de un proceso secular de purificaciones y restricciones alimenticias, observadas por el pueblo de Israel. Cfr. *Los nombres de Cristo*, ed. Clásicos Castellanos, T. III, pp. 232–4.

algunos se mezclaron con fijos é fijas de caballeros christianos viejos con sobra de riquezas que se hallaron bien adventurados por ello, por los casamientos y matrimonios que ansi ficieron, que quedaron en la Inquisicion por buenos christianos é con mucha honra.

Al comienzo de este mismo Capítulo XLIII, Bernáldez describe en los términos siguientes hasta qué extremo "la heregía" de los conversos se había extendido por Castilla:

é ovo su impinación é lozanía de muy gran riqueza y vanagloria de muchos sabios é doctores, é obispos, é canónigos, é frailes, é abades, é sabios, é contadores, é secretarios, é factores de Reyes, é de grandes señores. En los primeros años del reynado de los muy cathólicos é christianísimos Rey Don Fernando y Reyna Isabel su mujer tanto empinada estaba esta heregía, que los letrados estaban en punto de la predicar la ley de Moysen, é los simples no lo podian encubrir ser judíos. (BAE, T. 70, p. 599)

La idea que se desprende de esta tosca prosa de Bernáldez es que muchos miembros de la clase de los letrados eran conversos insinceros. La pertinacia y el atrevimiento con que éstos perseveraron en la "herética pravidad mosáica" eran tales que para Bernáldez la única solución era "proceder con justicia contra la dicha heregía por via del fuego." Muchos miles de personas fueron condenadas, ajusticiadas y reconciliadas por el Santo Oficio durante los primeros ocho años de su existencia. Y concluye el autor:

Agora no quiero escribir mas de esto, que no es posible poderse escribir las maldades de esta herética pravedad; salvo digo, que, pues el fuego está encendido, que quemará hasta que halle cabo al seco de la leña, que será necesario arder hasta que sean desgastados y muertos todos los que judaizaron, que no quede ninguno; y aun sus hijos los que eran de veinte años arriba menos que fueran tocados de la misma lepra. (pp. 601–2)

En estas palabras se manifiesta la convicción de que el mal podía ser eliminado gracias a la acción implacable de la Inquisición. La misma confianza en una solución rápida del problema criptojudío se expresa unos años después de la expulsión de los judíos en un escrito poco conocido de Juan del Encina:

Ya (en el reinado de los Reyes Católicos) los menores no saben qué cosa es temer las sinrazones e demasías que en otro tiempo los mayores les hacían: ya con la Sancta inquisición han ascendrado nuestra fe, e cada día la van más esclareciendo: ya no se sabe en sus señorios e reinos qué cosa sea judíos: ya los hipócritas son conoscidos, e cado uno es tractado según vive.[55]

Hay algo desconcertante en el ritmo acelerado con que los acontecimientos desmintieron tanto este optimismo de Encina como la visión simplista de un Bernáldez. Vimos también en conversos como Pulgar una fe casi ingenua en la estabilidad del orden social y político en que se afianzaba su posición privilegiada. Sobradas razones, por cierto, tenían los conversos para justificar tal confianza. El concepto del monarca como representante de Dios en la tierra, la idea de la misión sagrada confiada a Isabel y Fernando, en suma, la creación misma del Estado-Iglesia de los Reyes Católicos, se había inspirado en las concepciones judaicas de letrados conversos como Pablo de Santa María y Alonso de Cartagena.[56] Afirma Robert Tate que durante los últimos años del reinado de Enrique IV "los judíos y conversos pusieron sus capacidades y capitales a disposición de los Reyes Católicos. Su interpretación del plan providencial que guía la real pareja al trono fue aceptada, glosada y difundida a lo largo del siglo XVI por cristianos nuevos y viejos, por igual." (p. 227)

No cabe duda de que en los escritos históricos de Valera y

---

[55] "Prólogo en la traslación de las 'Bucólicas de Virgilio,' de Juan del Encina." Argumento de la 4a Egloga. B. J. Gallardo, *Ensayo de una Biblioteca española de libros raros y curiosos*, Madrid, 1968, T. II, p. 814.

[56] "Que el Estado-Iglesia del siglo XVI sea una creación con base profundamente judaica, pero con propósitos antijudáicas es cosa que ha sido defendida con buenas razones por Américo Castro," afirma Julio Caro Baroja, *Los Judíos en la España moderna y contemporánea*, Madrid, 1961, T. I, p. 159. El autor se refiere aquí a la obra de A. Castro, *La realidad histórica de España*, México, 1954, p. 503.

de Pulgar se destacan actitudes y preocupaciones intelectuales que son reveladoras de la afiliación intelectual de estos autores a la clase de los caballeros.[57] Pero también es cierto que estos mismos autores se entusiasmaron al calor de la atmósfera de las expectativas cuasi mesiánicas que despertó el nuevo programa de acción política inaugurado por los Reyes Católicos. Porque este programa significó la puesta en práctica de las teorías históricas y políticas de la clase de los letrados, teorías elaboradas, como ya se indicó, por ilustres conversos en la primera mitad del siglo XV. En este sentido, el advenimiento de los Reyes Católicos parecía constituir un triunfo para la *intelligentsia* conversa de la Península. Lo que en último análisis explica, pues, la ambivalencia de cronistas como Pulgar y Valera es su doble adscripción a la clase de los caballeros y la de los letrados. Esta doble lealtad de corazón y de espíritu al establecimiento aristocrático-erudito del país nos da una idea de lo firmes y profundos que eran los vínculos con que estos conversos se sintieron unidos a la sociedad de su tiempo. No cabe concebir revés de fortuna más inesperado que el que en breve lapso de tiempo iba a eliminarles de este *cursus honorum*, acallando esas voces autorizadas de hombres acostumbrados a ser consultados y oídos por los mismos monarcas. Pero aquellas voces eran inacallables. La violenta represión de la Inquisición, al acorralar cada vez más a los cristianos nuevos en posiciones marginales, sólo consiguió que un inmenso sector de la vida intelectual y artístico del país se convirtiera en una sub-cultura cuyos elementos sofisticados iban a formar un componente inseparable de la cultura "oficial" de España. A la mirada retrospectiva que el historiador extiende sobre la reali-

---

[57] Ya a comienzos del siglo XVI Lorenzo Galíndez Carvajal censura esta tendencia en la *Crónica* de Pulgar, reprochándole que en su historia hubiera ensalzado más los fechos del Cardenal Mendoza que las buenas obras y hazañas de los Reyes Católicos. Cfr. *Anales Breves del reinado de los Reyes Católicos D. Fernando y Doña Isabel*, BAE, T. 70, p. 536.

dad política de aquella época no se manifiestan sino las señales de los cambios radicales que en una sucesión rápida pero profundamente enigmática se produjeron en el transcurso de una sola generación de conversos. Media un abismo de diferencias entre el sentimiento arraigado y aun orgulloso con que Alonso de Cartagena, Valera, Pulgar y otros conversos del siglo XV pudieron referirse a su ascendencia hebrea[58] y, por otra parte, la apariencia conformista, el velo opaco e impenetrable, que cubre la vida y obra de un Fernando de Rojas. Vemos la autoridad concentrada a cuyo mando obedecen los instrumentos de poder que en breve espacio de tiempo transforman una sociedad y una cultura. Pero lo que se sustrae a nuestra visión es el principio impulsor de esta coacción arrolladora. No lo vemos porque este impulso no cabe dentro de la lógica que dirige la enorme dinámica social que las figuras carismáticas de los Reyes Católicos pudieron movilizar en sus reinos. Los aspectos peculiares que nuestros sondeos racionales ponen al descubierto en la realidad histórica del

---

[58] En su *Libro de vida beata* (1463), Juan de Lucena relata un diálogo moral entre Alonso de Cartagena, el Marqués de Santillana y Juan de Mena. Parte de este Diálogo se desarrolla en la sala Real de la corte de Enrique IV. Esta reunión de dos letrados conversos con un representante ilustre de la clase de los caballeros tanto como el lugar en que se produce, nos dan un testimonio elocuente de la atmósfera de mutua confianza y respeto que caracterizó las relaciones entre letrados y caballeros en aquella época pre-isabelina. Pero lo que me interesa muy especialmente destacar en este Diálogo es el tono franco y abierto con que el Obispo de Burgos se enorgullece de su ascendencia hebrea. Tras una alusión de Juan de Mena a los antepasados judíos de Cartagena, éste le contesta: "No pienses correrme por llamar los ebreos mis padres. Sonlo por cierto, y quiérolo; ca si antigüedat es nobleza, ¿quién tan lexos? Si virtud, ¿ quién tan cerca? O si al modo d'España la riqueza es fidalguía, ¿ quién tan rico en su tiempo? Fué Dios su amigo, su Señor, su legislador, su cónsul, su capitán, su padre, su fijo, y al fin, su redemptor. ¡ O inmortal Dios! Todos los oprobios son ya transmutados en gloria, y la gloria contornada en denuesto." Siéntese vibrar en todo este pasaje la indignación del Obispo ante el cinismo descarado de los "infieles christianos," de los "rapaces con los rodetes á la puerta del palacio cantando," que se atreven a llamar *marranos* a los judíos convertidos. (Ed. A. Paz y Meliá, *Opúsculos literarios de los siglos XIV a XVI*, Sociedad de Bibliófilos españoles, Madrid, 1892, pp. 146–8).

tiempo, resultan desconcertantes precisamente porque se han configurado por los efectos de una poderosa fuerza irracional: la del pueblo. La visión que la historia oficial nos presenta del reinado de los Reyes Católicos es el producto de un forcejeo académico-ideológico encaminado a fusionar en un cuadro unificado tendencias y actitudes que se hallaron violentamente contrapuestas en la realidad de aquella época. Porque desde la segunda mitad del siglo XV el recelo de la limpieza de sangre iba convirtiéndose en un arma temible entre las manos del pueblo, dándole por primera vez en la historia de la Península la conciencia de su poder y la audacia de afirmar su formidable presencia frente al establecimiento aristocrático del país. El doble filo de esta espada amenazaba tanto la clase de los nobles como la comunidad de los cristianos nuevos. Dice Albert Sicroff:

> La préoccupation de pureté de sang était d'origine plébéienne et elle allait prendre le caractère d'une révolution sociale, dans laquelle, sous prétexte de "pureté de sang," on contesterait les positions et les privilèges dont les nobles jouissaient au nom de leur noblesse. (p. 95)

El carácter anárquico de esta acción revolucionaria desencadenada por el pueblo era irreconciliable con los ideales de unidad socio-política de los Reyes Católicos. Lo paradójico de este antagonismo, sin embargo, entre las pretensiones reinvindicadas por la *vox populi* y por la *vox regum* consiste en que ambos lados actuaban en nombre de los mismos principios religiosos. Es por este declive paradójico de preocupaciones religiosas como es llevada a cabo, en la España prerrenacentista, la imposible reconciliación entre los objetivos del poder político y las nuevas aspiraciones de la masa del pueblo. Ahora bien, el acceso de la masa popular al escenario social de Castilla no ha sido registrado de manera sistemática y detallada en ninguna crónica de la época. El pueblo no tenía cronistas. Entre las aspiraciones del plebeyo cristiano viejo y su impacto directo en la realidad social no se interponía más justificación

99

teórica que los estatutos de limpieza de sangre. El pueblo todavía no tenía intérpretes culturales que trasladaran sus pretensiones al ámbito literario que entonces, más que en ninguna otra época de la historia, reflejaba exclusivamente los ideales y estilos de vida de la clase de los aristócratas.

Sabido es que en la Edad Media, el pueblo, en cuanto activa fuerza social, es inexistente. No hay nada que mejor ilustre el menosprecio por el pueblo común que la tripartición en la concepción psicológica del hombre medieval que identifica el apetito sensual, localizado en el abdomen, como una potencia que predomina en el vulgo y que lo distingue de las demás clases de la sociedad (Véase: SABIDURIA, 1). El desprecio por la masa indiferenciada de labradores, villanos, y plebeyos, era entonces general, tanto en Castilla como en el resto de Europa. En *Los doce trabajos de Hércules*, que es del año 1417 (versión catalana, después traducida por el autor mismo al castellano), Enrique de Villena divide el mundo en doce estados. El más bajo es el del labrador. Dice Villena:

> los labradores… no se deven dar a delicadamente bevir nin estar en oçiosidat o en vano. Ca el estado requiere que trabajen e coman gruesas viandas e vistan non delicadas vestiduras. E con esto sobraran la sierpe de la carne que en ellos ha grant ocasion por falleçerles sçiençia e uso entre gentes virtuosas. E si no fuese por el trabajo e aspereza de vida caerian de la oçiosidat en pereza e de la pereza prestamente en luxuria. E estos non han tantos defendimientos como los otros estados contra estos viçios nin an tan clara inteligençia. Antes quando tajan una cabeça naçen muchas e non pueden vençer la sierpe fasta que en la leña de su carne ençienden fuego de trabajo en la vida rustica o aldeana.[59]

El intento moralizante de la obra de Villena no quita fuerza sino más bien la añade a este testimonio acerca del desprecio general en que era tenido el pueblo común a comienzos del siglo XV.

---

[59] Ed. Margherita Morreale, Biblioteca selecta de Clásicos españoles, Madrid, 1958, p. 71.

Sin embargo, hubo en el décimoquinto y aun antes, un vehículo cultural que ha traído hasta nosotros las expresiones sublimadas de la sensibilidad popular. Es la tradición oral de los romances. Sabido es con qué particular afecto R. Menéndez Pidal ha estudiado estas manifestaciones del arte popular en España. Pero lo que me importa sobremanera resaltar aquí es el poco prestigio que gozaban los romances entre la gente culta hacia mediados del siglo XV. El juicio del Marqués de Santillana, archiconocido, aunque no por ello menos enigmático, epitoma el general menosprecio por este arte oral. En su *Carta proemio* habla el Marqués con despecho de "aquellos que sin ningún orden, regla, nin cuento, facen estos romances e cantares de que las gentes de baxa e servil condición se alegran." Aludiendo a esta opinión desfavorable, Menéndez Pelayo habla del "formidable anatema" que el Marqués de Santillana hizo caer sobre la poesía popular.[60] Lo cierto es que el juicio de Santillana refleja sin duda un sentir que era común a la clase de los caballeros y de los letrados.[61] Pero lo que merece toda nuestra atención es el hecho profundamente enigmático, nunca explicado antes, según afirma Américo Castro, de que "el Romancero pasara de ser poesía para 'gente baja y servil condición' a ser un género de literatura tan grato a la plebe como a la aristocracia."[62] Desde comienzos del siglo XVI los romances son acogidos "en brazos de la prensa" y su prestigio no cesa de crecer a medida que avanza el siglo. Parece indiscutible que el auge alcanzado por los romances en el breve espacio de unos decenios es fenómeno sintomático de una dignificación de la clase plebeya, al cual corresponde lo que

---

[60] *Poetas de la corte de don Juan II*, ed. Colección Austral, Madrid, 1943, p. 28.

[61] Con amistosa ironía le pregunta Cartagena al Marqués de Santillana: "¿Nunca oyste de tu vieja tras el hogar: que tras otro caualga no aguija quando quiere?" El desdén erudito por los romances se extendió sin duda a los refranes, otra fuente de la cultura popular. (Juan de Lucena, o. c.).

[62] *De la edad conflictiva*, 3a ed., Madrid, 1972, p. 186.

Américo Castro ha llamado una "rustificación" de la sociedad española. Y no se trata aquí de un síntoma aislado. Dentro de esta misma evolución cabe la aparición repentina del arte popular de *La Celestina* y de la literatura celestinesca, del teatro de Lucas Fernández, de Torres Naharro y otros dramaturgos menores. A este mismo orden de fenómenos socioliterarios pertenece también la fuerte corriente anti-cortesana que se origina en el *Esplandián* y otra literatura finisecular, exceptuando el teatro de Juan del Encina.[63] Hay, por último, en esta "nueva literatura" una verdadera explosión de protestas contra los rústicos cristianos viejos que se vanaglorian de su "honra" y, más que nada, contra el poder arbitrario que deposita en las manos del vulgo, en su lengua maldiciente, el honor de los nobles.

Los rasgos de que está desprovista una realidad determinada, que están ausentes en ella, siempre son los más difíciles de detectar. Pero ante esta irrupción masiva de personajes plebeyos en la escena literaria de los últimos años del diglo XV y los primeros del XVI, ¿cómo no vamos a recordar que no hay absolutamente nada en la literatura anterior que anuncie ni justifique este inesperado desarrollo? No hay nada, en efecto, salvo los datos extraliterarios que nos informan sobre los modos en que la institucionalización del recelo de la limpieza de sangre abrió una brecha en la armazón de la sociedad aristocrática de Castilla, por la que se dio entrada la dinámica frustrada del pueblo. La "vieja" literatura registra esporádicamente, como vimos, las reacciones de sorpresa, de incredulidad e indignación, ante la inaudita inversión de valores que

---

[63] En los siguientes artículos yo he estudiado aspectos de este movimiento anti-cortesano: "Estudio comparativo del teatro profano de Lucas Fernández y el de Juan del Encina," *Revista Canadiense de Estudios Hispánicos*, III, No 2 (1979); "La nueva teoría del amor en las novelas de Diego de San Pedro," *Cuadernos Hispanoamericanos*, 349 (1979); "Los debates feministas del siglo XV y las novelas de Juan de Flores," *Hispania*, 64 (1981); "La inversión del amor cortés en Moreto," *Cuadernos Hispanoamericanos*, 283 (1974).

desde abajo se pretendió imponer en la vida social e intelectual de la época. Pero esta rápida transformación histórica ya queda consolidada a fines de la guerra de Granada en la que "los menudos" desempeñaron un papel tan importante. Surge entonces una cultura literaria completamente distinta de la anterior, que consagra y celebra el nuevo sistema de normas y valores que orienta ahora la sociedad "rustificada" de Castilla. Las pretensiones del vulgo y las protestas de la multitud marginada de los conversos forman los principales elementos constitutivos de esta nueva cultura literaria, cuya primera fase se estrena triunfalmente con la obra maestra de Fernando de Rojas. Es desde esta perspectiva completamente nueva que pretendo enfocar más adelante la literatura sentimental-popular de la primera mitad del siglo XVI. Las vicisitudes históricas que concurren en la formación del conflicto entre cristianos viejos y nuevos constituyen un aspecto esencial de la vida intelectual, social y política del cuatrocientos español.

En el presente apartado nos hemos alejado mucho del tema de nuestro estudio. Esta digresión, sin embargo, era imprescindible para mejor situar la creación de Montalvo dentro de la vida intelectual de su época. Vemos ahora que el *Esplandián* es obra de un letrado, miembro del establecimiento erudito del país cuyas teorías históricas y políticas fueron oficialmente adoptadas y puestas en práctica por los Reyes Católicos. Al definir la obra de Montalvo en estos términos, tenemos otro argumento más en defensa de nuestra tesis de que hay una solución de continuidad entre el *Amadís* primitivo y el *Esplandián*, ya que el carácter "letrado" de este último se opone a la concepción aristocrática de aquél. Esto viene a confirmar nuestra idea de que el *Esplandián* fue concebido por Montalvo como una obra propagandística de la nueva era isabelina.

8. *El nuevo tipo humano del "Esplandián"*. -Las nuevas ideas que se han expuesto en el apartado anterior nos permiten

103

establecer otras correspondencias entre la nueva ética caballeresca de las *Sergas* y unas preocupaciones intelectuales muy típicas de la clase de los letrados en el siglo XV. Como introducción al estudio del nuevo tipo humano del *Esplandián*, quisiéramos poner en evidencia una de esas correspondencias. Para ello nos servimos de un texto clave usado anteriormente (SABIDURIA, 1), pero que es preciso citar de nuevo aquí:

> Ea, buenos señores, que estas no son las aventuras de la gran Bretaña, que mas por vanagloria y fantasía que por otra justa causa las mas dellas se tomaban; que si la ira y saña en aquella gravemente os eran defendidas, en estas que agora se representan, no tan solamente no es pecado ejercitarlas, mas ante aquel muy alto Señor Dios muy gran mérito se gana (V, 459).

En este pasaje vimos como el ardimiento del caballero es considerado por Esplandián como una inclinación pecaminosa a no ser que se halle puesta al servicio de Dios. Recuérdese que este mismo texto nos ha permitido hacer una asociación entre el ardimiento y la pulsión sexual. Ahora bien, esta asociación reveladora ya se encuentra expresada explícitamente en un escrito de Alonso de Cartagena. Hay una "quaestio" de 1444, tipo escolástico de tratado filosófico todavía muy popular en la España del siglo XV,[64] entre el Obispo de Burgos y el Marqués de Santillana. En su "Respuesta" a la "Question" de Santillana relativa a la nobleza de España, Cartagena hace la siguiente afirmación:

> la animosidad e brío de la nobleça de España, que si en guerra justa non exercita sus fuerças, luego se convierte a las mover en aquellas contiendas que....podremos llamar cortesanas, pues sobre el valer de la corte se mueven, aunque se extienden por las más provincias del reino.

---

[64] Francisco Sánchez-Blanco, en un artículo suyo muy interesante, considera el recurso frecuente a la "Quaestio" medieval en el siglo XV como uno de los indicios de la continuidad de la tradición medieval en España. Véase: "La literatura didáctica en el Cuatrocientos italiano y español," *Revista de Occidente*, 22/23 (1977), p. 16.

Y sigue el pasaje crucial:

> Por ende como al incontinente el Apóstol aconseja que tome matrimonio lejítimo, pues de otra guisa contener non se atreve, *porque en usos lícitos mueva los impetus de su concupiscible pasión* ... así a los bellicosos fijosdalgo quien amigos quiere ver e tener la tierra pacífica, en guerrear enemigos ocupe sus vidas; porque allí meritoria e gloriosamente cansen sus fuerças e derramen su sangre, si a derramarse oviere, e *non la despendan en lo que no trahe mérito ante Dios*, ni gloria delante las extrañas naciones. ¡E quánto yo tibia esperança tengo de ver en estas partidas sosiego, en tanto que guerra de moros abierta non fuere! (BAE, T. 116, pp. 237–8).

En esta última frase se expresa la idea de que la guerra contra los moros de Granada pudiera ser la gran empresa en la que aquellos "bellicosos fijosdalgo" pudiesen dar escape a su ardimiento a la vez que hacerse merecedores del favor divino. Se anticipa aquí la grave censura que la propaganda isabelina hará más tarde de la falta de fervor religioso que mostraron los Trastámara en no dar remate a la guerra santa contra los infieles. En su *Crónica* del reinado de los Reyes Católicos, Fernando del Pulgar relata como la reina Isabel incita al rey, quien está en este momento en el norte del país, a que venga a poner sitio a dos fortalezas en el reino de Granada: "porque la negligencia que se imputaba á los tiempos pasados, agora no se imputase á ellos" (BAE, T. 70, p. 427).

Unos cuarenta años después de la "Respuesta" de Cartagena dirigida al Marqués de Santillana, Pulgar alude a esta misma impetuosidad española al escribir al Canónigo de Sevilla, Pedro de Toledo, en su Letra XII: "la mala condición española, inquieta de su natura, en el aire querría, si pudiese, congelar los movimiento y sufrir guerra de dentro cuando no la tienen de fuera."

Estos juicios de Cartagena y de Pulgar aclaran históricamente la aparición del nuevo tipo humano que estudiamos en la realidad literaria del *Esplandián*. Porque lo que se evidencia aquí es la toma de conciencia de una condición fisiológico-

105

anímica que singularizaba al espñol de aquel tiempo. El hábito del esfuerzo guerrero, sostenido durante siglos en la lucha contra los árabes, había resultado en esta forma de ser específica la cual, a medida que se acercaba el fin de aquella confrontación secular, sin duda, iba haciéndose cada vez más anacrónica e incompatible con los nuevos postulados de mesura y autodisciplina que condicionaban la personalidad más matizada del hombre del Renacimiento. Ahora bien, lo que ha influido decisivamente en la formación de la cultura afectiva del siglo XV y su ulterior desarrollo en el siglo XVI es el fenómeno de que en España se ha perseverado en dar prestigio social y validez cultural a ese tipo de hombre impetuoso. Frente a él, los intérpretes culturales de los siglos XV y XVI adoptan una actitud inspirada por un doble recelo. Temen los peligros de la anarquía, "las contiendas cortesanas" de "los bellicosos fijosdalgo," cuando ellos no encuentran empleo digno de sus esfuerzos en una guerra justa. Por otra parte, temen que la ociosidad les haga perder su ardor bélico. En la *Crónica* de Pulgar, Cap. XXIII, el Maestre de Santiago, Alonso de Cárdenas, exhorta al rey Fernando a que prosiga la guerra de Granada. Repara Don Alonso en la gran ventaja que el rey les lleva a los demás príncipes cristianos por "tener en vuestros confines gentes pagana con quien no solo podeis tener guerra justa, mas guerra santa, en que entendais é fagais exercitar vuestra caballería." A continuación menciona Don Alonso a Tulio Ostilio, rey de los romanos, quien "movió guerra sin causa con los Albanos sus amigos é parientes, no por otro respecto, salvo por no dexar en ocio su caballería." Y prosigue: "Pues ¿quanto mejor lo debe facer quien tiene tan justa, tan santa, é tan necesaria guerra como vos teneis? en la qual se puede ganar honra en esta vida é gloria en la otra." Nótese la concordancia casi textual entre las últimas palabras de esta cita y ciertos pasajes de las *Sergas*.

Apuntan en este discurso del Maestre de Santiago unos conceptos típicos de la teoría histórica de los letrados, como el

106

de la guerra santa y el papel providencial de Castilla. Pero frente al punto de vista de Don Alonso de Cárdenas que es compartido por gran número de caballeros y capitanes, se alza una opinión contraria, igualmente compartida por muchos vasallos del rey y que es interpretada por el Marqués de Cáliz, Don Rodrigo Ponce de León.

Precisemos algo más lo que ha ocasionado esta discrepancia de pareceres entre los caballeros del rey Fernando. Se tráta de la cuestión de si hay que poner en libertad o no al Rey Moro, Muley Bahadeli, en poder del Conde de Cabra, y aceptar la tregua que ofrece a cambio de una cantidad de oro que se obliga a pagar cada año. Lo que me interesa poner de relieve es la actitud totalmente distinta que el Marqués de Cáliz adopta ante este dilema. Comienza por declarar que coincide con la opinión de Don Alonso respecto a la necesidad de que se continúe la guerra contra los moros. Y prosigue:

> pero no hay en esta vida cosa tan governada por razon, que el tiempo y la edad é los casos nuevos no traygan pensamientos nuevos, para que aquello que una vez nos parece que sabemos, otra vez no lo sepamos; en lo que en un tiempo nos parece provechoso, en otro nos parece dañoso á ageno de razon (p. 391).

Se introdúce aquí un criterio tan asombrosamente moderno que hasta el hombre progresista y científico de nuestros días lo pudiera hacer suyo. Esto equivale a decir que la mentalidad y el tipo de hombre que revelan estas palabras proceden de las tendencias renacentistas atribuidas por Helen Nader a la clase de los caballeros. Confírmase esta impresión en el resto del discurso de Don Rodrigo. Hay anticipos de la doctrina maquiavelista en los argumentos que aduce para demostrar que el poner en libertad del Rey Moro traerá más ventajas políticas a los españoles que su cautiverio.

Este breve inciso nos ha distraído momentáneamente de nuestro tema. Pero no pudimos menos que señalar este episodio tan ilustrativo de la doble afiliación de Pulgar a las dos facciones que dominaban la vida intelectual del siglo XV. Significativo también es el hecho de que el punto de vista de los caballeros, interpretado por el Marqués de Cáliz, es el que finalmente es adoptado por los Reyes Católicos en esta controversia.

El Padre Juan de Mariana, en su *Historia de España*, Tomo I, tras encarecer las grandes hazañas realizadas por los soldados españoles en tiempo de los Reyes Católicos, celebra el hecho de que al terminar esta gloriosa tarea dentro de la Península, este magnífico ejército no languideceria en una ociosidad forzada, sino que le seria dado encontrar en "los últimos fines de la tierra" nuevos empleos en que ejercitar sus fuerzas (BAE, T. 31, p. 240).

Ya más entrado el siglo XVI, hallamos el siguiente testimonio de Juan Ginés de Sepúlveda:

> Según los filósofos, la naturaleza, para avivar sus virtudes, dotó a los hombres de cierto fuego interior que, si no se atiza y pone en acción, no sólo no luce, sino que languidece y a veces se apaga. Por eso a veces me vienen dudas de si no habría sido mejor para nosotros que se mantuviera el reino moro de Granada, en lugar de hundirse completamente. Pues si bien es cierto que extendimos el reino también echamos al enemigo más allá del mar, privamos a los españoles de la ocasión de ejercitar su valor, y destruímos el motivo magnífico de sus triunfos. De ahí que tema un poco que, con tanto ocio y seguridad, el valor de muchos se debilite.[65]

Por último, citemos esta reflexion de Fray Alonso de Cabrera, hecha hacia finales del siglo XVI:

> Nuestros abuelos, señores, se lamentaban de que Granada se hubiese ganado a los moros, porque ese dia se mancaron los caballos y enmohecieron las corazas y lanzas, y se pudrieron las adargas, y se acabó la caballería tan señalada de Andalucía, y mancó la juventud y sus gentilezas tan valerosas y conocidas.[66]

Notemos en este últimos pasaje el marcado acento pesi-

---

[65] Diálogo llamado *Gonsalus seu de appetenda gloria*, XXVI. Citado por A. Castro, *La realidad histórica de España*, p. 584.

[66] *De las consideraciones sobre todos los Evangelios de la Cuaresma*. También citado por A. Castro, p. 584.

mista que ya parece anunciar el dilatado tono nostálgico que resonará unos diez años más tarde en la gran creación de Cervantes. Por muy sublimadas y, por ende, universales, que sean las formas en las que se manifiestan en el *Quijote* los anhelos de acción esforzada, hay que reconocer que la misión del Ingenioso Caballero de la Mancha tiene su punto de arranque en la españolísima forma de ser que estamos discutiendo en estas páginas.

A esta peculiaridad también se refieren Lope de Vega, en su *Arte nuevo de hacer comedias*, y Ricardo de Turia, en su *Apologético*, al hablar de la "cólera española" (Turia) o "la cólera del español sentado" (Lope), que se impacienta ante cualquier obstáculo que interrumpa temporalmente el despliegue directo de la acción dramática. Pero los testimonios de Lope y de Turia nos sugieren al mismo tiempo que esta cualidad temperamental hispánica ya iba desprestigiándose hasta ser mero atributo del pueblo cumún, del vulgo, opuesto a la minoría selecta a la que los poetas del Siglo de oro dirigían los frutos más cultos de su ingenio.[67]

Se podría, sin duda, aumentar este acervo, ya nutrido, de testimonios con otros muchos para resaltar este rasgo peculiar en la constitución psicológica del *homo hispanus*. El ardor bélico, la pasión, la fogosidad, en suma, el ardimiento del guerrero español se ha considerado en España, a lo largo de una época que franquea las demarcaciones artificiales de la periodificación histórica, como una fuente de energía psíquica, como un capital de recursos humanos que permitió al país llevar a cabo las grandes tareas históricas que le había reservado la Providencia divina. Esta conclusión parece contradecir los datos que hasta ahora se han destacado en la realidad

---

[67] Para esta distinción entre el público de la Comedia y otro de orientación renacentista, véase: A. van Beysterveldt, *Répercussions du souci de la pureté de sang sur la conception de l'honneur dans la "Comedia Nueva" espagnole*, Leiden, 1966, Chapitre Premier.

literaria del *Amadís*. Porque estos datos han puesto al descubierto un proceso evolutivo en que el ardimiento de los caballeros del *Amadís* primitivo es rechazado en las *Sergas* y sustituido por un patrón de comportamiento caballeresco que sigue "el camino de la razón." Esta contradicción, sin embargo, es sólo aparente, como trataremos de demostrarlo en las páginas que siguen.

La intima adherencia del héroe del *Amadís* primitivo al ideal del amor cortés y al código de honor caballeresco hace que la etiqueta, el ritual, las aspiraciones, normas y preceptos de estos dos cultos ideales queden interiorizados en niveles tan profundos de su persona que se transformen en parte integrante de la misma. Las fascinantes investigaciones de Norbert Elias acerca de los factores sociogénicos y psicogénicos que condicionan la evolución histórica del comportamiento social del individuo,[68] han contribuido notablemente a aclarar este proceso. Según Elias, la interiorización de esos imperativos resulta en una autodisciplina que el individuo se impone libremente para dar expresión a su anhelo de perfección humana y su deseo de distinción social. Tengamos presente el carácter esencialmente individual y mundano de este ideal de vida al compararlo con la nueva misión de Esplandián y los demás caballeros del Libro V. Aquí, como vimos arriba (SABIDURIA, 2), la misión del caballero andante se transforma en una empresa colectiva al servicio de un ideal ultramundano: la guerra santa contra los enemigos de la fe cristiana. Los imperativos consagrados en el ideario cortesano-caballeresco del *Amadís* primitivo se hallan rechazados y sustituidos por los mandatos "racionales" de una nueva moral caballeresca. Pero ya vimos que este principio racional no opera libre e independientemente dentro de esa nueva ética, sino que su función se reduce a elucidar y confirmar las normas

---

[68] N. Elias *Über den Prozess der Zivilisation*, Basel, 1939, Vol. II, p. 410.

110

religiosas de la doctrina cristiana. Recurriendo a la terminología freudiana para mejor encarecer la importancia de esta evolución trascendental podemos decir que el Super-ego de los caballeros del *Esplandián* se llena integralmente con un contenido normativo derivado de la antropología ascéticocristiana. Esta monopolización religiosa de la razón explica que la interiorización del sistema normativo que regula la conducta de los caballeros del *Esplandián*, sea sólo superficial, siendo resultado de una imposición externa más bien que de una convicción muy íntima de su persona. No se trata aquí, para expresar la misma idea en términos de la teoría de Norbert Elias, de un cambio natural en el patrón de comportamiento, impulsado en aquella sociedad por la fuerza espontánea de factores sociogénicos y psicogénicos, sino de una evolución forzada. De ahí que el caballero-modelo de las *Sergas* corresponda a un tipo humano que desde un punto de vista puramente psicológico es infinitamente menos complejo y auténtico que el del *Amadís* primitivo. El enorme descenso del nivel artístico que se observa en la creación de Montalvo con respecto a los primeros tres Libros del *Amadís* es debido precisamente en gran parte a la incapacidad del autor de infundir en sus héroes ese soplo de entusiasmo que es la *conditio sine qua non* de todo auténtico ideal fuertemente sentido. Con esta falta de convicción íntima que descubrimos en la constitución literaria de las figuras del *Esplandián* se ensancha la brecha entre lo que Rémy C. Kwant ha llamado "l'univers de discours et le monde vécu"[69] hasta tal punto que las correspondencias entre ambos se vuelven en la novela altamente enigmáticas y aun contradictorias. Tratemos de ilustrar esto con un ejemplo.

En una de las descripciones más gráficas de este Libro V, el narrador nos cuenta como tras una fiera batalla los guerreros

---

[69] R. C. Kwant, *Fenomenologie van de Taal*, Utrecht, 1967, p. 42. Citado en francés, porque Kwant se refiere aquí a la 2a Parte, Cap. VI, del tratado filosófico de M. Merleau-Ponty, *Phénoménologie de la perception*, Paris, 1945.

cristianos, rendidos por el esfuerzo dado, son desarmados por las doncellas en el palacio del Emperador de Constantinopla. Con agua caliente ellas hacen despegar las espadas, "teñidas de sangre hasta los puños," de entre las manos hichadas y cubiertas de sangre cuajada de los caballeros, y contemplan con éxtasis los rostros tumefactos y mancillados que aparecen al quitarles los yelmos. Después de la cena, el Emperador se reúne con sus caballeros y ellos le cuentan sus hechos de armas:

> y ellos diciéndole el gran placer que hubieron de ver cómo los elefantes bramaban, y se revolvian con el aceite que ardiendo sobre ellos daba; y cómo al trastornar de los castillos caían los paganos, las piernas hácia arriba y las cabezas abajo, unos sobre otros, que en medio de su gran afrenta, no pudieron excusar la risa (V, 539).

Lo que desprende de semejante cuadro del "mundo vivido" del *Esplandián* es la impresión de que la aventura heroica constituye aquí un fin en sí, que la vida esforzada de estos caballeros se reduce, en el plano de la experiencia vital, a una actividad puramente deportiva y, por ende, ajena a toda justificatión moral. Esto nos lleva a afirmar que "l'univers de discours," es decir, esa nueva misión de caballero andante del *Esplandián,* no es en el fondo sino otra *truancy,* sólo más flagrante que la que hemos tratado de definir dentro de la realidad literaria del *Amadís* primitivo y, al mismo tiempo, de un alcance incomparablemente más formidable que aquélla. De este modo, los nuevos imperativos de la moral caballeresca, en vez de refrenar el ímpetu del caballero, han tenido, al contario, como efecto, el soltar las riendas a esas fuerzas instintivas, racionalizando su empleo como algo que era grato y hasta necesario a los ojos de Dios. Esto se declara sin ambages en aquel texto clave del Libro V que hemos vuelto a citar al comienzo de este apartado.

Concluimos, pues, que el nuevo tipo humano cuya aparición hemos estudiado en los Libros IV y V del *Amadís,* es la réplica literaria del guerrero impetuoso, es el fiel reflejo de aquel tipo ideal de hombre que fue promovido y glorificado en los escritos ideológicos de los letrados del siglo XV y del XVI. Y esto me lleva a una conclusión general acerca de la literatura popular de aquella época.

En la cultura literaria de España, los primeros tres Libros del *Amadís* señalan al historiador literario el *teminus ad quem* desde el cual las manifestaciones populares de esta cultura cesan de ser interpretables por medio de los sondeos de las herramientas analíticas corrientes de la crítica literaria. Porque la crítica literaria realiza sus tanteos exploratorios partiendo de una concepción de la persona humana en la que se dan por sentados unos supuestos psicológicos que faltan precisamente en la constitución del tipo humano que se han ido formando bajo nuestra vista en los Libros IV y V del *Amadís*. El recrudecimiento de la tendencia ascética en el cristianismo peninsular, intimamente vinculado a la ascensión de la clase de los letrados en el reinado de los Reyes Católicos, es indudablemente el factor decisivo que vino a suspender el progreso de la secularización de la literatura popular de aquel tiempo. Paradójicamente, es esta nueva forma de religiosidad, originada por unas circunstancias sociohistóricas muy específicas, la que ha provocado la atrofia de aquel rico complejo de sentimientos y normas que en el *Amadís* primitivo moderaba todavía la impetuosidad del ardimiento del héroe. Una vez desvirtuada la eficacia de estos frenos altamente civilizadores pero, por esta misma razón, reprobables en cuanto creaciones de una cultura puramente laica, ya no había nada que pusiera trabas a la fuerza expansiva con que ese ímpetu podía desplegarse en la realidad cultural e incluso histórica de la época. Contemplada a esta nueva luz, la gran teoría sociohistórica de Américo Castro acerca del "vivir desviviéndose" de los españoles del siglo XV puede ser articulada con más rigor dialéctico. Para ello es preciso iluminar ciertos eslabones especulativos en la argumentación del gran humanista con la visión directa sobre la peculiaridad psicológica del español del siglo XV que hemos destacado en el presente apartado.

9. *Esplandián y Calisto*. -En este apartado final nos aprestamos a salir del mundo guerrero de Esplandián para acercarnos a la vivienda silenciosa de Calisto, la Casa-fortaleza de Melibea y el cuartel general de Celestina, de donde saldrán los planes estratégicos para esa otra batalla, para esa guerra *non sancta*, del amor. Calisto, el héroe que mueve esta guerra, es un descendiente "en línea recta" de Esplandián. El íntimo parentesco entre ardimiento y pulsión sexual postula, en efecto, que el mismo perfil socio-psicológico del hombre de la guerra, tal como acabamos de definirlo en las *Sergas*, caracteriza también el nuevo tipo de amador que vemos surgir en la literatura sentimental-popular del siglo XVI. Esta correlación ha sido finamente intuida por el gran historiador social José Antonio Maravall. Aplicando los conceptos de Thorstein Veblen (*The Theory of the Leisure Class*) a la nueva clase ociosa de los ricos ennoblecidos a la que pertenece Calisto, Maravall afirma que a finales del siglo XV la actividad depredatoria del guerrero se desplaza hacia el terreno del amor. Entendido así, nos dice el autor, el amor llega a ser "un nuevo deporte de los ricos en la sociedad del siglo XV."[70] La doncella encerrada tras las puertas bien guardadas de su casa representa como un desafío lanzado por la sociedad al atrevimiento del hombre. La mujer es el objeto, la prenda codiciada a la vez que el premio de este "nuevo deporte" y para vencer las dificultades, los obstáculos y peligros que rodean la conquista amorosa, el amante hace uso de estratagemas y recursos que en el fondo no difieren de los que son propios de la actividad depredatoria del guerrero. Este es el esquema básico subyacente en el desarrollo del tema del amor en la literatura celestinesca y el teatro a partir de Torres Naharro. No se trata aquí de imitación literaria sino de un fenómeno más elemental. Trátase de una realidad social moldeada y controlada por el poder totalitario del Estado-

---

[70] J. A. Maravall, *El mundo social de "La Celestina"*, Madrid, 1964, p. 143.

Iglesia español. A esta realidad social correspondía un modelo humano que encarnaba los ideales unitarios y militantes del nuevo programa de acción política y nacional de los Reyes Católicos. Era inevitable que este tipo de hombre, promovido y encumbrado en la sociedad isabelina, se incorporara también a la cultura literaria de la época como una expresión directa del espíritu del tiempo.

Calisto no difiere del héroe esplandiano sino en que su ardimiento carece del motivo consagrado de la actividad bélica. Todo su ardor se consume en el fuego de la pasión amorosa. Calisto es un Esplandián *manqué*, un Esplandián que hubiera renunciado a su vocación guerrera bajo la presión de ciertas circunstancias, por ejemplo, la de verse acusado de ser *ex illis* (condición conversa), lo que le hubiera forzado a retirarse de una participación activa en la vida pública de su tiempo. Para él, como para Calisto, igual que para todos los demás ricos ennoblecidos que formaron, según Maravall, la nueva clase ociosa en aquella sociedad, no habría otra ocupación que la de entregarse a ese "nuevo deporte" del amor.

El sentimiento amoroso de Esplandián, tenía, como vimos más arriba, un doble objeto: Carmela con quien comparte la cama, y Leonor, "la dama de su corazón." Con el fin de prestar más viveza sugestiva al paralelismo entre Esplandián y Calisto, representémonos unos episodios de *La Celestina* en que el autor le hubiera permitido a Calisto buscar alivio a su fuego amoroso en unas visitas furtivas, digamos, a la casa de Areúsa. ¡Cuán acordes serían tales deslices con el temperamento y la psicología de Calisto! En efecto, ¿no es esta realidad la que vemos representada una y otra vez desde la *Egloga de Plácida y Vitoriano* de Encina hasta la Comedia del Siglo de oro?[71] Sin embargo, al negarse a introducir alternativas de esta

---

[71] En *El socorro de los mantos* de Francisco de Leiva Ramírez de Arrellano, Don Fernando alude al uso de los hombres madrileños de tener muchas damas, pero una sola amada:

clase en su escenario Fernando de Rojas no sólo ha hecho prueba de buen gusto, sino que también ha podido intensificar el aislamiento en que tanto Calisto como Melibea parecen estar encerrados. Además, como lo veremos más tarde, le importaba dar el máximo relieve posible a la pareja única de los amadores nobles de su *Tragicomedia*.

Pero Calisto pertenece también al linaje de Amadís, aunque no directamente, sino por intermedio de Esplandián. Los bienes espirituales acopiados por Amadís en el patrimonio cultural del ideal cortés se han transmitido a Calisto igualmente a través de Esplandián. Ya vimos como el ideal cortés se ha adulterado en el proceso de la transformación de la misión del caballero andante en las *Sergas*. Lo que se ha echado a perder en este proceso, lo que se ha eliminado, es el núcleo mismo del culto cortesano: la idealización del amor como un medio de perfección humana. En las formas más elevadas de esta concepción, el aguijón del deseo carnal queda sublimado, se disuelve, en una tensión prolongada de la sensibilidad. Es esta tensión del deseo insatisfecho la que acrisola la experiencia amorosa de los verdaderos amadores cortesanos. El fin del amor cortés no es otro sino este camino mismo de perfección. Aquí, el fin y el medio es todo uno. Entre la doctrina y la práctica, entre "l'univers de discours" y "le monde vécu," del ideal cortés apenas si existe discrepancia alguna. Al contrario, hay en Amadís un esfuerzo constante por extremar en su conducta las normas más exigentes de la doctrina cortesana. Otro postulado del amor cortés, como ya se indicó, son las relaciones de proximidad, de armonía, entre los sexos, la íntima fusión de la esfera de vida femenina con la masculina en

---

Mira, en Madrid no hay galán
Que no tenga en sus empleos
Uno solo de cuidado
Y mil de entretenimiento.
(*Dramáticos posteriores a Lope* de Vega, BAE, T. 47, p. 395)

aquella extensa vertiente de la experiencia sentimental. Pero todo lo que queda de este culto elevado es una cáscara vacía. El movimiento anticortesano, cuyo primer impulso hemos estudiado en las *Sergas,* marca el retorno a una concepción del amor carnal. El apetito sensual se hace todopoderoso. Desde ahora en adelante, el fin del amor es la posesión carnal de la amada. Ahora bien, lo profundamente desconcertante de esta concepción del amor, que se impone como una expresión concomitante del nuevo espíritu del país bajo los Reyes Católicos, es que se ha revestido del mismo ropaje verbal y conceptual del amor cortés. El dicho, caro a Celestina, *Debajo del sayal hay ál,* con toda su implicación sexual, resume muy adecuadamente esta situación paradójica. Tenemos aquí un fenómeno que no ha dejado de desorientar, hasta el día de hoy, a una multitud de críticos celestinistas y otros. La pertinacia con que buena parte de la crítica celestinesca se ha aferrado a una interpretación idealista de *La Celestina,* la ha dejado ciega para los aspectos anticortesanos de la obra. La impopularidad de esta visión anticortesana se revela muy a las claras en el tono tímido con que algunos críticos perspicaces han expresado, por ejemplo, sus reservas ante la concepción idealista de la figura de Melibea. Pierre Heugas, en un libro reciente, tras formular un juicio basado en una visión más realista de la psicología de Melibea, parece anticipar las protestas de aquella crítica al decir: "On nous accusera ici de sacrilège . . . ''[72] Sin embargo, llegado al término de la primera fase de mi estudio, quisiera destacar el curso irreversible de los cambios sociohistóricos que han transformado la cultura afectiva del siglo XV. La constitución de los elementos de esta cultura fue producto de un proceso histórico, no literario. Eran estos elementos, ya plasmados en la realidad de la época, los que se presentaron como materiales de construcción para la creación de *La Celestina.* Porque Fer-

---

[72] P. Heugas, *La Célestine et sa descendance directe,* Bordeaux, 1973, p. 388.

nando de Rojas, tampoco, como ningún otro artista, inventó la materia prima de su obra. Esta le fue dada por la época y la sociedad en que le tocó vivir. Aludimos aquí a los conceptos de morada vital, vividura o campo existencial, elaborados por Américo Castro y Rémy Kwant en Holanda. El individuo debe a la época en que vive su campo existencial y la época debe a artistas geniales como Fernando de Rojas el haber descubierto nuevos sentidos y fijado nuevas posibilidades en las formas escurridizas del vivir cotidiano. El campo existencial de Rojas se hallaba configurado por las tendencias ascéticas procedentes de la ideología oficial de los letrados del siglo XV. Estas tendencias se han traducido en la realidad literaria por la nueva orientación anticortesana de los géneros populares del teatro y la novela sentimental, y la aparición del nuevo tipo humano que se ha estudiado en las *Sergas*. Calisto encarna este tipo de hombre impetuoso que vuelca toda su energía en la persecución de la aventura amorosa, ya que le falta la vertiente de la acción guerrera para dar escape a sus ansias de actividad. Pero ya vimos que esta actividad bélica en las *Sergas* no era más que un pretexto, una *truancy*, que nos indicó hasta qué punto se había ensanchado la brecha entre "l'univers de discours" y "le monde vécu" en la vida de los caballeros del *Esplandián* con respecto a los del *Amadís* primitivo. Con Calisto esta brecha se agudiza, porque le falta toda posibilidad de referirse al "universo de discurso" que por lo menos en apariencia justificaba la acción depredatoria del guerrero en las *Sergas*. Esto equivale a decir que se hace aún más densa en *La Celestina* la atmósfera de insinceridad, de restricciones mentales e hipocresía que envuelve a Calisto y los demás personajes. Porque "el universo de discurso" a que se refiere Calisto es el del amor cortés. Pero no es este ideal, sino más bien la "filosofía" naturalista de Celestina la que da cuenta cabal de su "mundo vivido," como lo veremos más adelante.

En el transcurso de mis exploraciones por los cinco Libros de *Amadís de Gaula* se ha ido formando la nueva perspectiva a partir de la cual me propongo estudiar la creación de Rojas en la segunda parte de este libro. Pero ya en esta larga etapa preliminar al verdadero propósito de mi empresa interpretativa se perfilan unas diferencias radicales entre mi manera de aproximarme a *La Celestina* y la de los portavoces más autorizados de la crítica celestinesca tales como M. R. Lida de Malkiel y Stephen Gilman. Una de las contribuciones más duraderas de la obra de Malkiel consiste, según Gilman, en haber ampliado el foso que separa la obra clásica de Rojas de sus fuentes literarias. *La Celestina* traza una especie de línea divisoria entre la literatura del cuatrocientos y la que se inicia en la segunda parte del siglo XVI. Afirma Gilman: "he who would deal with Fernando de Rojas and *La Celestina* is confronted with discontinuity, the unprecedented greatness of a sudden and unexpected leap into a new world."[73] Mi estudio del *Amadís* demuestra que esta idea es inmantenible. No es la obra cumbre de Rojas, sino la novela más modesta de Montalvo la que marca de manera nítida la línea divisoria entre "literatura vieja" y "literatura nueva," escisión que de modo más difuso se manifiesta también en otros escritos finiseculares, tales como las novelas de Juan de Flores. Lo que ha conducido a Gilman a esta idea errónea es su total ceguera para los nexos que unen la creación de Rojas a la novela de caballerías, muy en especial al *Esplandián*. Le desconcierta a este crítico encontrar en el catálogo de la biblioteca de Rojas los títulos de *Amadís de Gaula* y *Las sergas de Esplandián*, junto a los de otras novelas de caballerías. Y se pregunta: "How to explain this apparent fondness for a genre *so alien* in its themes and vision from *La Celestina*?" (p. 439, La cursiva es mía).

Con el mismo aparente desdén si no por todas las novelas de caballerías al menos por las *Sergas*, Lida de Malkiel

---

[73] S. Gilman, *The Spain of Fernando de Rojas*, Princeton, 1972, p. 357.

discute las semejanzas entre Amadís y Calisto, concluyendo que "la concepción de los dos personajes, a tono con las respectivas obras, es inconciliable."[74] Pero aquí, como en otras muchas ocasiones, la fina intuición literaria de Malkiel ilumina con un relámpago de luz todo un terreno contiguo al campo de sus investigaciones, pero cuyos límites se había propuesto nunca traspasar. Dice en una observación final a este apartado sobre la novela de caballerías: "Así, pues, la novela caballeresca no ha contribuido concreta y directamente a la creación de Calisto. Si algunas actitudes de éste parecen coincidir con ella mientras otras parecen satirizarla, *es que la novela caballeresca se había incorporado al trasfondo cultural del momento* y, como éste, se refleja ya positiva ya negativamente en la crítica visión de *La Celestina.*" (p. 385). El pasaje que nos permitimos subrayar en esta cita, resume precisamente el proceso cuyo desarrollo e importancia hemos intentado poner al descubierto en el presente estudio. Esta labor da también la pauta a las indagaciones que estamos a punto de comenzar. Van a desarrollarse en un espacio que Lida de Malkiel, fascinada por una dimensión muy distinta de *La Celestina*, ha preferido dejar virtualmente desierto y por el que Gilman ha merodeado en sus inquietos vaivenes de un punto de vista a otro, en busca de rasgos identificables con que componer el retrato de la evasiva figura de Calisto.[75] Nuestra mirada crítica explorará con

---

[74] M. R. Lida de Malkiel, *La originalidad artística de "La Celestina"*, Buenos Aires, 1962, p. 384.

[75] Dice, en efecto, Gilman: "Like a police artist sketching simplified criminal features, in attempting to re-invent the person suggested by our reading of *La Celestina*, we have no choice but to employ this means of circumscribing the missing life." (*The Spain of Fernando de Rojas*, p. 139). Revelación casi patética del intento infructífero de Gilman para comprender a Calisto y los demás personajes desde dentro del mundo hermético de *La Celestina*, sin extender la vista a los géneros literarios menos prestigiosos pero que mejor reflejan los elementos constitutivos de la misma realidad sociohistórica que la que Rojas, con los recursos cuasi ilimitados de su genialidad artística, ha moldeado en las formas enigmáticas de un universo autónomo en el cual se han obliterado los nexos que lo sujetan al suelo existencial del que ha brotado.

especial atención el claroscuro de la zona situada entre la obra y la época de Rojas, ese plano pre-literario que contenía las circunstancias condicionantes tanto para la concepción de la *Tragicomedia* como para su potencialidad de ser entendida por los lectores coetáneos de Fernando de Rojas, testigos, partícipes y agentes de una realidad en plena transformación social y literaria y en los cuales el pasado inmediato era todavía recuerdo vivo. Estos lectores eran todavía capaces, según Lida de Malkiel, de sentir el "deleite de hallar reminiscencias literarias" en sus lecturas de *La Celestina*, en contraste con los lectores de hoy día, "(críticos profesionales inclusive)." La ingente contribución de Lida de Malkiel a los estudios celestinescos ha sido la de haber reconstituido este opulento trasfondo literario contra el cual se destaca la originalidad arística de *La Celestina*. Nuestro propósito, en cambio, va a ser el de reconstituir ese otro trasfondo de reminiscencias más vitales que la obra de Rojas puede haber despertado en el ánimo del público de aquel tiempo.

Hay quienes pretenden prohibir el paso a los que se acercan a los textos literarios con los propósitos que acabo de declarar. Me permito emprender mi tarea en contra de las protestas de estos autonombrados legisladores de la crítica literaria, muy en especial de aquellos que se han encaramado por el andamiaje académico del *deconstructionalism* a una altura desde la cual pueden conversar, de igual a igual y en lenguaje esotérico, con los gigantes de la cultura. La actual infatuación con esta nueva "escuela," creación de la soberbia gala, parece comprobar que a veces sucede que la nave capitana de la crítica literaria, cual otro barco encantado de Don Quijote, no se haya apartado de la ribera ni "cinco varas," pese a las solemnes declaraciones de sus oficiales, que afirman haberse valido en sus cálculos de "coluros, líneas, paralelos, zodíacos, clíticas, solsticios, equinocios, planetas, signos, puntos, medidas." Para ir por donde nosotros pensamos andar nos sobran los Derrida, los Barthes, los Hillis Miller, *cum suis*. Porque la conclusión más importante que se desprende de nuestro estudio de la cultura afectiva del Prerrenacimiento español sugiere, precisamente, que la dinámica y la lógica de esta cultura sólo pueden entenderse a la luz de su propia dialéctica, aquella misma que por vías tan singulares ha llegado a fundir en una realidad específica los dos mundos contrapuestos del *Amadís de Gaula*.

SEGUNDA PARTE

La Celestina
según la época de
Fernando de Rojas

There are a few persons in each epoch with whom one must come to grips simply because they are the ones who are struggling with the deeper meaning of the epoch; and if we want to know that meaning we have to unravel their struggles. With the intellectual spokesman, this process is easy, since he is explicit. With the artist, it may be extremely difficult, since his message is in an emotional form, it is non-discursive. (Ernest Becker, *Angel in Armor*, New York, 1969, p. 103.)

I

La Celestina y sus antecedentes literarios más inmediatos

La sociedad española de finales del siglo XV le ofreció a Fernando de Rojas el modelo humano para la creación de la figura literaria de Calisto. Al contrario de Berintho, el protagonista de la *Comedia Thebaida*, que es un caballero de Thebas, Calisto es un noble español de la época de Rojas y como tal aparece en la obra, sin indicación alguna de que haya nada en su forma de ser que le distinga social o individualmente de los demás miembros de la clase aristocrática a la que pertenece. Esta conformidad le confiere automáticamente el perfil sociopsicológico del tipo humano que se acaba de definir en la realidad histórica y literaria en la época de Rojas. De este tiempo histórico que enmarca la vida del artista pasamos ahora a su obra. Se pone en marcha el reloj del tiempo ficticio que va a marcar las horas de los breves días de Calisto y Melibea. Calisto entra en el jardín de la doncella y habla: "En esto veo, Melibea, la grandeza de Dios."[1] Desde este punto, Calisto y los demás personajes se nos van a manifestar por medio de la palabra. La fuerza mágica de la palabra de Rojas echa como un

---

[1] Citamos por la edición de Cejador en Clásicos Castellanos, dos tomos.

125

puente sobre un abismo de casi cinco siglos y nos atrae hacia su universo, haciéndonos cautivos de este mundo cerrado de la *Tragicomedia*. Desde esta postura en la que el tiempo queda como abolido, el lector puede sentir la belleza de *La Celestina* y participar estética y emocionalmente en las experiencias profundamente humanas representadas en esta obra de arte. Dentro de esta clase de lectores ha habido también muchos críticos literarios que han compartido con nosotros los gozos intelectuales y estéticos por ellos experimentados en sus lecturas de *La Celestina*. Estos trabajos han contribuido a poner al descubierto muchos aspectos existenciales y estéticos de la obra. Sin embargo, este tipo de crítica sincrónica tiene sus serias limitaciones que no siempre son reconocidas por los que la practican. Porque es obvio que el cuadro de referencias y asociaciones que confirió a las palabras enunciadas por los personajes celestinescos significados y sentidos, cuidadosamente calculados y pesados por Fernando de Rojas, se ha esfumado con el paso del tiempo. Esto trae como consecuencia que las herramientas analíticas manejadas por la clase de críticos a que aludimos aquí, no son capaces de registrar el relieve histórico-literario del mundo celestinesco. Para ello es necesario otro aparato crítico, programado de tal forma que sepa captar las señales que nos revelen que los recursos expresivos usados en *La Celestina* proceden de una vasta contextura literaria ya constituida y operante en el ámbito socioliterario de la época de Rojas. Me refiero aquí, claro está, a la poesía amatoria del siglo XV español. El lenguaje del amor que hablan, no sólo los amantes nobles, sino en muchas ocasiones también los demás personajes, no fue creado por el autor de *La Celestina*. Ya existía, y Fernando de Rojas lo ha usado, moldeándolo en las formas que más servían sus propósitos.

En los trabajos más recientes de los especialistas en la literatura sentimental del siglo XV se insiste cada vez más en la deuda que autores como Diego de San Pedro, Juan de Flores y el mismo Fernando de Rojas han contraído con los poetas de los Cancioneros. En la obra de Pierre Heugas sobre *La Celestina* se encuentra esta importante afirmación: "l'amant calistéen est au premier chef un amant selon la lyrique des *Cancioneros*." Calisto, prosigue el autor, y los protagonistas de las primeras imitaciones de *La Celestina* "sont dans leur psychologie, que ce soit le vers ou la prose qui l'expriment, des amants selon les *Cancioneros*... Ils accusent ainsi le côté littéraire et stéréotypé du personnage."[2] En efecto, sin conocer el lenguaje del amor cancioneril, su formación y su desarrollo en la cultura literaria del siglo XV, es imposible formular ningún juicio razonable sobre la significación de *La Celestina* ni su intención y, menos aún, su influencia. Para el estudio del *Amadís* era imprescindible discutir ya algunos aspectos de esta evolución. La examinaremos ahora de manera más completa en los apartados que siguen, dando especial relieve a la última fase de este desarrollo que es la que se refleja directamente en *La Celestina*.

1. *La poesía amatoria del siglo XV.* -No se puede negar que en la historiografía literaria del siglo XV apunta algo como un nuevo interés por la poesía amatoria del cuatrocientos español. No obstante, la crítica de hoy tanto como la de ayer ha dejado virtualmente intacto el cuadro explicativo que M.

---

[2] o. c., p. 282. -Dinko Cvitanovic, *La novela sentimental española*, Madrid, 1973, p. 110, dice que la novela sentimental presenta las mismas características que la lírica del siglo XV. También Pamela Waley, a quien debemos una hermosa edición de *Grimalte y Gradissa* de Juan de Flores (en "Tamesis Books") insiste en este mismo aspecto: "The full treatment of his heroine [i.e. Laureola en *Cárcel de amor*] is San Pedro's greatest advance on his earlier work, and a stride away from the conventions of the *cancioneros* in which his work had its origins." ("Love and Honor in the *Novelas sentimentales* of Diego de San Pedro and Juan de Flores," *Bulletin of Hispanic Studies*, XLIII, 4 (1966), p. 261). Por otra parte, la aseveración de A. Bonilla y San Martín de que la escuela de Encina y Lucas Fernández contiene el precedente de la dialéctica amorosa de todo el teatro del Siglo de oro representa una de las pocas generalizaciones acertadas que se han hecho, aunque indirectamente, acerca de la poesía amatoria del siglo XV en una generación de críticos completamente dominada todavía por las ideas estéticas de Menéndez Pelayo. (*Las Bacantes, o del origen del Teatro*, Madrid, 1921, p. 119).

Menéndez Pelayo y R. Menéndez Pidal han propuesto de este género. Lo que ha hecho, a lo sumo, la crítica más reciente es sugerir unos leves retoques inspirados por las necesidades de sus breves incursiones en este extenso campo. El vasto panorama literario que nos ofrece la poesía de cancioneros sigue siendo hasta hoy día una de las áreas más rígidamente configuradas por el pensamiento crítico de Menéndez Pelayo y Menéndez Pidal en toda la literatura medieval y renacentista de España. Para ambos eruditos la introducción en la Península del tema del *amour courtois* y la *matière de Bretagne* significaba, ante todo, "el funesto divorcio" entre arte popular y arte aristocrático. Descontando algunas salvedades hechas en favor de Juan de Mena, Santillana, Jorge Manrique y unos cuantos logros aislados de otros poetas, puédese decir que el conjunto de esta escuela poética incurre en la total condena estética e ideológica de Menéndez Pelayo y Menéndez Pidal. En la opinión de ambos, los ciento cincuenta años que separaban esta moda literaria de la lírica provenzal, ya muerta y casi olvidada en su país de origen, hacía imposible que renaciera en la Castilla de los Trastámara el auténtico espíritu del ideal cortés. Si hay alguna cualidad redentora en la poesía cancioneril hay que buscarla, según estos autores, en la inventiva técnica de su forma, en sus contribuciones al progreso del arte de versificar.

Tanto Menéndez Pidal como Menéndez Pelayo se ha negado a instalar su aparato crítico en el centro del mundo poético de los Cancioneros. La mirada de Pidal, crítico menos apasionado y más "científico" que Menéndez Pelayo, sólo se ha detenido a contemplar, con desprecio, las apariencias más externas de este género aristocrático. Al resumirse las rápidas impresiones que su vista desdeñosa ha recogido como en vuelo de pájaro sobre este vasto universo literario, surgen los términos clave del mismo vocabulario que Menéndez Pelayo había usado antes para calificar esta escuela poética de mero ejercicio de habilidad técnica, pasatiempo aristocrático, frialdades del ingenio, falta de auténtica inspiración poética, conceptos artificiosos, literatura palaciega, pesadísimas y trabajosas concepciones impuestas por las doctrinas literarias.[3] Esta última caracterización la aplica Pidal a la parte cortesana de la poesía de Juan del Encina, lo que nos muestra el largo período al que el autor pretende hacer extensivos sus juicios negativos, es decir, desde el *Cancionero de Baena* (hacia 1450) hasta los últimos años del siglo XV.

Los estudios de Menéndez Pelayo y Menéndez Pidal han determinado la óptica desde la cual la crítica suele enfocar hasta el día de hoy la evolución de la literatura sentimental en la época de los Reyes Católicos. En la trabazón crítica de los fenómenos literarios de este período, firmemente establecida por ambos maestros, la literatura idealista en su doble vertiente novelístico-caballeresca y poético-cortesana aparece, en esencia, como una moda extranjerizante que había usurpado para sí una provincia ancha pero aislada en aquel panorama donde floreció y finalmente se extinguió, sin haber tenido ningún impacto duradero en el proceso de la evolución literaria de la época. Según esta visión, pues, la auténtica corriente de la tradición literaria de Castilla, temporalmente desviada de su curso en el siglo XV, vuelve en los últimos años de este mismo siglo a su cauce "normal," mezclando de nuevo en sus aguas los ingredientes de una fuerte cultura popular con la erudita y aristocrática.

Los presupuestos sumamente cuestionables de tal visión son responsables de la nebulosidad en que va envuelta toda la evolución de la cultura afectiva del Prerrenacimiento español,

---

[3] La obra de Menéndez Pelayo que resume muy bien sus ideas acerca de "la poesía nueva" es *Poetas de la corte de don Juan II,* Col. Austral, Madrid, 1943. Las ideas de Menéndez Pidal sobre el mismo tema se hallan en sus tres grandes ensayos: "Tradicionalidad en la literatura española," "La primitva lírica castellana" y "Poesía popular y poesía tradicional en la literatura española," ensayos recogidos en *España y su historia,* Tomo I, Madrid, 1957. Citamos por esta edición.

desde la cultura idealista del siglo XV hasta la literatura celestinesca y la primera fase de la formación del teatro nacional. En los trabajos recientes de los especialistas más destacados en este campo de estudios se percibe un malestar creciente ante la necesidad de arrastrar el peso muerto de unas ideas estereotipadas que tienden a contradecir sus intuiciones más certeras acerca de una obra o tema literario de este período. Pero tengamos presente que el lastre de esas ideas nos ha sido impuesto, no como una teoría interpretativa de la literatura cortesana del siglo XV, sino más bien como el veredicto autoritario de que el historiador literario puede y debe descartar esta porción de la literatura como irrelevante para la evolución general de la cultura literaria de la época. De lo que en el fondo se trata es de aquel mandato, tan típico de una era ya pretérita en las apreciaciones nacionalistas de la cultura hispánica y que se resume en este rótulo propuesto por Ganivet: *Noli foras ire, in interiore Hispaniae habitat veritas*. En los apartados que siguen atreveremos a transgredir este mandato con el fin de hacer palpables los relieves específicos que la evolución del tema del amor ha dejado en la realidad literaria de *La Celestina*.

2. *El amor cortés español*. -El mundo poético de los Cancioneros tiene, como es sabido, unas proporciones realmente asombrosas. Este género dilatado abarca una variedad enorme de poesías, desde las manifestaciones más sublimes del culto del amor cortés hasta las composiciones que niegan o ridiculizan este mismo ideal. ¿En qué premisas se han de fundar nuestros criterios al enfrentarnos con la variedad desconcertante de la lírica cortesana? El criterio más esencial que proponemos aquí es nuestro firme propósito de tomar en serio los contenidos manifiestos de esta lírica. Nosotros partimos del hecho de que la nueva dinámica cultural que penetra en la Península con el ideal del amor cortés ha encontrado una expresión auténtica en muchas composiciones cancioneriles y que son estas expresiones auténticas las que forman el núcleo

central desde el cual esa nueva dinámica del culto cortés ha repercutido en el ámbito cultural de la época. Entre esta parte activa, primordial, y la otra parte inauténtica de la poesía nueva existe, pues, la relación de causa y efecto, de acción idealista y reacción realista. Es la primera entidad de esta relación la que merece nuestra atención seria, porque ella contiene la semilla nueva que ha fecundado la vida literaria del cuatrocientos español.

No es mi propósito repetir aquí las ideas que he formulado acerca del amor cortés español en mi libro de 1972,[4] sino sólo relevar aquellos aspectos que son de interés para el estudio de *La Celestina*.

Los Cancioneros de la primera mitad del siglo XV, como el de Baena, de Palacio, de Estúñiga y el *Cancionero inédito*, incluyen largas colecciones de poesías amorosas de poetas castellanos, aragoneses, gallegos y catalanes. En esta primera fase de la adaptación del tema del *amour courtois* en la Península, la concepción del amor cortés todavía no presenta diferencias esenciales con la que hallamos en la poesía provenzal. El mayor contraste tal vez consiste en que los poetas cancioneriles no celebran el amor adúltero, sino que su culto va dirigido a una doncella. En las manifestaciones más elevadas del amor cortés español no existe el *amor mixtus*. Se introducen además nuevos elementos procedentes de la poesía galaico-portuguesa y de la del *dolce stil nuovo* de Italia. Otras características secundarias han sido señaladas por Rafael Lapesa[5], Pierre Le Gentil[6] y Otis H. Green.[7] Pero en líneas generales se puede

---

[4] *La poesía amatoria del siglo XV y el teatro profano de Juan del Encina*. En este mismo libro he aplicado esta teoría del amor cortés español al teatro profano de Juan del Encina. En otros trabajos míos, mencionados en la nota 63 de la primera parte, me he servido de esta teoría para explicar ciertos aspectos de las obras de Lucas Fernández, Diego de San Pedro y Juan de Flores.

[5] *De la Edad Media a nuestros días*, Madrid, 1967, p. 51, y *La obra literaria del marqués de Santillana*, Madrid, 1957.

[6] *La poésie lyrique espagnole et portugaise à la fin du Moyen Age*, Rennes, 1949, Tomo I, p. 90 y p. 234.

[7] *Spain and the Western Tradition*, Madison, 1963, Tomo I, pp. 97–8.

decir que estos primeros poetas cancioneriles no han reparado en las pretensiones conflictivas del ideal mundano del amor cortés con las de la moral cristiana. Dicho en otros términos, la lírica cortesana de la primera mitad del siglo XV representa una fase de literatura secularizada, del mismo modo que el *Amadís* primitivo refleja esta misma característica en la novela de caballerías. Pero en el *Cancionero General de Hernando del Castillo* (1511), que recoge las composiciones de los poetas del reinado de los Reyes Católicos, marca un cambio notable en la inspiración poética.[8] Lo que se evidencia aquí es un esfuerzo consciente y constante de parte de los poetas por reconciliar las pretensiones esencialmente incompatibles del ideal cortés con los imperativos de la ética cristiana. Es este esfuerzo el que mueve la dialéctica amorosa y las invenciones poéticas que han

---

[8] En su *Poesía y Cancioneros (Siglo XVI)*, Madrid, 1968, A. Rodríguez-Moñino, gran conocedor de los Cancioneros, afirma que en 1511 cuando aparece el *Cancionero General*, "las formas poéticas y la sensibilidad literaria siguen siendo las mismas que treinta años antes, herencia viva de los tiempos de Enrique IV y de los Reyes Católicos. Tres décadas más adelante, el panorama ha cambiado por completo" (p. 71). Hacia 1540, dice el autor, el *Cancionero General* está muerto para la sensibilidad de la sociedad española. Por tanto, la obra de Fernando de Rojas cae de lleno dentro de la época cuyos límites Rodríguez-Moñino indica aquí arriba. A este respecto, sorprende comprobar el hecho de que en la inmensa bibliografía celestinesca no existe ningún estudio crítico que tenga en cuenta que no sólo los primeros lectores de *La Celestina* sino también su mismo autor eran portadores de aquella "herencia viva" del doctrinario cancioneril. La concepción de la *Tragicomedia* fue condicionada por esta sensibilidad literaria específica. Pero la lamentable ausencia de este tipo de trabajos se explica fácilmente por la falta que hace un estudio interpretativo del doctrinario cancioneril. Mientras falte tal estudio, puédense hacer extensivos a la poesía lírica del siglo XV los juicios que Rodríguez-Moñino ha formulado sobre la del siglo XVI, a saber, que el estudio de la poesía cancioneril "seguirá siendo un conjunto de opiniones sin trabazón, una serie de construcciones aisladas sin caminos que las enlacen y pongan en contacto; las piezas sueltas de una poderosa máquina a las que falta el acoplamiento y la energía que las convierta en motor dinámico." (p. 114) -A pesar de las insuficiencias que pueda tener la teoría del amor cancioneril que yo he propuesto en mi libro de 1972 y la que expongo brevemente en las páginas que siguen, se habrá de reconocer que mi libro constituye hasta la fecha la única respuesta que se ha dado al reto que Rodríguez-Moñino ha lanzado a los medievalistas en las palabras citadas arriba.

moldeado la concepción española del amor cortés en la lírica prerrenacentista y en el teatro de Juan del Encina. Indisolublemente ligado a esta concepción se halla, en una relación de oposición, el movimiento anticortesano que da impulso a una nueva literatura de carácter fuertemente popular.[9]

---

[9] Es curioso observar que a finales del siglo XIX se han enunciado en la historiografía literaria española unos puntos de vista que concuerdan con algunas ideas básicas formuladas en mi teoría del amor cancioneril y, como tales, diametralmente opuestos a la visión de M. Pelayo y Pidal. En la "Advertencia Preliminar" a su edición de *Cancionero de Stúñiga*, Madrid, 1872, el Marqués de la Fuensanta del Valle y José Sancho Rayón afirman:

> Escritores tan ilustrados y tan concienzudos como el Sr. Marqués de Pidal entre los españoles, y como Mr. Jorge Ticknor entre los extranjeros, no han podido sustraerse del todo á la poderosa influencia de rutinarias censuras y vulgares preocupaciones, sin cesar repetidas, y acreditadas, por último, como calificadas verdades. Uno y otro afirman con lamentable seguridad que la poesía cortesana de los cancioneros es de mal gusto, que las composiciones son cansadas é indigestamente eruditas."

Los autores se proponen demostrar "que la tal crítica, meramente externa, es de muy corto alcance, y no penetra en la interioridad sustancial de aquella poesía, con tanto desdén llamada cortesana." Algunos han considerado esta poesía culta como "un verdadero extravío, una planta exótica," porque no contiene referencias a la vida de actualidad. Pero esta última función, dicen los autores, era más bien propia de la poesía vulgar que "reflejaba en sus cantos los hechos visibles, efectivos, notorios, históricos, de la nación." En cambio, la poesía culta expresaba sentimientos e ideas que" no son patrimonio exclusivo de una raza ó nación, sino que permanecen constantemente en el fondo de la conciencia humana. Por esto, semejante poesía afectaba un carácter más cosmopolita, más universal y ubícuo, ménos local y nativo." Por este razonamiento los autores llegan a establecer la distinción entre "género popular," que es nacional, y "género erudito," que es "civilizador." Y concluyen: "la poesía popular cantaba y fortificaba el sentimiento de nacionalidad, y ... la poesía culta favorecía el progreso social." -Perfílanse así en esta "Advertencia" de Fuensanta y Sancho Rayón algunas características de la poesía cancioneril que la crítica posterior se ha negado a tomar en cuenta. Me interesa destacar lo que ellos llaman *la poderosa influencia de rutinarias censuras y vulgares preocupaciones*, palabras aristocráticas que sugieren el conjunto de los presupuestos extra-literarios que van a inspirar luego las ideas de Menéndez Pelayo y Pidal. No se trata aquí de unas opiniones completamente aisladas. Unos diez años más tarde, Alonso Pérez Gómez Nieva en el Prólogo a su edición del *Cancionero inédito del siglo XV*, Madrid, 1884, vuelve a afirmar que Pidal y Ticknor "no penetran en las interioridades" de la poesía cortesana. Hay además en este Prólogo de Nieva otras percepciones tan lúcidas que uno no puede menos de preguntarse, admirado, cómo es posible que esta luz se haya

En sus esfuerzos por realizar la precaria reconciliación entre las exigencias del amor mundano y las normas religiosas, los poetas cancioneriles se han lanzado por dos senderos ideológicos. El primero y más importante es el formado por las ideas ascético-cristianas. Aquí la antropología cristiana medieval impone a la invención poética su específica visión psicológica de la persona humana en su radical escisión dicotómica de alma y cuerpo. De esta visión religiosa resulta una jerarquización de las facultades humanas en que la razón ocupa un lugar primordial. La razón, fiel aliada del alma, guía al hombre hacia su salvación en Dios. En cambio, el corazón y los sentidos, muy en especial los ojos, se ponen al servicio del cuerpo, es decir, del amor, que es servicio del diablo. De acuerdo con este bosquejo religioso-psicológico del ser humano, el amor aparece como una fuerza enemiga, asociada directamente en la conciencia del amador con la idea del pecado. Los poetas nos describen la obra del amor como una conquista cuyo éxito se debe a una estratagema que ha quedado estereotipada en la lírica de la segunda mitad del siglo XV: el amor entra por los ojos, se apodera de la imaginación, vence a la voluntad y, por

---

apagado en tan breve tiempo. Distingue este autor en la lírica del siglo XV tres escuelas, la provenzal cortesana, la alegórica (i.e. la italiana) y la didáctica, que es la propiamente española. A esta última califica de "pretenciosa de interpretar el sentimiento patrio opuesto á innovaciones extranjeras cualquiera que fuesen." Con perspicacia insólita Nieva ha percibido la trascendencia de los cambios ocurridos en la cultura literaria de Castilla bajo el reinado de los Reyes Católicos. Refiriéndose a este período, dice: "la poesía cortesana va declinando sensiblemente, sufre una *transformación radical y completa* que presagia su muerte, pero que patentiza la importancia de que gozaba. Los próceres, siempre desdeñosos de las formas métricas de los ingenios populares, *cambian de opinión ahora*, y con entusiasmo *tan extraño como tardío*, se afanan por resucitar el romance antiguo y por cantar á la manera de aquellos poetas ínfimos, objeto de indiferencia desdeñosa por parte de los que presumen de cultos." -Hemos subrayado en la cita algunos elementos de juicio que, hace cien años, pudieran haber servido de fundamento a un estudio del mismo tipo que el que nosotros hemos emprendido en el presente libro. No fue por falta de perspicacia en los críticos de antaño como todo un período clave en la formación de la cultura afectiva del país se ha puesto entre paréntesis en la historia crítica de la literatura española.

último, sojuzga a la razón, quedando así dueño de "toda la fortaleza." Esta ofensiva arrolladora del amor se llama "la escala de amor."[10] Por esta vía, el hombre llega a ser vencido, preso, muerto, víctima, del amor.[11] Estos términos-clave del

---

[10] Es curioso hacer notar que la conquista amorosa de Calisto toma en *La Celestina* esta forma estereotipada de una *escala de amor*. El huerto de Melibea es asociado en la mente de ambos amantes con la imagen de fortaleza, de muro, de ciudad fortificada. Melibea dice: "Y despúes vn mes há, como has visto, que jamás noche ha faltado sin ser nuestro huerto *escalado como fortaleza*" (II, 150). Y Calisto afirma en el Acto VI: "Que las cibdades están con piedras cercadas é á piedras, piedras las vencen; pero esta mi señora tiene el coraçón de azero. No ay metal, que con él pueda; no ay tiro, que le melle. Pues *poned escalas en su muro*: vnos ojos tiene con que echa saetas, etc." (I, 221). En el penúltimo Acto, Melibea dice a Pleberio: "*Quebrantó con escala las paredes de tu huerto*, quebrantó mi propósito. Perdí mi virginidad."

[11] En la composición siguiente vemos representado el papel de cómplice de los ojos y los demás sentidos en una "escala de amor." Nótese también la enajenación del amador, fenómeno frecuente en el amor cortés español que se relaciona con la concepción dicotómica de la persona humana. Es parte de un *Romance* que aparece en la p. LXXXVII del *Cancionero de Juan del Encina*, la ed., 1496, publicado en facsímile por la Real Academia Española, 1928. Habla un caballero, "despedido de su amiga," que anda desesperado por las oscuras montañas:

mi libertad en sossiego
mi coraçon descuydado
sus muros y fortaleza
amores me han cercado
razon y seso y cordura
que tenia a mi mandado
hizieron trato con ellos
mala mente me han burlado
y la fe que era el alcayde
las llaves les ha entregado
combatieron por los ojos
dieron se luego de grado
entraron a escala vista
con su vista han escalado
subieron dos mil sospiros
subio passion y cuydado
diziendo amores amores
su pendon han levantado
quando quise defender me
ya estava todo tomado
huve de darme a presion
de grado siendo forçado

amor cancioneril denotan la actitud pasiva, quejumbrosa, del amador castellano.

Otra corriente que también discurre por los cauces cancioneriles es la neoplatónico-cristiana. Aquí la inspiración poética recurre a la visión de la belleza femenina concebida como reflejo de la perfección divina. Surge la idea de la mujer-Dios que tan amplia representación literaria ha encontrado en las hipérboles sacroprofanas y en las expresiones blasfemas, dentro y fuera de la poesía cancioneril. Recordemos el famoso "Melibeo soy, a Melibea adoro" de Calisto en *La Celestina*. La entrega de la razón no se logra aquí mediante el atropello violento del libre albedrío por obra de la ciega fuerza amorosa, sino que es el resultado de la voluntaria aceptación de la lógica del amor por parte de la razón. Contra este trasfondo se destacan las manifestaciones, tan frecuentes en este tipo de poesías, de postración del amador quien se declara indigno de amar a tan alto objeto. El amor tiende a convertirse en puro dolor, pero el amador exalta esta pena mortal que sufre por causa del amor. Ante estos sufrimientos es frecuente que el amador adopte una actitud de resignación sumisa, de aceptación regocijada y hasta de cierto masoquismo. Estas penas del amador están fuertemente asociadas con la idea religiosa de las pruebas y aun del martirio que ha de sobrellevar el buen cristiano en su paso por este mundo para poder alcanzar la felicidad eterna. La "afición" constante, la "fe", que el amador guarda a su dama, se tiñe con los colores de la fe religiosa cuyas exigencias no pueden explicarse siempre racionalmente. Esto

---

agora triste cativo
de mi estoy enagenado
quando pienso libertar me
hallo me mas cativado
no tiene ningun concierto
la ley del enamorado
del amor y su poder
no hay quien pueda ser librado

se ejemplariza perfectamente en la copla siguiente de Soria, uno de los poetas del *Cancionero General*:

Quan contrarias cosas son
estar sin vida y no muerto,
sientelas mi coraçon,
mas no alcança la razon
a saber por que concierto:
que concierto puede ser
sino no lo escrudiñar,
que enla fe de mi querer
mil cosas se han de creer
que no se pueden pensar.[12]

Las dos corrientes que se acaban de distinguir en la lírica del siglo quince se han mezclado en forma inextricable en una inmensa porción de composiciones cancioneriles. El doble fondo ideológico de la lírica del siglo XV no se expresa sino raras veces de manera explícita y completa.[13] Lo que se observa con más frecuencia es el fenómeno de que los idearios de la concepción ascética y de la neoplatónica se hallan desparramados por innumerables poesías, fraccionados en elementos que se han integrado en el mismo lenguaje poético del amor. El instrumental analítico que hemos desarrollado en nuestra teoría del amor cortés español nos permite siempre reconocer todo el alcance de estos fragmentos ideológicos, identificándolos como desgajes del ideario ascético o del neoplatónico.

3. *Del universo cancioneril al mundo celestinesco.* -La teoría

---

[12] Subrayamos. -*Cancionero castellano del siglo XV*, ed. R. Foulché-Delbosc, Madrid, 1915, Tomo II, no 508.
[13] Este caso excepcional se da en los extensos poemas de Fray Yñigo de Mendoza y de Padilla, verdaderos compendios de la doctrina ascética, junto a las composiciones que tienen por mote la "escala de amor" y que reflejan directamente la concepción psicológica (dicotomía, monopolización religiosa de la razón, papel traicionero de los ojos, etc.) derivada de este sistema religioso.

del amor cancioneril, muy someramente descrita en el anterior apartado, no puede aplicarse directamente a la historia de amor de Calisto y Melibea. Lo que sí puede es relacionar mejor de lo que se ha hecho hasta ahora el lenguaje del amor de estos amantes con su contexto histórico-literario. Por ejemplo, en la escena con el cordón de Melibea del Acto VI, cuando Calisto exclama: "¡O mis ojos! Acordaos cómo fuistes causa é puerta, por donde fué mi coraçón llagado" (I, 222), hay reminiscencias directamente asociadas con el motivo de la "escala de amor" que a su vez se enlaza con el ideario ascético de la poesía cancioneril. De otras muchas manifestaciones del amor en *La Celestina* podríamos indicar así su procedencia directa de las representaciones literarias elaboradas por los poetas de cancioneros.[14] Sin embargo, por esta vía no llegaríamos a definir sino aspectos aislados de la obra que no dejarían de contradecir en muchos respectos su sentido general. Entre la teoría del amor cancioneril y la que se desprende de la realidad literaria de *La Celestina* se interpone toda una fase de desarrollo socioliterario que ha alterado radicalmente el contenido conceptual del amor cortés español, conservando, sin embargo, el aparato exterior de sus medios expresivos. A esta adulteración del amor cortés ya se ha aludido más arriba (SABIDURIA, 8). Es preciso trazar aquí las líneas generales de todo un capítulo que falta en la historia de la literatura española: el del movimiento anticortesano en el Prerrenacimiento español. El origen de este movimiento se ha de buscar en los cambios sociohistóricos que, según vimos, se produjeron en el reinado de los Reyes Católicos (SABIDURA, 2, 4, 7). Ahora

---

[14] Lo mismo vale para toda la literatura celestinesca. En la Cena primera de la *Comedia Thebaida*, líneas 485–593, Berintho propone una definición del amor que contiene todos los elementos de la teoría del amor cancioneril junto a otros tomados de las églogas de Encina y las Farsas de Lucas Fernández. -Usamos la magnífica edición de G. D. Trotter y Keith Whinnom, London, 1968.

conviene examinar brevemente cómo estas nuevas tendencias se han manifestado en la cultura literaria de la época.

Hay en primer lugar un retorno a una concepción del amor carnal. Los historiadores literarios que quizás no acepten mi interpretación de la figura y el papel de Carmela en el *Esplandián* (SABIDURIA, 5), tendrán no obstante que rendirse a la evidencia presentada por el conjunto de la literatura sentimental finisecular y de comienzos del siglo XVI. En las *Sergas*, como ya se indicó, se rechazan las formas de vida secularizadas del *Amadís* primitivo, sustituyéndolas por un nuevo estilo de vida que obedece a las normas de la doctrina ascético-cristiana. Se repudia el concepto idealista del amor cortés y se impone la concepción del amor carnal. Ahora bien, esta misma transformación se produce también fuera de la novela de caballerías. El desmantelamiento del edificio poético del amor cortés toma desde la segunda mitad del siglo XV la forma de un ataque contra la posición elevada que ocupaba la mujer en aquel culto idealista. La gran polémica feminista del siglo XV no es sino un aspecto esencial de la gran empresa demoledora dirigida contra el culto del ideal cortés. En mi trabajo, ya mencionado, sobre este debate feminista y las novelas de Juan de Flores, he demostrado que las ideas profeministas tanto como las antifeministas expresadas en aquella polémica están basadas en premisas idénticas, a saber, que la mujer es naturalmente más inclinada a la sensualidad que el hombre; que la mujer tiene menos juicio que el hombre y finalmente, que el amor lo es todo para la mujer, mientras que para el hombre es sólo una distracción pasajera. Esta nueva concepción de la mujer y del amor ha afectado decisivamente las relaciones entre los sexos en la cultura afectiva del Prerrenacimiento español. El hombre y la mujer cesan de ser partícipes en ese tipo de experiencia íntima y esotérica del amor que vemos exaltada en la lírica del siglo XV, lo mismo que en el *Amadís* primitivo. Comparemos este trato respetuoso entre los sexos con la violenta confrontación entre hombre y mujer que presenciamos en la novela de Juan de Flores, *Grisel y Mirabella*. No cabe imaginar un contraste más grande. Los dos sexos se enfrentan aquí como enemigos mortales, como dos bandos irreconciliables, y este enfrentamiento toma la forma de una disputa jurídica cuyo resultado tendrá que ser acatado por ambos bandos como veredicto oficial e inapelable.

Rebasaría los límites impuestos al presente trabajo el examinar toda la variedad de las formas en que esa rápida evolución se ha manifestado en esta época crucial de transición. Lo he hecho en otros escritos míos. Sólo quisiera detenerme a señalar algunos aspectos importantes pero menos visibles en la nueva literatura anticortesana. Entre estos aspectos están en primer lugar los que reflejan los cambios ocurridos en la actitud de *la dama ingrata y cruel* de la poesía cortesana. La inaccesibilidad de la dama, como es sabido, se expresa aquí a través de la actitud de ingratitud que ella adopta ante la adoración, las penas y sacrificios que le dedica el perfecto amador cortesano, sin que éste siquiera le pida "gualardón" por sus servicios. Pero a partir de las primeras derivaciones novelescas de la poesía cancioneril, como en las novelas de Diego de San Pedro, vemos cómo esta actitud de la dama queda desprestigiada y desacreditada.[15] Lo que se percibe en este nuevo ámbito literario es el mandato dirigido a la mujer de ser *piadosa* y *compasiva* para con las penas de amor del hombre y de mostrarse *agradecida* por los servicios que le rinde. En la *Comedia Thebaida*, la protagonista, Cantaflua, en su desesperación, invoca a la muerte en los siguientes términos: " …de mí no oirás las blasfemias ni abominaciones que en las otras partes, que *inquiriendo nuevos modos de hablar* manifiestan de ti grandes oprobios: llamándote *arrebatada*, llamándote *cruel, que en el siglo se tiene por harto mal renombre*" (p. 108). Cantaflua

---

[15] Referimos al lector interesado en esta evolución a nuestro estudio sobre las novelas de Diego de San Pedro, mencionado en la nota 63 de la primera parte.

llama a la muerte *misericordiosa, grata*. Lo que merece nuestra atención en este pasaje son las resonancias afectivas evocadas por estos epítetos y sus antónimos en la sensibilidad lingüística de la época. Comparemos las palabras de Cantaflua con las proferidas por Melibea al final de la primera visita de Celestina: "Pues, madre, no le dés parte de lo que passó á esse cauallero, *porque no me tenga por cruel ó arrebatada* ó deshonesta" (I, 189). En la segunda entrevista de los amantes, que tiene lugar en el huerto de Melibea, momentos antes de la consumación física de su amor, la doncella le dice a Calisto: "Señor mío, pues me fié en tus manos, pues quise complir tu voluntad, no sea de peor condición *por ser piadosa, que si fuera esquiva e sin misericordia*" (II, 116). Aparecen en estos pasajes los términos clave de la evolución que estamos discutiendo. En *La Celestina* tanto como en sus antecedentes literarios más inmediatos se transparenta una apreciación nueva y negativa de la actitud estereotipada de "la dama cruel, ingrata y esquiva" de la lírica cancioneril. Por este rasgo la obra de Rojas se enlaza con las tendencias anticortesanas que culminan en los testimonios literarios de las últimas décadas del siglo XV y las primeras del siguiente.[16]

Al nuevo tipo de hombre cuya emergencia hemos estudiado en las *Sergas* y en la realidad histórica coetánea, corresponde este nuevo tipo de mujer que propende naturalmente a mostrarse agradecida y piadosa para con los sufrimientos que por su causa padece el hombre. Pero esta inclinación natural es tenida a raya por el nuevo imperativo de la honra. El único pretexto que puede justificar la actitud de ingratitud y cruel-

---

[16] En la *Comedia llamada Selvagia* (1554) de Alonso de Villegas Selvago, el protagonista, Selvago, pérdidamente enamorado de Isabela, declara a esta última que ella tendrá la culpa si él muere de amor: "De donde no sólo tu real persona será maculada con nombre de *desagradecida*, mas tu ínclita fama, con mancilla á su ser no conveniente, alcanzará renombre de *cruel, homicida* y violenta matadora." (Cena I, Acto II. Ed. Colección de libros españoles raros ó curiosos, Tomo V, Madrid, 1873, p. 96.

dad es la obligación de la mujer de defender su honra y fama. Esta obligación era, si no desconocida, al menos completamente desatendida por la dama de la lírica cortesana. Lo que también se evidencia, pues, en la evolución que estudiamos aquí es el curioso fenómeno de que las cualidades femeninas de ingratitud y crueldad, que resumían la posición excelsa de la dama en la poesía cortés, se han trasplantado a la esfera social de la honra.

Un fenómeno análogo se ha producido con otra propiedad típicamente femenina, la vergüenza. En los tratados morales de esta época y de la siguiente, en el *Jardin de nobles doncellas* de Fray Martín de Córdoba, en *Instrucción de la mujer cristiana* de Luis Vives y *La perfecta casada* de Fray Luis de León, la vergüenza femenina es considerada como una propiedad innata que "la proveída naturaleza" (Vives) ha dispensado a las mujeres como una defensa natural de su virginidad.[17] Pero en la literatura anticortesana se hace operatorio un nuevo concepto de la vergüenza de la mujer. Desde las novelas de Juan de Flores las manifestaciones de esta "condición inherente a la naturaleza femenina" se identifican con las de una autodisciplina inspirada esencialmente por los temores de la mujer de transgredir las convenciones y normas sociales que rigen el trato amoroso entre ambos sexos.[18] Esta nueva concepción, sin embargo, no ha desacreditado por completo a la vieja, como era el caso con las nociones de crueldad e ingratitud, sustituidas por las de piedad y misericordia. Persiste

---

[17] Fr. Martín de Córdoba, como más tarde Vives, apoyándose en la autoridad de Plinio, señala el "fenómeno" de que "los cuerpos de los hombres caídos en la mar van boca arriba y los de las mujeres boca abajo." Y concluye Fray Martín: "tanto es vergüença a la muger *natural*, que no sólo en la vida, mas aun muerta guarda la vergüença." BAE, T. 171, p. 85.

[18] Con muy buenas razones se puede aducir aquí el hecho de que esta concepción ya aparece en el *Libro de buen amor*. Lo que importa advertir, sin embargo, son las características específicas con que la "socialización" del concepto de la vergüenza se produce en el contexto anticortesano de las obras literarias del tiempo.

cierta ambivalencia, causada, sin duda, por la fuerza de las concepciones religiosas que atribuían tan excelso valor moral a la conservación de la virginidad de la mujer que los sentimientos de vergüenza quedaban como impregnados con esta esencia religiosa. La estrecha correlación entre vergüenza y honra explica que estos mismos valores religiosos pasen a la esfera de la honra femenina. En *El mejor alcalde, el Rey* de Lope de Vega, Elvira, muchacha del pueblo, resiste al asalto amoroso del poderoso don Tello refiriéndose a este tipo de honra: "y en ti, según lo que veo,/ no es amor, sino querer/ quitarme a mí todo el ser/ que me dió el cielo en la honra." En el Capítulo III volveremos sobre la noción de la vergüenza al discutir el perfil socio-psicológico de Melibea.

En la literatura anticortesana se van adulterando los presupuestos básicos del amor cortés bajo la impronta de la nueva orientación ideológica que dirige a la sociedad española a partir del reinado de los Reyes Católicos. El carácter innovador de aquellos cambios en la realidad literaria de la época no ha escapado a la atención de autores coetáneos. En su *Tratado en defenssa de virtuossas mugeres*, Mosén Diego de Valera dice en el "Exordio al amigo": 'Parésceme que te plaze saber, muy caro amigo, quál es el fundamento de aquestos *començadores de nueva seta* que rotamente les plaze en general de todas mugeres maldesir."[19] En *Grimalte y Gradissa* de Flores, Grimalte le reprocha a Pamphilo haber causado la muerte de Fiometa. Dice Grimalte: "Pues parece que *nuevas leyes usays en amor*, en querer y consentir que aquella sin errores assi moriesse por vos; que mas razonable cosa es, como suele acaheçer, a nosotros hombres morir por las mujeres."[20] Se contraponen aquí con toda nitidez las nuevas tendencias anticortesanas con la tradición idealista de la lírica cortesana.

Pese a la marcada dimensión unilateral de la lírica cortés

---

[19] BAE, T. 116, p. 55.
[20] Ed. Pamela Waley, London, 1971, p. 58.

(sólo oímos la voz del amador), la esencia misma de esta poesía postula que las relaciones entre la amada y el amante se desenvuelvan en una atmósfera ideal de libertad no estorbada por los cuidados de la honra. Oriana en el *Amadís* expresa sus sentimientos y sus quejas de amor con la misma espontaneidad que Amadís. Ahora bien, la aparición del nuevo mandato que le prohibe a la mujer manifestar las señales de su pasión amorosa es otro síntoma del progreso del espíritu anticortesano. Este rasgo anticortesano cobra especial relieve en la actitud de Melibea. Por eso, conviene examinar con atención especial los antecedentes literarios de este fenómeno.

Hay en el *Esplandián* un pasaje que perfectamente ilustra ese nuevo rasgo que se añade al perfil psicológico de la mujer en la literatura anticortesana. En el Cap. LXXXVI, Esplandián acaba de leer unas cartas "sañosas" que Leonorina le ha enviado. El héroe, profundamente turbado porque cree que ya ha perdido para siempre el amor de su dama, da a leer esas cartas a su fiel doncella Carmela. Después de leerlas, ella le explica a Esplandián cómo se ha de entender la reacción airada de Leonorina:

> La diferencia que es entre el amor de vosotros y nosotras es muy grande; que los hombres por la mayor parte, aquello que en sus corazones sienten y tienen sin otra encubierta, sin otra maña y cautela, en el gesto y en sus hablas lo demuestran, y aun muchas veces mucho mas. Lo que nosotras no hacemos; que aunque la voluntad, siguiendo las fatigas que el corazon siente y pasa, *alguna cosa querria el semblante lo que la palabra muestra denegarlo*; y esto no lo digo que por engaño se haga, mas *por aquella gran diversidad que las costumbres del mundo pusieron entre las honras de los unos y de los otros*; que aquella gloria que los hombres alcanzaban en poner sus pensamientos en amar las personas de mas alto estado, siendo a todos manifiesto, *aquella se torna en deshonra y escuridad de las mujeres, si dellas fuese publicada*; y por esta causa, con causa muy justa nos conviene negar lo que deseamos. (p. 486)

Fijémonos en los tres pasajes subrayados de esta cita. El primero recuerda la referencia al "coraçón de la donzella" que hace la princesa Carmesina en el Libro III, p. 34, del *Tirante el*

144

Blanco, diciendo que "muchas vezes la lengua razona el contrario de lo que está en el coraçón." (V. ARDIMIENTO, 2). Citemos ahora el famoso análisis que Celestina ofrece de las apariencias engañosas de "las escondidas donzellas." Hablando de ellas, dice a Calisto:

> Que a quien más quieren, peor hablan. E si assí no fuesse, ninguna diferencia hauría entre las públicas, que aman, á las escondidas donzellas, si todas dixesen sí á la entrada de su primer requerimiento, en viendo que de alguno eran amadas. Las quales, avnque están abrasadas é encendidas de viuos fuegos de amor, por su honestidad muestran vn frío esterior, vn sosegado vulto, vn aplazible desuío, vn constante ánimo é casto propósito, vnas palabras agras, que la propia lengua se marauilla del gran sofrimiento suyo, que la *fazen forçosamente confessar el contrario de lo que sienten*. (I, 208).[21]

Hay una evidente concordancia en el contenido de estos tres pasajes, pero hay una discrepancia notable entre los tres intérpretes de la psicología femenina. Carmesina es el objeto mismo de la adoración del fino amador cortés que es Tirante. Entre ellos existe la relación de intimidad y armonía que caracteriza, como vimos, la experiencia amorosa en el culto cortés. Las revelaciones de Carmesina en el *Tirante* tienden a trascender las limitaciones que el instinto sexual impone a la unión entre hombre y mujer. Se trata aquí de los dos aspectos, el femenino y el masculino, de la realidad psicológica del amor, una realidad espontánea e individual que se despliega dentro de un espacio social más bien benévolamente encubridor de los amores que alerta para vigilar el trato entre los sexos. En las

---

[21] II, p. 208. -En la *Tragicomedia de Lisandro Y Roselia*, Celestina asegura a Lisandro que la dama de éste, Roselia, acabará entregándose a él: " ... pero ella vendrá de su grado dando de piés y manos á lo que pretendemos, que *la vergüenza y empacho comun á todas hace que lo que la voluntad otorga la boca niegue*, con este velo cubrimos hartos defectos que publicaríamos *si lícito nos fuese como á los hombres*, aunque yo, pardios, no me curaba de esas vergüenzas cuando moza, ... " (Colección de libros españoles raros ó curiosos, T. III, Madrid, 1872, p. 123).

Sergas, en cambio, se hace más larga y dificultosa la distancia que separa a la mujer del hombre y más secreta la intimidad psicológica de la dama enamorada. Es gracias a Carmela, su concubina y cómplice, que Esplandián aprende a interpretar correctamente los gestos y palabras equívocos de su dama. Estas complejidades del corazón femenino aparecen en las *Sergas* ya no como las señales que se refieran a una realidad psicológica distinta de la del hombre, sino como unas manifestaciones socialmente determinadas y codificadas en el sistema normativo de la honra. Por último, es por boca de una alcahueta que en *La Celestina* se rebajan estas mismas manifestaciones a un nivel en que apenas si marcan una delgada línea divisoria que separa a las "honestas donzellas" de las mujeres públicas. Es una reducción *ad absurdum* de la lógica inherente a las tendencias anticortesanas que dan como resultado un tipo de mujer que corresponde al modelo truncado del nuevo Adán, contrapariente del amador cortés. Melibea y tras ella, una larga serie de heroínas de la Comedia española, lanzarán sus protestas contra las intolerables restricciones que el orgullo del hombre impone a su condición femenina. En *El amor al uso*, una comedia de Antonio Solís, la protagonista, Clara, se siente víctima de esta discriminación:

> Nosotras nuestro dolor
> No le sabemos decir,
> Sentirle sí hasta morir:
> Pero ¿qué viene a importar,
> Si nos falta el ponderar,
> Que es el alma del sentir?[22]

Y Melibea exclama en el Acto X: "¡O género femíneo, encogido e frágile! ¿Por qué no fue también a las hembras concedido poder descobrir su congoxoso e ardiente amor, como a los varones?"

---

[22] *Dramáticos posteriores a Lope de Vega*, BAE, T. 47, p. 11.

Pero hay otros pasajes en *La Celestina* que aluden de manera menos visible a esta obligación del recato femenino. Al final de su primera entrevista con Calisto en el Acto XII, Melibea se despide de su amigo con estas palabras: "E pues tú sientes tu pena senzilla e yo la de entramos, tú solo dolor, yo el tuyo e el mío, conténtate con venir mañana a esta hora por las paredes de mi huerto." Son palabras que recuerdan las de Lucenda en el *Tractado de amores* de Diego de San Pedro cuando escribe a Arnalte: "Tus males (i.e. tus penas de amor) eran con honrra sufridos y los míos son con desonrra buscados, y tú como hombre sufrieras y yo como muger no podré." Bajo un disfraz verbal distinto yace la misma idea, a saber, que el hombre puede, sin detrimento de su honra, confesar sus penas de amor. En cambio, la mujer noble pierde su fama sólo con admitir que las siente. La penetración de esta idea -que vuelve en *Cárcel de amor*- en las novelas de San Pedro nos revela el hecho indiscutible de que su obra ya ha entrado en la órbita de la literatura anticortesana. La belleza de la forma y el contenido de la despedida de Melibea en el huerto de la casa de Pleberio puede inducir a la crítica a ver sólo los aspectos estéticos y psicológicos de esta escena, sin advertir el relieve histórico-literario de este pasaje y otros muchos parecidos en *La Celestina*. Pero es precisamente este aspecto inadvertido, con el fondo interpretativo que le confiere su procedencia de una más amplia contextura cultural, el que limita considerablemente el alcance de toda interpretación psicológica de Melibea tanto como de los demás personajes y del papel que desempeñan en la *Tragicomedia*.

En el presente apartado se han examinado los cambios literarios que se han producido en esta época crucial de transición que suele llamarse el Prerrenacimiento. Las nuevas tendencias con que hemos dado en este breve camino que va de la literatura idealista del siglo XV a la aparición de *La Celestina*, se han explicado en términos de un movimiento anticortesano. Hemos señalado en *La Celestina* la presencia de algunas características definitorias de este movimiento. Pero en la cadena de fenómenos que enlaza *La Celestina* con la tradición literaria anterior hay un eslabón importantísimo que aun nos queda por discutir. Es la transformación del trasfondo religioso de la poesía cancioneril en la literatura sentimental finisecular. Al estudio de este fenómeno de trascendental importancia para la comprensión de la obra de Rojas, se dedicará el apartado siguiente.

4. *El servicio del amor y el servicio de Dios.* -Con referencia a la fase evolutiva de la poesía cortesana durante el reinado de los Reyes Católicos, se puede decir que el lenguaje del amor cancioneril cobra su especial relieve contra un trasfondo profundamente religioso. Este poder alusivo del lenguaje del amor es tan inmediato y directo que las efusiones líricas de los poetas cancioneriles quedan como impregnadas con esencias religiosas. En "las batallas de amor," incansablemente libradas en la palestra cancioneril, el hombre pierde su libertad, su voluntad y, finalmente, el control de la razón, sintiéndose forzado y vencido por el poder avasallador del amor. Su "pérdida" ha sido causada por la traición de sus sentidos, los ojos y el corazón, que son cómplices del amor. El hombre mismo, pues, en su radical dicotomía de alma y cuerpo, es el escenario en el que se representa la "escala de amor." La batalla de amor que se describe en la poesía cancioneril tiene invariablemente esta forma de una lucha interior. Me interesa sobremanera definir el estado de ánimo reflejado en los primeros dos versos del *Romance* de Encina citado antes: "mi libertad en sossiego/ mi coraçon descuydado/ sus muros y fortaleza/ amores me han cercado," es decir, la disposición de espíritu del hombre o la mujer que no sufre (todavía) el asalto amoroso. Ahora bien, todo el conjunto de la poesía cancioneril sugiere que esta persona pone su libertad, su voluntad y su razón al servicio de Dios. Es la conciencia de esta alternativa la que inspira los sentimientos de culpabilidad del amador cortés español y la

que resuena en sus protestas contra el amor, cuando se lamenta de su enajenación, de su "muerte" y de la pérdida de su libertad y razón. En las poesías que glosan el mote *Estoy sin Dios, sin vos, sin mí,* cobra especial relieve este estado de ánimo. La inmediatez de la relación entre estas dos alternativas, el servicio del amor y el servicio de Dios, la fuerza evocativa directa con que la una llama a la otra, es el factor decisivo en la contaminación religiosa de todo el lenguaje del amor cancioneril. Las seducciones del amor se asocian en la conciencia del amador con las tentaciones del diablo. La huida del amor evoca directamente la huida del mundo con sus pecados y el deber del cristiano de preservar la voluntad para servir a Dios.[23] En mi teoría del amor cortés he descrito las astucias, los pretextos y estratagemas a los que ha recurrido la dialéctica del amor cancioneril en el afán de hacer de los amadores siervos del dios Amor, sin por ello dejar del todo el servicio de Dios.

Por último, nos importa señalar que este contraste entre "servir al mundo" y "servir a Dios" es también el gran principio diferenciador que usa Montalvo para oponer la misión de los caballeros del *Amadís* primitivo, quienes "siruieron al mundo," a la de los héroes del *Esplandián,* quienes "sirven a Dios" (SABIDURIA, 3). Recuérdese también que la ficción novelesca de Montalvo es una transposición apenas velada de la gloriosa época de los Reyes Católicos. Vemos así como el mismo anhelo ultramundano que inspiró la acción de estos monarcas alienta también bajo las manifestaciones poéticas tanto como las novelescas de la literatura de aquella época.

---

[23] Fr. Sánchez-Blanco, en su artículo citado en la nota 64 de la primera parte, señala la popularidad de la doctrina "sobre el desprecio del mundo" durante la segunda mitad del siglo XV. Refiriéndose al escrito moral de Tomás a Kempis *De Contemptu Mundi,* dice el autor que éste es "sin duda el libro que alcanza mayor número de ediciones en España en las primeras décadas de la imprenta. En él la tensión entre Dios y mundo llega a su extremo. Sólo la negación de las cosas terrenales nos puede abrir el camino hacia el goce de lo celestial. Que no hay analogía ni mediación entre estos dos extremos se ve aún más claramente en la siguiente afirmación: 'Tanto homo Deo magis appropinquat: quanto ab omni solacio terreno longior recedit!'

Desde el teatro de Juan del Encina el trasfondo religioso, tan nítidamente dibujado en el universo cancioneril, va oscureciéndose cada vez más. Bonilla y San Martín ya advirtió que la dialéctica del amor de la Comedia no difiere en esencia de la de los Cancioneros. Ha conservado los mismos símbolos, conceptos, imágenes y expresiones. Lo que se ha perdido es aquella poderosa fuerza de evocación religiosa que latía debajo del lenguaje del amor cancioneril. Esta desintegración del poder alusivo religioso del lenguaje amoroso se ha realizado gradualmente. El teatro de Encina ilustra muy bien este proceso desde su inicio hasta el final. Pero es esta última fase la que nos interesa muy particularmente. En la *Egloga de Plácida y Vitoriano*, que es la última pieza de teatro de Encina, se produce una falsificación del trasfondo religioso del doctrinario cancioneril. Vitoriano, enamorado de Plácida, tiene miedo de someterse a la servidumbre del amor. Huye del amor. Expresa, en lenguaje cancioneril, su anhelo de recobrar su salud, su "poderío de la razón" y "la libertad del albedrío." Pero este previo estado de salud, de equilibrio y libertad que gozaba Vitoriano corresponde, como lo he demostrado en mi estudio de esta égloga, a un ideal de vida hedonista, que requiere como condiciones indispensables la inventividad de la razón y la independencia de la voluntad. La aspiración de Vitoriano de preservar estas dos facultades, "aliadas del alma" en el doctrinario cancioneril, se tiñe con el color moral de valores positivos, gracias al mecanismo asociativo propio del lenguaje cancioneril que relaciona este mismo anhelo con el deseo de servir a Dios. El lenguaje del amor encubre aquí una realidad cínica en la que la libertad se convierte en libertinaje. En esto consiste la falsificación del trasfondo religioso en el género dramático y novelesco donde se perpetúa la dialéctica del amor elaborada por los poetas de cancioneros. La estrecha relación entre las dos alternativas, antagónicas pero configurativas de los mismos medios expresivos del amor cortés español, se debilita y se disuelve en la literatura anticortesana con su nueva concepción del amor carnal. El ideario coherente de la poesía amatoria se pulveriza en una multitud de fragmentos que, dispersos en el lenguaje del amor, confieren a la representación literaria de los nuevos amadores una increíble ambigüedad y duplicidad.[24] En este complicado proceso evolutivo hay dos factores que conviene destacar. El recuerdo del antiguo ideal cortés se mantiene vivo en esta nueva cultura afectiva gracias a la adherencia puramente formal, el "lip-service," que los personajes suelen tributar al culto cortesano. Pero aún más importante es el fenómeno de que el contenido semántico del vocabulario cancioneril se ha integrado en la lengua literaria misma. Gracias a los trabajos de Michel Foucault, arcano intérprete de estos misterios de la lengua, comprendemos mejor que las palabras conservan algo como una huella indeleble de los conceptos que en un tiempo han albergado dentro de su molde. En este sentido es probable que no yerre el que opine que cuando se habla del amor en lengua española, el oído entrenado del aficionado de la lírica del siglo XV captará los cascabeleos de la lejana música de aquellas canciones de amor. ¿Cómo negarse entonces a admitir el hecho evidente de que la realidad literaria de *La Celestina* ha de ser entendida a través de la sensibilidad lingüística de los primeros lectores de la obra, una sensibilidad programada, por

---

[24] El único estudio dedicado por entero al amor cortés en *La Celestina* es el pequeño libro de J. M. Aguirre, *Calisto y Melibea, amantes cortesanos*, Zaragoza, 1962. Erna R. Brendt en su *Amor, Muerte y Fortuna en "La Celestina"*, discute el tema del amor en la primera parte de su libro. Ambos críticos, despistados por las manifestaciones ambiguas del amor en *La Celestina* tienden a afirmar y al mismo tiempo a negar la presencia del tema del amor cortés en la *Tragicomedia*. Brendt alega algunos testimonios cancioneriles muy pertinentes, pero no parece sospechar la existencia de una fase evolutiva ulterior entre la lírica y la aparición de *La Celestina*. En cambio, la autora señala algunas sorprendentes concordancias entre *L'Elegia de Madonna Fiammetta* de Boccaccio y *La Celestina*. No considera, sin embargo, la posibilidad de que estos préstamos literarios pudieran haber sido transmitidos a Rojas por intermedio de los poetas cancioneriles. Aguirre no se detiene a examinar ni siquiera menciona la tradición poética de los Cancioneros.

decirlo así, por la tradición de la poesía cancioneril? Por tanto, incluyamos una vez por todas la *Tragicomedia de Calisto y Melibea* de Fernando de Rojas dentro del nuevo ramo salido del tronco cancioneril, la literatura anticortesana, encomendando al mismo tiempo al consenso general de la crítica que este campo literario recién deslindado en el presente estudio sea reconocido como una sección legítima en la periodización histórica de la literatura española.

Hay dos jalones idénticos colocados por Rojas, significativamente, uno al comienzo y otro al final de la obra, los cuales llevan el pabellón que cubre la mercancía celestinesca. Se trata del mensaje celeste (que no celestinesco) de la poesía cancioneril: *A otro que amores dad vuestros cuydados*, que es un verso tomado del *Laberinto* de Juan de Mena, y al final donde el autor mismo se declara: *Zeloso de amar, temer y seruir/ Al alto Señor y Dios soberano*. Estas dos enunciaciones de sentido idéntico pregonan la poderosa alternativa del servicio divino, la cual se alza en un extremo del campo magnético de la poesía amatoria del siglo XV, cuyo otro polo lo forma el servicio del amor. En el contexto de los antecedentes literarios inmediatos de *La Celestina*, todo lo que significaba este mensaje de Rojas era que el amor divino era inconciliable con el amor terrenal. Esta premisa marcaba uno de los puntos de divorcio entre la literatura anticortesana y la lírica amorosa en la que se celebraba precisamente la precaria reconciliación entre esas dos aspiraciones antagónicas.

II
Problemas candentes en torno a *La Celestina*

1. *Los críticos.* -Muchos de los problemas de *La Celestina*, ha dicho M. R. Lida de Malkiel, son, bien mirados, los problemas de sus críticos. Existen, en efecto, trabajos sobre *La Celestina* que demuestran que sus autores simplemente no han leído bien la obra. Crean entonces dificultades que no existen, engrosando así la bibliografía ya enorme en torno al gran libro, con sus explicaciones de estos "problemas." Uno de esos falsos problemas consiste en preguntarse por qué Calisto recurre a los servicios de una alcahueta.[1] Es el mismo Calisto el que da una respuesta a esta pregunta en el Acto II. Cuando Pármeno le aconseja a su amo que gaste su dinero en comprar regalos para Melibea, en vez de emplearlo para pagar los servicios de una mujer de tan mala fama ˉcomo Celestina, Calisto le contesta: "quiero que sepas que, quando ay mucha distancia del que ruega al rogado ó por grauedad de obediencia ó por señorío de estado ó por *esquividad de género, como entre ésta*

---

[1] Este "problema" se discute por ejemplo en el artículo de I. MacDonald, "Some Observations on the *Celestina*," *Hispanic Review*, XXII (1954), 264–281; y también en el libro de H. Oostendorp, *El Conflicto entre el honor y el amor en la literatura española hasta el siglo XVII*, La Haya, 1962, p. 123.

mi señora é mí, es necesario intercessor ó medianero, etc." (I, 120). Calisto, pues, necesita a una alcahueta por la condición esquiva de Melibea.[2]

Pero el mayor defecto de que padece la crítica celestinesca consiste en la tendencia general a aislar esta obra maestra en medio del panorama literario de su época, sin atender a los nexos y puntos de enlace que articulan la narración de *La Celestina* con la tradición literaria inmediatamente anterior. *La originalidad artística de "La Celestina"* es la obra que, paradójicamente, ha contribuido más quizás que ningún otro trabajo a generalizar esta actitud crítica con respecto a la *Tragicomedia.* Pero en la magna obra de Lida de Malkiel se evidencia una erudición asombrosa en el terreno de la literatura del siglo XV español tanto como de épocas y países más remotos. El libro de Malkiel se distingue precisamente de otros muchos estudios por el firme propósito de la autora de dedicarse a un tipo muy bien definido de investigación: el de evaluar la originalidad artística de la obra de Fernando de Rojas a la luz de una muy extensa tradición literaria. Investiga tendencias, aspectos, características tradicionales que han confluido en *La Celestina,* sin preguntarse demasiado si el autor tenía un conocimiento

---

[2] Erna R. Brendt, o. c., p. 22, cita también este mismo pasaje para explicar porqué Calisto recurre a Celestina. -El docto artículo de P. N. Dunn, "Pleberio's World," *PMLA,* 91 (1976), 406–19, está basado igualmente en una mala lectura de *La Celestina.* Afirma Dunn: "The familiar symbol of female chastity, the girdle, passes from Melibea to Calisto, through the hands of the broker Celestina: needless to add, *it is never returned.* It cannot be returned and not only for the literal reason that virginity once surrendered cannot be restored, but because the transfer of the object has signified the surrender of the ethical value for which it stood." (p. 414). Las palabras subrayadas en esta cita contienen un manifiesto error. El cordón de Melibea no permanece en posesión de Calisto, sino que es devuelto a Celestina quien se encargará de restituírselo a su legítima dueña. Al final de este Acto VI, cuando Celestina se despide de Calisto, le dice: "Por ende, dame licencia, que es muy tarde, *é déjame lleuar el cordón,* porque tengo del necessidad." (p. 228). Además en el Acto IX, Lucrecia es mandada por su ama a casa de Celestina con el pretexto de buscar el cordón. Dice Lucrecia: "Mi venida, señora, es lo que tú sabrás: *pedirte el ceñidero* ...etc." (p. 49).

directo de todos los elementos que usaba o si éstos flotaban en el ámbito literario de la época. En efecto, al discutir ciertas concordancias literarias, una y otra vez Lida de Malkiel señala la poca probabilidad que hay de que Rojas imitara directamente en estos casos los textos que la infatigable investigadora va identificando en su libro como los modelos literarios de la *Tragicomedia*.[3] Por eso, es el libro de Lida de Malkiel con el que el mío, sin duda más modesto, presenta mayor paralelismo, en el sentido literal de la palabra, ya que la zona que yo voy explorando se ciñe en un círculo muy apretado en torno a la *Tragicomedia*, mientras que *La originalidad artística de ''La Celestina''* sigue un recorrido paralelo al mío, pero más alejado de la obra de Rojas, por una órbita más abstracta en la que la autora ha identificado las huellas que la literatura clásica y la medieval española, muy en especial la comedia humanística, han dejado en *La Celestina*. El libro de Lida de Malkiel ha contribuido poderosamente a asignar a la obra de Rojas la alta categoría que le corresponde como una de las obras maestras de la literatura mundial. A este respecto, es justo decir que su gran tarea investigadora ha hecho con *La Celestina* lo que la obra de Menéndez Pidal ha hecho con la épica española, Américo Castro con la obra cervantina y Menéndez Pelayo con varios períodos de la cultura literaria de España, es decir, reclamar para esta cultura un puesto de honor al lado de las otras

---

[3] *La originalidad artística de ''La Celestina''* ha estimulado la potencia creativa de una multitud de críticos a pisar las huellas de la gran hispanista. Pero por su tendencia a hacer exhaustiva su búsqueda de todas las implicaciones literarias de un tema determinado, la autora ha dejado a sus seguidores muy poco por investigar. Lida de Malkiel pertenece a la categoría excelsa de los grandes maestros de la crítica española, al lado de Menéndez Pelayo y Menéndez Pidal. La historiografía crítica de la literatura española, más quizás que de ningún otro país, se distingue por una tendencia al academismo, entendido este término en el sentido que se le ha dado de ''duplicación solemne de los grandes hallazgos de los maestros.'' Los aspectos ritualistas que caracterizan muchas veces las publicaciones de la multitud de críticos a que aludimos antes, parecen celebrar el ingreso de Lida de Malkiel en aquel prestigioso *nucleus* académico de la crítica hispánica.

literaturas europeas. Pero, indirecta y quizás inconscientemente, *La originalidad artística* ha dado también nuevo aliento a una idea que ya se había divulgado desde los comienzos de la crítica celestinesca y que muy bien se resume en estas palabras de Menéndez Pelayo: *"La Celestina* no es un libro peculiarmente español: es un libro europeo, cuya honda eficacia se siente aún, porque transformó la pintura de costumbres y trajo una nueva concepción de la vida y del amor."[4]

Estoy muy lejos de negarle a la *Tragicomedia* su sentido universal. Pero difiero con los demás críticos en mi manera de definir este sentido general. Quisiera explicar mi punto de vista mediante una comparación de la obra de Rojas con la de Kafka. Las novelas de Kafka se han originado en unas preocupaciones de carácter muy peculiar: las que le causó a Kafka la suerte de la comunidad judía (Kafka era judío) de Praga en tiempo de los Habsburgos y los primeros años de la burguesía checoeslovaca. Acongojado por conflictos de orden social, político y religioso, el autor nos ha dejado en su obra un testimonio singularísimo de su tiempo y de su vida. Ahora bien, la fascinación que las novelas de Kafka han ejercido en todo género de lectores nos revela que cuanto más particulares son los testimonios que encierra una obra artística de esta categoría, tanto más grande es el sentido universal que se irradia de ella.[5] Es este sello específico el que da a las grandes

---

[4] *Orígenes de la novela*, T. III, p. 353. -Mario Penna, en el Estudio Preliminar a su edición de *Prosistas castellanos del siglo XV*, I, en BAE, T. 116, afirma también: "la *Celestina* pertenece más a la literatura castellana en sentido universal que no a la de su siglo, ya que en la literatura castellana de aquella centuria no se encuentra nada que pueda relacionarse con ella. Representa, pues, esta obra maestra, un monumento aislado en su tiempo, ignorado, en cierto modo, por sus contemporáneos" (p. VIII). -Más recientemente, Keith Whinnom llega a una conclusión parecida al poner la tesis de que hay que colocar a Rojas en la corriente general de la literatura europea, escrita por la mayor parte en latín, más bien que encerrarle en una continuidad de obras específicamente españolas, porque tal continuidad no existió. (V. *Spanish Literary Historiography: Three Forms of Distortion*, Exeter, 1967)

[5] Seguimos aquí parte de la exposición de Jean-Paul Sartre en *La démili-*

obras maestras su carácter único e inimitable. Este último rasgo, precisamente, ha sido destacado como característico de *La Celestina* por Marcel Bataillon y, más recientemente, por Pierre Heugas (p. 45). Bataillon se pregunta, no sin cierta extrañeza, por qué hay fuera de España una "carence du prolongement de *La Celestina*," insistiendo en que la crítica reflexione sobre "le pourquoi de ce manque."[6] El presente estudio da la respuesta a la pregunta de Bataillon. *La Celestina* refleja en sus formas las circunstancias específicas de la realidad histórica y literaria del tiempo de Fernando de Rojas. En su obra repercute todo el proceso evolutivo que ha transformado el amor cancioneril, creación de por sí ya tan singular, en un sentimiento aún más específico que, en último análisis, es responsable de las resonancias ambiguas que el lector percibe en el mundo celestinesco. En esta obra aparece también el primer descendiente del linaje adulterado de Amadís-Esplandián: Calisto. Es tan completa e íntima la fusión de todos estos elementos, procedentes de una fase peculiarísima de la realidad sociohistórica de España, con la representación artística de la realidad humana en *La Celestina* que la tentativa de operar un corte analítico entre estos dos planos de la novela parece casi un acto de anarquía estética. Sin embargo, llegados a este punto, parece justificada nuestra sospecha de que en el universo de Rojas suenan unas voces nunca oídas por la crítica; se esconden todavía algunos rehenes, nunca interrogados. Intentar hacerles hablar para escuchar su mensaje parece una tarea urgente y necesaria.

2. *La teoría de la intención moral-didáctica de "La Celestina"*. -Un problema que las tres grandes obras españolas de la Edad

---

tarisation de la culture, discurso que el autor pronunció en el Congreso para el Desarmamiento y la Paz, tenido en Moscú durante el verano de 1962.

6 *Pour une histoire exigeante des formes. Le cas de La Celestina*, University of N. Carolina Press, 1959.

Media y la Moderna tienen en común es la dificultad de saber cuál es la intención con que fueron escritas. Con el *Libro de buen amor* el problema se centra principalmente en las ambigüedades con que se manifiesta la oposición entre "buen amor" y "loco amor" en el gran libro. En el *Quijote* tenemos las repetidas aseveraciones de Cervantes de que escribió su obra como "una invectiva contra los libros de Caballerías." Hasta el día de hoy hay críticos cervantistas que se han aferrado a esta visión limitada del mundo del Quijote, basándose en estas declaraciones explícitas del autor acerca de la intención de su novela.[7] Algo parecido ha pasado con *La Celestina*. Los versos de arte mayor al comienzo y al final de la obra nos dicen en palabras inequívocas que Rojas escribió su obra con una intención moral-didáctica. Marcel Bataillon publicó en 1961 un libro cuyo mero título, *La Célestine selon Fernando de Rojas*, ya indicaba el propósito del autor de tomar en serio estas declaraciones de Rojas. Bataillon es, en efecto, el crítico que con más empeño sistemático ha defendido la tesis de que la *Tragicomedia* es esencialmente una obra moralizadora. Con notables excepciones, entre las que destaca Lida de Malkiel, la tesis de Bataillon ha sido aceptada por los críticos más autorizados, aunque los más de ellos han adoptado una actitud más matizada, menos rígida, que la de Bataillon. Lo malo es que bajo la pluma de estudiosos menos informados y elocuentes que el gran hispanista francés -y la mayoría de ellos cabe en esta categoría- la teoría de la concepción moral-didáctica de *La Celestina* se preste fácilmente a ajustarse a toda clase de ideas preconcebidas que luego se entretejen en los argumentos del crítico mediante un esfuerzo que los alemanes llaman *hineininterpretieren*. Se ha tratado, por ejemplo, de demostrar que "en la salsa" de esta historia de amor entran nada menos que los

---

[7] Un ejemplo reciente es el libro de Martín de Riquer, *Aproximación al Quijote*, Barcelona, 1967.

siete pecados capitales, más todo el decálogo cuyos mandamientos son quebrantados de un modo u otro por los diferentes personajes de la *Tragicomedia*. Otros críticos no han vacilado en arrogarse el papel de ser los portavoces de la justicia divina, impartiendo las sentencias de muerte que los personajes merecen por sus vicios y pecados: Calisto debe morir en castigo de su debilidad moral; los criados por ser asesinos; Celestina muere a causa de su avaricia; y finalmente, la muerte de Melibea es inevitable a consecuencia de la total ceguera que le causa el "loco amor."

No cabe duda de que el problema de la intención de la *Tragicomedia* ha sido tratado por la crítica desde una óptica demasiado teórica. Sin embargo, es este problema el que, más que ningún otro, necesita ser planteado, no *selon Fernando de Rojas*, sino en los términos específicos de la cultura socioliteraria de la época. La teoría de la intención moral de *La Celestina* tiene la ventaja de ofrecer una base aparentemente segura a los tanteos exploratorios de la crítica.[8] Por otra parte, hay que admitir que no existe ninguna aproximación al gran libro que abrigue en su fondo explicativo mayor tendencia a infravalorar la grandeza de la creación de Rojas. El sentimiento de la dimensión del tiempo y la distancia suele debilitarse a veces en la conciencia del crítico durante sus largos enfrentamientos con la obra y la personalidad enigmática de su autor. A ambas magnitudes se siente próximo, y esta proximidad tiende a hacerle perder de vista la dimensión insólita de la obra y del que la creó. Artistas como Fernando de Rojas sólo nacen cada

---

[8] Esta es la razón, me parece, por la cual la idea de *La Celestina* como una obra moralizadora es generalmente aceptada por los críticos norteamericanos. En su libro, *Literature and the Irrational. A Study in Anthropological Backgrounds*, Englewood Cliffs, N. J., 1960, p. 22, Wayne Shumaker dice: "Americans must, I think, recognize what W. Allport calls their 'cultural predilection for reductionistic and mechanistic approach' -a preference which may go so far as to stigmatize as 'unscientific' any research that follows a basically different method and proceeds toward a different goal."

tres o cuatro siglos. Hay algo inconmensurable en estos super-hombres de la cultura y en las obras que brotan de su ingenio, algo que escapa al criterio común, algo que no puede medirse con las varas habituales que se aplican a otros hombres y a otras obras para dar cuenta de su tamaño. Hacer de Fernando de Rojas un moralista es empequeñecer al hombre y a la obra. Si hay una lección en *La Celestina*, tengamos por seguro que ésta es, como dijo Lida de Malkiel, "infinitamente más grandiosa y menos ortodoxa" (p. 303) que la de poner sobre aviso a "los locos enamorados." Cualquier fraile, cualquier predicador villanchón, sin duda debía de lanzar, cada domingo, esta reprensión del pecado de la carne de lo alto del púlpito a la multitud congregada de los fieles en todas las iglesias de Castilla. Porque en la doctrina ascético-cristiana, que era la versión oficial del catolicismo español en tiempo de Rojas, la vida humana se concebía como una lucha incesante contra el mundo, el demonio y la carne. Esta visión, que era componente esencial de la ideología socio-religiosa del país, trascendía a la realidad psicológica de los españoles de aquel tiempo, influyendo en todos los actos de su vida. Es posible captar en *La Celestina* los reflejos de esta realidad. Porque es en la obra y no en la persona de su autor donde debe centrarse toda nuestra atención. Tenemos las herramientas necesarias para ejecutar esta tarea. La falta casi completa de datos acerca de la vida de Rojas, tan lamentada por ciertos comentaristas, se ha de considerar quizás como una circunstancia más bien propicia a este tipo de aproximación. Porque aún cuando tuviésemos a nuestro alcance un acopio de datos abundantísimos sobre Rojas, esta información no nos daría automáticamente una mejor comprensión de su obra. Es casi completa nuestra ignorancia de los modos en que funciona la mente creadora de un genio literario como Fernando de Rojas. Se asume que la función cognoscitiva del arte literario no es idéntica a la de las ciencias o la filosofía. "Art is profoundly cognitive, though its techniques are not those of the reason,"

160

afirma W. Shumaker.[9] La intuición artística es capaz de apre-
hender porciones más extensas de percepciones no concep-
tualizadas, a las que el hombre mediano no tiene acceso
directo. Concluye Shumaker: "From this point of view the
artist would appear to be, among other things, a specialist in
perception, a man whose senses are keener than those of the
average person and more resistant to the reason. His impres-
sions are often stronger, and his reliance on them more confi-
dent." (p. 254)

Consideremos, pues, la *Tragicomedia de Calisto y Melibea*
como el testimonio literario en que un hombre extraordinario y
único ha expresado artísticamente su visión del mundo y del
hombre. En esta visión quedan integrados elementos procedentes del ámbito histórico-literario en el que se desenvolvió la
existencia de Fernando de Rojas. Hemos de aislar estos elementos, determinar su procedencia y significado para luego
valorar de qué modo se articulan en la acción de *La Celestina* y,
sobre todo, cuál es la luz nueva que proyectan sobre el fondo
interpretativo de la obra. Es un método análogo al que Stephen
Gilman y Alan Deyermond han utilizado en sus estudios sobre
las influencias de Petrarca en *La Celestina*.[10]

La tesis de la intención moralizadora de *La Celestina* tiene
su fundamento en los argumentos justificatorios que el autor

---

[9] Shumaker, p. 253. Estas reflexiones sobre el artista y la obra literaria
están basadas en el trabajo de Shumaker, mencionado en la nota anterior.

[10] Parece irónico que se haya dado prioridad al estudio de estas influencias italianas en vez de examinar primero el impacto que la cultura
literaria contemporánea de Castilla ha tenido en la obra de Rojas. Me parece
otra manifestación de ese intento de la crítica para desprender *La Celestina* de
su ambiente literario inmediato con el objeto de acercarla más a los grandes
nombres y monumentos de la literatura mundial. -En el texto nos referimos a
Stephen Gilman, *The Art of "La Celestina"*, Madison, 1956; y a Alan Deyermond, *The Petrarchan Sources of "La Celestina"*, Oxford, 1961. Mencionemos
también el ensayo reciente de Frank Benítez, "Dimensión semántica del acaecer en la palabra celestinesca," *"La Celestina" y su contorno social*. Actas del I
Congreso Internacional sobre La Celestina. Ed. Manuel Criado de Val, Barcelona, 1977, pp. 67–73.

aduce en la Carta, el Prólogo y los versos de arte mayor. La representación de los deleites de un amor culpable, la descripción de actos y palabras lascivos y de toda clase de vicios serviría el propósito de dar una forma halagüeña a la lección moral, la "píldora amarga," que Rojas hubiera querido proponer en su *Tragicomedia*:

Como el doliente que píldora amarga
O la recela, ó no puede tragar,
Métela dentro de dulce manjar,
Engáñase el gusto, la salud se alarga:

Este mismo argumento aparece en el Prólogo de la *Tragicomedia de Lisandro y Roselia*, que es de 1542. Los poetas y autores, se dice en este Prólogo, no pueden siempre hablar de cosas elevadas, y "porque vieron que la doctrina de la verdad no es muy suave de oir para muchos, quiérenla envolver en fábulas, porque de mejor gana los lectores se aficionasen á percibir aquella doctrina amarga con el dulzor de la ficcion fabulosa."[11] Pero estas buenas palabras y otras parecidas son usadas también por Elicia para expresar una intención diametralmente opuesta a la que se manifiesta en el Prólogo de esta *Tercera Celestina* de Sancho de Muñón. En la Cena I del Acto II, Elicia, que se llama ahora Celestina, se dirige a casa de Roselia para hacer por Lisandro lo que su tía hizo por Calisto en su primera visita a casa de Melibea. En el camino, la alcahueta piensa en cómo va a seducir a Roselia, preguntándose a sí misma:

con qué oro doraré la píldora, en qué copa dorada disimularé esta purga, con qué sobrehaz azucarada cubriré el acíbar, con qué

---

[11] *Tragicomedia de Lisandro y Roselia, llamada Elicia, y por otro nombre cuarta obra y tercera Celestina*, Colección de libros españoles raros ó curiosos, Tomo III, Madrid, 1872. El autor oculta su nombre en los versos acrósticos. Hartzenbusch lo descifró como Munino, corregido después a Munnon (Muñón) por Fuensanta del Valle y Sancho Rayón en una carta dirigida a Hartzenbusch que encabeza la edición de estos autores de la *Comedia Selvagia*. (Véase la nota 16 del capítulo anterior).

dulzor saborearé la amargura de estas mis confaciones, con qué palabras paliadas solaparé el negocio á que voy que no sea sentida...

¿ No hay que admitir que estas palabras pintan maravillosamente bien las astucias, pretextos y mañas de la estrategia celestinesca? Pero si estas palabras se ajustan tan bien a la intención de la alcahueta, ¿ hemos de darles la misma fe cuando el autor, igual que Rojas, las usa para convencer al lector del intento edificante de su obra? Es una cuestión muy dudosa. Pero hay más.

En el capítulo anterior, apartado 4, se han discutido las dos alternativas del servicio del amor y el de Dios. La tensión entre estos dos polos opuestos de la poesía cancioneril queda como interiorizada en el tenso estado de ánimo del amador cortesano. También se indicó que en la literatura anticortesana se sigue dando "lip-service" al ideal cortés. Ahora bien, en el Acto IV de *La Celestina*, se perfila netamente la alternativa del servicio de Dios. El estado de ánimo de Melibea es el de una persona que no sufre (todavía) el asalto amoroso y que, por ende, sirve a Dios. Melibea acaba de darse cuenta a qué van encaminados los largos preámbulos de Celestina. Exclama furiosa: "Pues yo te certifico que las albricias, que de aquí saques, no sean sino estoruarte de más ofender á Dios, dando fin á tus dias." La astuta alcahueta pretende que Melibea ha mal interpretado sus referencias a Calisto. "Por Dios, señora, que me dexes concluyr mi dicho, que ni él quedará culpado ni yo condenada. E verás cómo es todo mas *seruicio de Dios*, que passos deshonestos;" Y continúa diciendo que sólo ha venido a pedirle a Melibea una obra de misericordia. Hay un hombre que sufre. Ella tiene "una oración de sancta Polonia para el dolor de las muelas" y también un cordón "que es fama que ha tocado todas las reliquias, que ay en Roma é Jerusalem." Vertido en estos términos devotos, el mensaje se hace aceptable para Melibea y la mensajera digna de perdón. Dice Melibea: "Pero pues todo viene de buena parte, de lo passado

163

aya perdón. Que en alguna manera es aliuiado mi coraçón, viendo que es obra pía é santa sanar los passionados é enfermos." Al final de la visita, cuando Celestina le da las gracias por el cordón, Melibea dice: "Mas haré por tu doliente, si menester fuere, en pago de lo sofrido." A lo que Celestina contesta cínicamente en un aparte, clasificado como "entreoído" por Lida de Malkiel: "Mas será menester é mas harás é avnque no se te agradezca." Melibea: "¿Que dizes, madre, de agradescer?"

La honestidad de la doncella noble, encerrada entre las paredes de su casa como lo está la monja entre las de su convento, se expresa a través de sus protestas de servir a Dios. La estrategia de la alcahueta consiste en convencer a Melibea de que es "obra pía y santa" aliviar los sufrimientos de un enfermo. Que este cuadro de la seducción de Melibea, sutilmente trazado por Rojas, se completara en la sensibilidad de los primeros lectores de *La Celestina* con otros elementos íntimamente asociados con esta representación se comprueba en la literatura celestinesca posterior. En la *Tragicomedia de Lisandro y Roselia*, la doncella, cediendo por fin a las insistencias de Celestina, está dispuesta a hablar con Lisandro para que éste no muera de amor. Es una obra de piedad y de misericordia que Roselia quiere hacer, como dice, "por servicio de Dios," con tal que su honra no corra peligro. Celestina sabe ahora que ha vencido la resistencia de la doncella y así dice a Oligides, criado de Lisandro: "Mi fe, cacéla, y si sus pensamientos fasta aquí volaban por el cielo con contemplaciones de Dios, agora rastrearán por el suelo con imaginaciones de la carne." (Cena III, Acto II). En la Cena III del Acto III, Celestina vuelve a casa de Roselia con una carta de Lisandro. Trata de hacer que la doncella otorgue una entrevista nocturna a su amigo en el huerto de su casa. Roselia todavía protesta en nombre de su virtud y buena fama. En un aparte Celestina dice: "Mas creo que será bueno hablalle á las claras, y dexar estos *servicios de Dios*, que en buen són la tengo." Insiste en que

Roselia no se muestre cruel, sino piadosa y que remedie las penas de amor de Lisandro. Ya a punto de rendirse, la doncella expresa su temor a lo que dirá la gente. Pregunta a la alcahueta: "¿Quieres que viva deshonrada para toda mi vida? Respóndeme a esto." Triunfalmente Celestina se dice en un aparte: "De otro temple está esta gaita, luego si le satisface mi respuesta hecho está todo, pues ya no se pone en disputa *el servicio de Dios, sino el del demonio.* A pocos empuxones pienso desquiciar las puertas movedizas de su propósito." Hacia el final de esta Cena, Celestina concluye diciendo a Roselia que no es razonable temer tanto ofender a Dios, "cuanto más que yerros por amores dignos son de perdonar, y quien no cae no se levanta. Sé que los delitos corporales ménos graves y de menor culpa son que los pecados espirituales."

La seducción de la doncella noble forma uno de los episodios principales en la narración de *La Celestina* y sus imitaciones. Nos importa enfocar esta seducción desde la perspectiva de la sensibilidad literaria del tiempo de Rojas para ver en qué formas las representaciones poéticas de la lírica de cancioneros se han plasmado en la nueva realidad dramática de la literatura celestinesca. La "batalla de amor," que era esencialmente un conflicto interior entre las dos aspiraciones antagónicas que se oponían en la conciencia del amador cancioneril, se traslada ahora a los escenarios concretos de la vida cotidiana, manifestándose en las formas agresivas con que el hombre pretende conquistar a la mujer que ama, mientras que ella se defiende contra esta agresión amorosa. La lucha interior del amador cancioneril se exterioriza en la doble realidad humana de los dos sexos. Tengamos presente que el amante celestinesco corresponde al tipo de hombre impetuoso que vuelca todo su ardimiento en la aventura amorosa. Le falta la justificación moral de la tarea bélica. Su valor se cifra en su linaje y en su dinero. El "héro calistéen" está al servicio del amor y del mundo. En cambio, la doncella noble está dedicada al servicio de Dios. El papel diabólico de la alcahueta salta a la

vista al considerar el empeño que pone en hacer que la doncella deje el servicio de Dios para darse al del amor. En sus
primeros intentos de seducción hace uso del pretexto de que
remediar los sufrimientos del hombre es una obra piadosa y
grata a Dios. En el fondo se trata aquí de una parodia de los
esfuerzos sinceros de los poetas cancioneriles por reconciliar
las dos aspiraciones contrarias, la del amor y la del servicio
divino. Renunciar al mundo con sus placeres, especialmente
los deleites del amor carnal, y servir a Dios era el gran mensaje
ascético que estaba grabado en la conciencia de los españoles
de aquella época. Era una idea-fuerza impuesta a esta sociedad
con todos los medios coactivos que tenía a su disposición el
Estado-Iglesia de los Reyes Católicos. La cultura del Prerrenacimiento español está envuelta en una atmósfera saturada de
las entonaciones retóricas con que esta idea-fuerza se ha expresado en la vida religiosa y social de la época. Ahora bien, la
literatura celestinesca y su gran modelo ilustran cómo la prá-
tica de esta doctrina consistía en una adhesión puramente
formal y, sobre todo, oral, a sus reglas y normas. En su obra,
Fernando de Rojas ha creado una serie de recursos literarios,
ávidamente explotados por sus imitadores, que le permitían
expresar en una variedad de formas gráficas la enorme discrepancia que existía entre la doctrina y la práctica, entre las
palabras y los gestos, entre lo que decía la boca y lo que hacían
las manos. La *Comedia Ypolita* y sobre todo la *Seraphina*, que se
cuentan entre las primeras imitaciones de *La Celestina*, demuestran hasta qué punto extremo podían ser llevados estos
recursos. Aquí la invocación de los nombres de Dios y de los
santos acompañan a los actos más lascivos y expresan las
intenciones más contrarias a lo que dicen las palabras. En la
primera mitad del siglo XVI hay una serie de obras que podrían
llamarse casi pornográficas y que pertenecen a la descendencia
directa de *La Celestina*. En estos escritos se trasluce una curiosidad casi morbosa en los aspectos mecánicos del acto sexual y
en las reacciones fisiológicas de la sexualidad femenina.

Muchas veces las intimidades entre amantes nobles tanto como plebeyos son relatadas desde una óptica de un "peeping Tommy" que presencia los actos y palabras de esos amantes. Mediante el aparte se realiza a veces, en el encuentro sexual entre hombre y mujer, como un desdoblamiento del punto de vista que hace que el lector visualice a la vez los gestos indecentes y los efectos que producen. En estas obras y en ciertas escenas de otras obras que no pertenecen a la misma categoría, como por ejemplo la *Comedia Thebaida*, se manifiesta una concepción de la mujer y del amor que corresponde plenamente a las ideas chabacanas que Sempronio profiere sobre la materia en su conversación con Calisto, donde concluye con estas palabras: "¡O qué fastío es conferir con ellas, más de aquel breue tiempo, que son aparejadas á deleyte!" (I, 51). En la delectación del acto sexual entra no sólo el deseo de humillar y envilecer a la mujer sino también algo como una fruición blasfema, un intenso júbilo, que le causa al hombre esta transgresión de las normas de la sociedad. La ilustración más gráfica de esta idea se halla sin duda en *La Lozana andaluza* de Francisco Delicado. En el punto culminante de su orgasmo se le escapa a Lozana esta exclamación: "¡Aquí va la honra!"

Lo que en el fondo expresa esta entrega desenfrenada y cínica al gozo sexual es, no lo dudemos, una forma muy íntima e individual de protesta, de rebeldía, contra las fuerzas represivas que controlaban la vida sociopolítica en aquella sociedad. En su famosa novela, *Nineteen-Eighty-Four*, G. Orwell ha descrito magistralmente esta función de protesta que puede asumir la sexualidad en un régimen político represivo. Hablando de la protagonista de su novela, Julia, el autor dice:

> She had grasped the inner meaning of the Party's sexual puritanism. It was not merely that the sex instinct created a world of its own which was outside the Party's control and which therefore had to be destroyed if possible. What was more important was that sexual privation induced hysteria, which was desirable because it could be transformed into war fever and leader worship. ... There was a direct, intimate connection between chastity and political

orthodoxy. For how could the fear, the hatred, and the lunatic credulity which the Party needed in its members be kept at the right pitch except by bottling down some powerful instinct and using it as a driving force? The sex impulse was dangerous to the Party, and the Party had turned it to account. (p. 134)

En un momento dado el amante de Julia, adversario acérrimo del régimen, le dice a la joven: "You're only a rebel from the waist downwards." (p. 157)

En el nivel más profundo del mundo celestinesco se manifiesta una intuición psicológica que es tan penetrante y tan certera como la visión que Rojas tenía de la realidad social de su tiempo. Pero es imposible llegar a este fondo psicológico de *La Celestina*, sin primero haber ahondado en los recursos expresivos, con su fondo interpretativo ya fijado y operante en la colectividad cultural de la época, para representar esta realidad social. En sus intentos de explicar psicológicamente los datos y fenómenos que se hallan en esta *prima facie* de la novela, muchos críticos no han advertido la dimensión sociológica de los aspectos que ellos han deslindado en la obra para sus análisis literarios. Muchas veces, dice Arnold Hauser, "la psicología es simplemente sociología encubierta, no descifrada, no llevada hasta el fin."[12]

El régimen socio-político represivo de la época de Rojas requería una conformidad de palabra para con los valores religiosos consagrados en el Estado-Iglesia español. Dice Celestina en la *Tragicomedia de Lisandro y Roselia*: "las palabras hanse de entender segun el sentido literal, y no segun el entendimiento irónico ó metafórico... que la Iglesia no juzga segun la intención interior, sino por las obras y las palabras exteriores" (p. 241). Con *La Celestina* se estrena en la literatura española esta nueva cultura de la palabra. Es una sub-cultura condicionada por la complicidad que existe entre sus miembros y que hace que ellos entiendan los *quid pro quo*, los equí-

---

[12] *Historia social de la literatura y el arte*, Madrid, 1962, T. I, p. 230.

vocos, las referencias, en suma, todo el alcance alusivo del lenguaje ambiguo con que esta cultura expresa su fondo intencional. Hay algo profundamente hispánico en esta evolución. La confluencia de la tradición goliardesca con los frutos singulares del ingenio de Juan Ruiz ya había dado en el *Libro de buen amor* como un primer florecimiento de este espíritu de disimulo, de doble entender, de intenciones disfrazadas. En *La Celestina* se ha convertido en segunda naturaleza el hábito, tan eminentemente hispánico, de rehuir la expresión directa de la verdad desnuda, peligro mortal en tiempo de Rojas, disfrazándola bajo una verbosidad florida, salpicada de indirectas, alusiones e insinuaciones.

No, Fernando de Rojas no ha defendido en su *Tragicomedia* el sistema ideológico de una sociedad determinada a hacer de conversos como él parias en su propia patria. No tenía ningún motivo para alinearse junto al aparato oficial de su tiempo. En cambio, mucho tenía para cuestionar irónicamente las normas éticas que en el plano social se traducían en puro formalismo, en actitudes hipócritas, en una fuerza corrosiva de los lazos que unían entre sí a los seres humanos.

3. *El problema de la autoría.* -Se pueden distinguir dos etapas en la larga serie de estudios sobre el problema de la autoría de *La Celestina*. Desde el famoso artículo de José María Blanco White, publicado en 1824, hasta los años veinte de nuestro siglo, las opiniones en pro y en contra de una doble autoría se basaban sobre la interpretación que se había de dar a la Carta, el Prólogo y los versos y, por otra parte, sobre un examen comparativo de la *Comedia*, de la *Tragicomedia* y del Acto I. El criterio decisivo utilizado por estos primeros investigadores era la intuición literaria. Críticos como Blanco White y Menéndez Pelayo afirmaban que toda *La Celestina* era "paño de la misma tela," mientras que otros estudiosos atribuían el Acto I, y en algunos casos también los actos añadidos y las interpolaciones, a otro autor u otros autores que Fernando de Rojas.

La segunda fase se inicia con la búsqueda y la aplicación de metódos más científicos para determinar la autoría de los diferentes actos de *La Celestina*, muy en especial del Acto I. Se han estudiado varias categorías gramaticales en la *Comedia*, la *Tragicomedia* y el Acto I, tratando de establecer así criterios (basados en la frecuencia con que aparecen estos fenómenos linguísticos) para decidir si hay que atribuir a Fernando de Rojas la autoría de toda *La Celestina* o sólo de una parte de ella.[13] La aplicación de estos metódos "científicos" al estudio de *La Celestina* no ha tenido el resultado esperado. Se ha puesto en tela de juicio hasta la validez misma de este tipo de investigaciones.[14] Por otra parte, frente a la tendencia, destacada en estos trabajos lingüísticos, a negarle a Rojas la autoría del Acto I, persiste hasta hoy día la opinión contraria de que efectivamente Rojas ha escrito el Acto I.[15] Ante tanta discrepancia de pareceres, ¿ cómo ha reaccionado en la actualidad la crítica celestinesca? Ha reaccionado con un sentimiento general de desencanto, lo que parece lógico y razonable. Pero este desencanto implica vacilación e inseguridad ante una cuestión que

---

[13] Estos trabajos han contribuido mucho al estudio linguístico del español del siglo XVI. Ralph E. House es el que ha iniciado este tipo de estudios sobre *La Celestina*. Mencionemos también los trabajos de: J. Vallejo, F. Castro Guisasola, y M. Herrero García, "Notas sobre *La Celestina*: ¿ Uno o dos autores?, *Revista de Filología Española*, XI (1924), 402–12; Ruth Davis, "New Data on the Authorship of Acto I of the *Comedia de Calisto y Melibea*," *University of Iowa Studies in Spanish Language and Literature*, Iowa City, 1928; Anna Krause, "Deciphering the Epistle-Preface to the *Comedia de Calisto y Melibea*," *Romanic Review*, XLIV (1953), 89–101; M. Criado de Val, *Indice verbal de "La Celestina"*, Madrid, 1955; Stephen Gilman, *The Art of "La Celestina"*, o. c.; Martín de Riquer, "Fernando de Rojas y el primer acto de *La Celestina*," *Revista de Filología Española*, XLI (1957), 373–95; y Henry Mendeloff, "The Passive Voice in *La Celestina*," *Romance Philology*, XVIII (1964), 41–46.

[14] John H. Martin, "Some Uses of the Old Spanish Past Subjunctives (With Reference to the Authorship of *La Celestina*)," *Romance Philology*, XII (1958), 52–67.

[15] Cfr. A. Deyermond, *The Petrarchan Sources of "La Celestina"*, o. c., and H. J. Herriot, "The Authorship of Act I of *La Celestina*," *Hispanic Review*, XXXI (1963), 153–9.

se ha resistido a todo intento de solución. En estas condiciones insatisfactorias surge el peligro, siempre inminente en las ciencias del espíritu, de querer llegar a un consenso general por medio de una adhesión no razonada a la opinión de "una autoridad." Los críticos se refieren entonces al problema como si ya se hubiera superado toda controversia, basándose en "la opinión autorizada" o, con más frecuencia, sugiriendo que ya se ha logrado una concordancia unánime sobre el asunto.[16]

Pongamos, pues, de relieve que la tendencia general de los críticos a atribuir a un autor desconocido el Acto I, idea que hoy por hoy suele presentarse bajo la apariencia de consenso no está fundada en ninguna argumentación convincente. En nuestra disciplina nos hemos de contentar siempre, según parece, con métodos vacilantes, aproximativos, capaces sólo de descubrir verdades relativas, siempre sujetas a ser cuestionadas por cada nueva generación de críticos. No compartimos con los cultivadores de las ciencias exactas la envidiable ventaja de ver renovadas constantemente las herramientas de trabajo que determinan a menudo la dirección misma que ha de tomar la comunidad científica en sus investigaciones, induciéndola a abandonar espontánea y colectivamente un punto de vista para adoptar otro más adecuado. Teniendo presentes estas limitaciones de la "ciencia" de la literatura, quisiéramos defender aquí de nuevo la tesis impopular y casi abandonada de que *La Celestina* es obra de un solo autor: Fernando de Rojas. Lo que trataré de hacer es elevar el grado de probabilidad de la validez de esta tesis.

Mi intento principal va a ser el de acercar lo más posible la fecha de composición del Acto I a la de los demás actos de la *Comedia*. Un posible metódo, para el cual, sin embargo, me

---

[16] Es lo que hacen por ejemplo Criado de Val y G. D. Trotter en el Prólogo a su edición de *Tragicomedia de Calixto y Melibea, libro también llamado "La Celestina"*, Madrid, 1958.

faltan los conocimientos necesarios, sería la tentativa de fijar una fecha mediante el examen del retrato que Pármeno hace de Celestina en el Acto I. Aquí hay una larga lista de ingredientes, artefactos y preparaciones que Celestina usa en su "negocio." Que yo sepa, no existe estudio en que se haya considerado la posibilidad de buscar una clave en este pasaje que permitiera fechar el Acto I con el hallazgo de datos cronológicos posiblemente escondidos en esta lista de más de sesenta diferentes elementos.

Pero una clave más segura para nosotros es nuestra teoría del amor cancioneril y su ulterior desarrollo en la literatura anticortesana. Aunque las tendencias anticortesanas se remontan a una fecha que es anterior a los años 1480–1500, es este último período el que incluye el momento desde el cual aquellas tendencias comienzan a plasmarse en su totalidad en el panorama de la literatura sentimental-popular. Pero también en la poesía cancioneril, como ya se indicó, la corriente anticortesana se hace sentir, a saber, en las formas muy específicas que expresan el conflicto entre las exigencias del ideal cortés y los imperativos de la ética cristiana. Es la integración de las teorías histórico-políticas de los letrados en la ideología socio-política oficial del país, que se produce hacia 1480, la que lleva consigo también algo como un reconocimiento oficial del movimiento anticortesano, en cuanto expresión literaria de los nuevos ideales ultramundanos, diametralmente opuestos al servicio del mundo y del amor que se celebraban en el *Amadís* primitivo y en la lírica del siglo XV. La manifestación sistemática y concertada de este tipo de literatura se inicia en el período que va de 1480 a 1500, es decir, en los años en que Fernando de Rojas concibió y escribió su gran libro. El Acto I, como los demás actos de la *Comedia*, refleja este estado reciente de la literatura anticortesana. La teoría del amor cancioneril con sus deformaciones anticortesanas se hace sentir tanto en el Acto I como en el resto de la obra. Es tan obvio este hecho que no hemos de detenernos a comprobarlo aquí en un análisis textual del Acto I. Esta conclusión elimina a Rodrigo de Cota y a Juan de Mena como autores del Acto I, y por razones que Fernando de Rojas no pudo sospechar cuando afirmó con acento levemente quijotesco: "segun algunos dizen, fué Juan de Mena, é segun otros, Rodrigo Cota; pero quien quier que fuesse, es digno de recordable memoria... etc." Elimina también a todo autor que no fuera contemporáneo de Rojas. Ahora bien, ¿ no es presumir mucho, no es presumir demasiado, sobre la fuerza de las estrellas o del hado creer que hubiera prodigado a la época y a la humanidad dos genios de la magnitud de Rojas dentro de tan breve espacio de tiempo? Y aun cuando tal inconcebible azar hubiera ocurrido, ¿ no sería absurdo suponer que estos dos artistas geniales nos hubieran dejado dos visiones, si no idénticas, por lo menos afines de su mundo y de su tiempo? Por otra parte, en los Actos II a XVI de la *Comedia* se despliegan una originalidad artística tan asombrosa y una maestría de la lengua tan fuera de lo común que nos parece imposible poner límites a lo que su autor pudiera hacer en el dominio de la ficción literaria. Sin duda, antes de poner mano a la obra de dar forma al mundo que llevaba dentro, Fernando de Rojas tenía una clara conciencia de la singularidad de la *Comedia* que iba a escribir y del peligro que representaba para él y su familia la divulgación de su visión despiadada y anárquica de la sociedad de su tiempo. El pretexto de la intención moral-didáctica, pretexto mucho más transparente para la sensibilidad literaria de su época que para la nuestra, sin duda era cobertura muy insuficiente para disfrazar aquella terrible embestida contra el orden establecido. Frente a la imperiosa necesidad de hacerse invisible el autor detrás de la obra, Rojas, en el pórtico de su gran construcción dramática, se ha despojado de su identidad, renovando con los recursos casi ilimitados de su genio artístico, una ficción que no tenía nada de insólito en la cultura literaria de su tiempo.

Si mi interpretación de la intención de *La Celestina* es

correcta. —y si creyera que no lo fuese, no me hubiera tomado el trabajo de escribir este libro—se ha de concluir que también lo es la solución que he propuesto en estas páginas para el problema de la autoría de la obra maestra de Fernando de Rojas.

III

El tema de *La Celestina* y la condición conversa de su autor

1. *Perfil socio-psicológico de Melibea.*[1] -En el capítulo I, apartado 3, hemos estudiado la evolución del concepto de la vergüenza femenina en la literatura anticortesana. Este estudio ha puesto al descubierto el carácter peculiar de esta evolución, condicionada como estaba por cambios sociohistóricos muy específicos. Sin embargo, entre el sentimiento de la vergüenza, en cuanto expresión de una realidad muy íntima de la persona, y el contorno social existen también interacciones que tienen un carácter más general. Las características socio-psicológicas de estas interacciones pueden enfocarse ahora desde una perspectiva más científica gracias al estudio magistral de Norbert Elias, *Uber den Prozess der Zivilisation*, al que ya nos hemos referido antes (V. nota 68 de la primera parte).

Las investigaciones sociogenéticas y psicogenéticas de Elias tienen su punto de arranque en el estudio histórico que el

[1] Presentamos en este capítulo una versión ampliada de nuestro artículo, "Nueva interpretación de *La Celestina*," publicado en *Segismundo*, XI (1975), 87–116. Agradecemos al Senor Luciano García Lorenzo, Director de esta revista, el permiso para reimprimir aquí partes de aquella publicación.

175

autor ha hecho del desarrollo de la cultura afectiva en la Europa occidental. En el primer tomo de su obra Elias discute los extensos materiales que le han brindado los manuales de reglas de urbanidad (*Manierenbucher*) desde el siglo XIII hasta el célebre libro de Erasmo, *De civilitate morum puerilium*, que se publicó en 1530 y del que aparecieron más de ciento treinta ediciones hasta el siglo XVIII. El estudio de estos manuales de urbanidad nos permite seguir las diferentes fases de una evolución a lo largo de la cual el hombre ha ido depurando y refinando los modos en que se relacionaba con su medio ambiente humano y social. Por ejemplo, en el siglo XVI era todavía costumbre sonarse las narices con la mano izquierda, sirviendo la derecha para llevarse los alimentos a la boca. Pero ya se introduce también en la clase burguesa de aquel tiempo el uso de sonarse con la manga. Sólo los muy ricos usan un pañuelo. De ahí la expresión francesa: *Il ne se mouche pas avec la manche*, para decir de alguien que es rico. Lo que nos revelan estas reglas de comportamiento urbano, afirma Elias, es la imposición de nuevos cánones de verecundia que limitan, que cohiben, cada vez más la natural desenvoltura que caracterizaba el trato social de las épocas anteriores. Norbert Elias considera los sentimientos de vergüenza, de embarazo y de culpa, que coaccionan al individuo a acatar esos cánones, como *instrumentales en el proceso psicogenético de condicionar la conducta social del hombre* dentro de la comunidad. Durante esta evolución se establece una separación cada vez más tajante entre aquella parte de la vida humana que puede ser mostrada en público y esa otra parte que debe permanecer secreta, íntima, muy especialmente todo lo relacionado con las funciones biológicas de la defecación y de la vida sexual. Con el progreso de la civilización, nos dice Elias, se levanta cada vez más alto el muro afectivo entre los cuerpos de los individuos.

La división progresiva y más particularizada entre lo públicamente admitido y lo públicamente prohibido afecta también decisivamente la constitución de la estructura psíquica del hombre. En el tomo segundo de su obra Elias demuestra cómo las prohibiciones y mandatos sancionados por la sociedad son interiorizados por el individuo como una autodisciplina. Es decir, el imperativo de refrenar los impulsos instintivos junto a la vergüenza sociogénica que los acompaña, terminan convirtiéndose en una auténtica costumbre, en una segunda naturaleza, de la que el indivuduo es tan poco consciente que incluso cuando está a solas queda sujeto a este control. Los sentimientos de culpabilidad y de vergüenza, tan importantes en la teoría de Elias, están fundados, en último análisis, en una doble ansiedad. Está en primer lugar el temor a una degradación social, a ser tenido en menos, por los que se conforman escrupulosamente a las reglas sociales. Pero el individuo tiene también conciencia de estar en conflicto consigo mismo, es decir, con el aparato autorregulador que determina sus relaciones con los demás. Según Elias, el miedo de transgredir las prohibiciones sociales asumirá tanto más el carácter de vergüenza cuanto más fuerte y diferenciada sea la coacción exterior que la sociedad impone a los individuos y que éstos, en la forma psicogenética descrita antes, transforman en autodisciplina.

Al aplicar ahora a las formas aristocráticas de la vida cortesana los resultados de las investigaciones anteriores, Norbert Elias llega a algunas conclusiones que nos ayudarán a enfocar mejor algunos problemas de *La Celestina* relacionados con el perfil socioliterario de Melibea.

La pacificación de la vida medieval (que en España se produjo más tarde que en los demás países europeos), la emergencia de nuevas clases sociales, la concentración de la población en centros urbanos, la multiplicación y mayor complejidad de las interacciones humanas dentro de un más denso tejido social, todas estas transformaciones sociohistóricas contribuyeron a causar entre los miembros de la clase aristocrática un sentimiento de inseguridad y de angustia: sentían amenazada la posición privilegiada que durante siglos habían gozado en la sociedad medieval. Estos cambios y las repercusiones que provocaron en el ánimo de los nobles constituyen, según Elias, los factores sociogénicos y psicogénicos que han obrado en la formación del estilo de vida cortesana. Para distinguirse socialmente de las clases burguesa y plebeya, y con el fin de marcar enfáticamente esta distancia social, los nobles van incorporando en su patrón de comportamiento una serie de automatismos (etiquetas, preceptos, modos de hablar, etc.) fuertemente cargados de afectividad y destinados a eliminar de su círculo vital lo bajo, lo inculto, lo vulgar, en suma, todo lo que huele a burgués o a plebeyo. Dentro de la sociedad aristocrática esta tendencia se halla intensificada por la tensa vigilancia, el mutuo control, que los cortesanos ejercen entre sí.

Contra este trasfondo de la vida cortesana definida por las investigaciones de Elias se destaca también el ideal del amor cortés. En las actitudes y en los rituales de los amadores cortesanos, la tendencia a singularizarse, el afán de apartarse de las formas bajas y vulgares del amor adquieren un máximo relieve. Es en estas experiencias esencialmente afectivas donde la honestidad y vergüenza de la doncella noble cobran un exquisito valor de prestigio social.

Las herramientas analíticas y conceptuales manejadas por Norbert Elias en sus investigaciones nos permiten evaluar con más rigor objetivo los postulados socio-psicológicos encerrados en la actitud de honestidad de Melibea. Hasta ahora la crítica celestinesca ha confundido las manifestaciones de esta actitud con los sentimientos sociogénicos que las condicionan, sin advertir que los sentimientos que generan esta actitud social pertenecen a un orden distinto. En otros términos, se han identificado la vergüenza y honestidad de Melibea con los sentimientos de culpabilidad, de vergüenza y embarazo, que han sido instrumentales para afincar esta actitud social en el subsuelo de la personalidad. Esta distinción, aunque parezca sutil, no deja de ser decisiva para demostrar que la honestidad de Melibea representa una actitud socialmente condicionada. No se la puede considerar de ningún modo como una expresión de la intimidad moral de su persona.

Después de estas aclaraciones quisiera ahora comenzar mi estudio de los componentes psicogenéticos y sociogenéticos que entran en la actitud de Melibea.

El soliloquio de Melibea al comienzo del Acto X nos revela lo que pasa en la intimidad más recóndita del ánimo de la doncella. Se arrepiente de no haber cedido el día antes a la petición de Celestina. Teme que Calisto "haya puesto sus ojos en amor de otra." Teme también la reacción de su criada Lucrecia cuando ésta descubra "la llaga" secreta de que sufre su noble ama: "¡O mi fiel criada Lucrecia! ...¡Cómo te espantarás del rompimiento de mi *honestidad e vergüença*, que siempre como *encerrada* donzella *acostumbré* tener! No sé si aurás barruntado de dónde procede mi dolor." (Subrayamos los términos clave).

Resulta, en efecto, que Lucrecia ha "barruntado" desde hace tiempo lo que Melibea ha querido disimular aun frente sí misma. Al final de la segunda visita de Celestina, cuando Melibea le confiesa su amor ("Catiuóme el amor de aquel cauallero") y le encomienda el secreto, Lucrecia dice -y, hecho significativo, estas palabras pertenecen a las interpolaciones de la edición de 1502, es decir, son fruto de una intención de precisar el pensamiento originario del autor de la *Comedia*- : "Señora, mucho antes de agora tengo sentida tu llaga e calado tu desseo. Hame fuertemente dolido tu perdición."

La percepción intuitiva de Lucrecia de la pasión secreta de su ama complementa así la íntima confesión que se hace Melibea de sus propios sentimientos. Citemos una vez más la queja que Fernando de Rojas pone en boca de su protagonista al final de este soliloquio:

¡O género femíneo, encogido e frágile! ¿Por qué no fué también a las hembras concedido poder descubrir su congoxoso e ardiente

179

amor, como a los varones? Que ni Calisto biuiera quexoso no yo penada.

Lo que se revela en este monólogo de Melibea, que precede inmediatamente a la visita de Celestina, es la verdad más auténtica e individual acerca de los amorosos anhelos que animan a la doncella. Al tomar conciencia de esta realidad interior, al confesársela a sí misma, Melibea está presa de una gran perplejidad: está en conflicto consigo misma o, en términos de la teoría de Elias, está en conflicto con el aparato autorregulador que determina sus relaciones con el medio ambiente social. En la soledad de su cuarto Melibea, toda estremecida, pero vencida por la fuerza de su pasión, ya está resuelta a transgredir las normas sociales cuyo imperativo, interiorizado en su persona como efecto de la educación y la costumbre, se hace sentir a través de los sentimientos de culpabilidad, de vergüenza y embarazo, que condicionan su honestidad. El foco de luz intensa que Fernando de Rojas ha vertido así sobre la realidad individual e íntima de Melibea, se apaga con la entrada de Celestina. Hasta aquí, y por especial privilegio otorgado por el creador de la obra, el lector-espectador ha sido testigo indiscreto de las perplejidades de Melibea: está plenamente enterado de una de las dos caras de la realidad que se representan en este Acto X. Es la cara más secreta, la que Melibea ni siquiera quiso descubrir a su fiel Lucrecia.

Ahora se levanta la cortina sobre lo que inevitablemente va a ser comedia. El lector-espectador sabe de antemano que Melibea se dejará caer *motu proprio* en la red que le tiene preparada la alcahueta. Melibea, retomando el control sobre sí misma, se compone la cara y vuelve a asumir la actitud de la doncella pudorosa y honesta. Entra Celestina convocada por Melibea misma para curar su "dolor de coraçón." Los tanteos cada vez más insistentes de la sabia "curandera" con los correspondientes fingimientos, rodeos y desmayo final de Melibea, marcan los hitos en el penoso procedimiento de neutralizar los controles psicogénicos de la honestidad de la noble doncella.

Este desmayo, pues, se explica según la teoría de Elias como una reacción psicogenética de Melibea. No hay necesidad de recurrir a ninguna explicación sobrenatural como lo hace Otis H. Green en un artículo suyo donde afirma que es el arte mágico de Celestina el que causa el desmayo de Melibea.[2] Al reponerse de su desmayo Melibea dice textualmente: "Quebróse mi honestidad, afloxó mi mucha vergüença." Estas palabras se refieren, no a la honestidad de Melibea propiamente dicha, sino a los efectos psicogénicos que condicionan el comportamiento social de la doncella noble. Esto quiere decir que la aguda visión psicológica de Fernando de Rojas le ha permitido captar intuitivamente una distinción importante, que en nuestro tiempo Norbert Elias ha establecido científicamente, entre la actitud de honestidad, en cuanto expresión estereotipada del alto rango social de la doncella noble, y los sentimientos de vergüenza, embarazo y culpa, que han sido instrumentales para convertir esta actitud en una autodisciplina que obedece espontáneamente, como dice Elias, a "una voz interior," estando fundada directamente en el Super-ego.

La razón por la cual me atrevo a poner esta tesis con tanta convicción es la posibilidad de confirmarla con datos muy explícitos que se hallan en un pasaje de la *Comedia Thebaida*. Los personajes principales de esta *Comedia* tienden a expresar en forma más completa y a veces más grandilocuente también ciertos estados de ánimo que sólo quedan someramente esbozados o sugeridos en la obra de Rojas. En la *Comedia Thebaida* el desmayo de la doncella noble, Cantaflua, se produce durante su primer encuentro amoroso con Berintho. Pero antes de desmayarse, Cantaflua formula en palabras exaltadas el conflicto desgarrador entre su honestidad y su deseo de rendirse a la fuerza de sus sentimientos amorosos. Como

---

[2] "The Artistic Originality of *La Celestina*," *Hispanic Review*, XXXIII (1965), 15–31.

Melibea, Cantaflua está en conflicto consigo misma y este conflicto alcanza un punto tan extremo que la doncella se desmaya. Cantaflua llama a su honestidad una "virtud de dignidad," que le "ha sido doméstica, muy familiar guarda, muy prudente compañía, y tan áspera y dura de domar que ella sola todo este tiempo ha estado litigando con la sensualidad" (p. 178). Al describir el momento supremo, cuando ya se ha decidido a silenciar aquella "voz interior," Cantaflua se refiere explícitamente a los dos aspectos que Norbert Elias ha definido en las manifestaciones de la vergüenza:

> Pero al presente el amor, que a nadie perdona, desterró a mi tan fiel secretaria y a mi doméstica amiga, y tan de súbito le hizo que se arredrase de mí, *que no tovo tiempo más de para me avisar que guardase mi honra*, pues el amor tan de hecho procurava mi total destruición.

Lo que se destaca, pues, en esta visión dual es la percepción de una voz interior, reveladora de un proceso psicogenético, la cual, antes de extinguirse, recomienda al Ego que conserve las apariencias de una actitud determinada por factores sociogenéticos.

No sólo en la realidad social sino también en la realidad psicológica, la mirada aguda de Fernando de Rojas ha descubierto elementos nuevos que se han incorporado luego al campo visual de artistas contemporáneos como el autor anónimo de la *Comedia Thebaida*. Vemos, pues, aquí como las imitaciones de *La Celestina* nos brindan un acopio de datos que nos ayudan a mejor entender la gran creación de Rojas.[3]

El carácter esencialmente exterior y estereotipado de la

---

[3] La tendencia, reforzada muy en especial por Gilman y, en grado menor, por Lida de Malkiel, a separar artificialmente *La Celestina* de sus continuaciones literarias ha dificultado notablemente, según creo, una apreciación objetiva no sólo de estas continuaciones sino también de la *Tragicomedia* misma de Rojas. Por otra parte, negarles a los contempóraneos de Rojas la capacidad suficiente para comprender la originalidad de su obra, atribuyendo implícitamente este don de penetración a los críticos del siglo XX, me parece también una afirmacion muy injustificada.

honestidad y vergüenza de Melibea explica también el alto grado de predictibilidad que tienen las reacciones de la protagonista para una alcahueta experimentada como Celestina. En muchos pasajes la tercera anuncia de antemano el curso exacto que va a seguir su empresa victoriosa: "Que, avnque esté braua Melibea, no es ésta, si á Dios ha plazido, la primera á quien yo he hecho perder el cacarear" (I, 137). En otro lugar dice que con el pretexto de vender hilado tiene "caçadas mas de treynta de su estado ... en este mundo é algunos mayores." Antes de ir a su primera visita ya tiene clasificada a Melibea como "una de estas que hieruen sin fuego," que se cautivan "del primer abraço, ruegan á quien rogó." La única diferencia para Celestina entre mujeres públicas y "las escondidas donzellas" nobles es que éstas últimas han de guardar el decoro debido a su rango social. Así se lo dice a Calisto después de volver de casa de Melibea en un pasaje del Acto VI, que ya hemos citado antes (I, 3). En el plano de las interacciones sociales, los medios de defensa de Melibea, cifrados en su honestidad y vergüenza, se hallan rebajados en La Celestina al mismo nivel explicativo que el en que se conciben los medios para vencerla. Melibea arde en el mismo fuego que Calisto. Su virginidad no es el principio moral que sustente la integridad de su persona, sino que es la prenda que a la vez simboliza y garantiza la salvaguardia de valores meramente exteriores y sociales. Como tal, esta prenda de la virginidad se prosifica, se reifica en La Celestina, hasta el punto de concebirse como un objeto mecánico que puede ser incluso reparado por las artes de una Celestina. Lucrecia, después de muertos Celestina, Sempronio y Pármeno, exclama: "Lo mejor, Calisto lo lleva. No hay quien ponga virgos, que ya es muerta Celestina" (II, 146).

2. La filosofía naturalista de Celestina. -Las estratagemas celestinescas apelan directamente a aquel impulso básico que es común a todos los seres humanos: la fuerza del instinto. Es esta psicología natural, o más bien "filosofía" de Celestina, con

su fundamento religioso-fatalista, la que irrumpe y la que triunfa en la esfera de vida aristocrático-cortesana de la *Tragicomedia*. Esta doctrina igualitaria,[4] anticortesana, no distingue entre enamorados aristocráticos y plebeyos. Para todos el amor es un fuego que consume, una espina intolerable que enloquece, una cadena que cautiva. Es la posesión carnal la que remedia todas estas penas y que, según dice Celestina a Calisto, cortará las cadenas "porque tú quedes suelto." La visión celestinesca del mundo, del amor y del hombre, vierte una claridad igual sobre toda la realidad humana y este foco de luz desnuda emana del sentido común. En toda la *Tragicomedia* no hay otro rasgo, según creo, que de manera más elocuente nos revele la tendencia anticortesana que corre, como cobertura de una intención aún más fundamental, por las páginas de este libro. Porque los preceptos, las posturas, los ritos y etiquetas del estilo de vida cortés tienen su origen en la voluntad de una minoría selecta de volverse de espaldas precisamente a los datos inmediatos que el sentido común señala como los imperativos ineludibles de la condición humana. El amador cortés ignora deliberadamente estos impulsos, porque los considera como estorbos indignos del alto anhelo espiritual al que sólo quiere atender en su experiencia amorosa. Por este acto deliberado de disciplina mental el amador cortesano se pone idealmente fuera y por encima de la realidad común, esta clase de realidad, precisamente, que es interpretable y manejable con el tipo de psicología realista que vemos en plena operación en *La Celestina*. La tendencia aludida aquí se manifiesta también en los aspectos secundarios de la obra. Repasémoslos brevemente.

---

[4] Entre los críticos que han señalado el pensamiento igualitario que serpentea por la obra de Fernando de Rojas, quiero mencionar muy especialmente a Julio Rodríquez Puértolas, "Nueva aproximación a *La Celestina*," ensayo recogido en su *De la Edad Media a la edad conflictiva*, Madrid, 1972, pp. 217–42.

El culto al ideal cortés, como un *modus vivendi* aristocrático, está despojado de su valor distintivo: toda la obra está impregnada de un sentimiento igualitario. Elicia y Areúsa comparan favorablemente su propia belleza a la de Melibea. Las parejas de criados usan el lenguaje del amor cortés. En una ocasión Sempronio, aludiendo a Elicia, dice: "Aquí está quien me causó algún tiempo andar fecho otro Calisto." La intención irónica manifiesta aquí, como en otros episodios, no resta importancia al fenómeno de desnivelación entre ambas esferas de vida, la aristocrática y la plebeya, que se manifiesta en la *Tragicomedia*.

Conviene mencionar también aquí la familiaridad con que Sempronio habla con Calisto. El diálogo del Acto I entre Calisto y Sempronio denota un tono vulgar de connivencia y casi de complicidad entre amo y criado. Parece existir entre ellos un fondo común de apreciaciones ante la mujer y el amor en que quedan borrados los valores socialmente distintivos del amor cortesano, destacándose la igualdad fundamental que los efectos del deseo amoroso provocan en todos los enamorados, sin distinguir entre plebeyos y aristócratas.

Entre los aspectos secundarios que ilustran la tendencia anticortesana de *La Celestina*, hagamos por último una breve mención del famoso episodio del cordón de Melibea (VI). Como es sabido, se trata aquí de un caso -se podría añadir, un caso clásico- de fetichismo amoroso; tan explícita es la situación y tan precisos son los términos que describen el fenómeno. Citemos aquí un comentario de Sempronio: "Señor, por holgar con el cordón, no querrás gozar de Melibea." Y otro comentario de Celestina:

> deues, señor, cessar tu razón, dar fin á tus luengas querellas, tratar al cordón como cordón, porque sepas fazer diferencia de fabla, quando con Melibea te veas: no haga tu lengua yguales la persona é el vestido.

Examinado desde el punto de vista del amor cortés, no cabe duda de que asistimos aquí a una desacralización, una profanación y caricatura de los rituales amorosos del amor cortés, ya que en la poesía amatoria el amador cortesano reverencia la cinta que le da su dama como prenda de su amor, con la misma devoción que si se tratara de una reliquia de santo. Tengamos presente también que los excesos de Calisto no se manifiestan en la intimidad solitaria de su cuarto, sino que son presenciados e interpretados por personajes que, a causa de su condición plebeya, quedan excluidos del círculo aristocrático de los cultivadores del amor cortés, esos "filósofos de Cupido," como les ha llamado despectivamente Sempronio en el Acto I, aunque en otra ocasión se llama a sí mismo "otro Calisto." El ataque, que se perfila muy netamente en este episodio, va dirigido directamente contra uno de los rituales del amor cortés.

A manera de conclusión a esta parte de mi análisis, quisiera insistir en lo que está a la vista de todos; el hecho de que los protagonistas cortesanos de la *Tragicomedia* están rodeados y penetrados por una esfera de vida no aristocrática, sino plebeya. Nos importa examinar este singular fenómeno desde el punto de vista de la realidad social de *La Celestina*.

3. *La oposición entre personajes aristocráticos y personajes plebeyos en "La Celestina"*. - Si dirigimos nuestra mirada hacia el mundo de *La Celestina* desde una óptica social, los personajes nos aparecen agrupados según su pertenencia a la clase aristocrática o la plebeya. Este nivel de la realidad social difiere del plano socio-religioso más abstracto en el que Celestina asume el papel diabólico de seductora de Melibea, tratando de hacer que la doncella deje el servicio de Dios para darse al del amor. Aquí Celestina es la aliada de Calisto, el amador cortés insincero, que -según vimos- "sirve al mundo" y no a Dios. Es esta definición del papel de la tercera la que siempre se ha tomado como punto de partida para estudiar las interacciones entre Celestina y los dos amantes aristocráticos. Pero ya desde este mismo punto de partida se ha producido una confusión que

luego ha repercutido en los juicios que los críticos han llegado a formular sobre este aspecto de la *Tragicomedia*. Porque al no advertir el trasfondo religioso (servicio del mundo y servicio divino) que configura la representación literaria del papel de la alcahueta, tampoco se han dado cuenta de que esta representación tiende a crear un ambiente en que las diferencias de condición social de los personajes quedan relegadas a un plano muy secundario. Esta visión parcial de *La Celestina* tiene el peligro de hacer perder de vista la oposición real que existe entre los personajes nobles y los plebeyos en la obra de Rojas. Es el amor el que pone en íntimo contacto estos dos mundos que, por otra parte, se hallan separados uno de otro por un abismo de diferencias sociales. Celestina y los criados son los emisarios del mundo plebeyo, un mundo refractario y hostil a los hábitos ritualistas, sintetizados en el código del amor cortés, que son acatados por los miembros de la clase noble con el fin de distinguirse socialmente de las clases inferiores de la sociedad. Mirado desde este ángulo de visión, el papel de la tercera y, en grado menor, el de los criados, consiste en introducir sus conceptos plebeyos sobre el amor y la mujer en la esfera de la vida aristocrática.

Los elementos principales de este enfrentamiento entre nobles y plebeyos ya estaban presentes en la cultura literaria del tiempo de Rojas. En otros escritos míos he estudiado este importante fenómeno. Se trata de una evolución muy rápida y sólo reflejada en algunos textos. Se manifiesta, sin embargo, con toda nitidez en el breve período que media entre el teatro profano de Encina y el de Lucas Fernández. Los pastores de Encina se someten a un aprendizaje del amor cortés bajo la dirección de un personaje "palanciano" en las Eglogas VII y VIII (*En requesta de unos amores*), ingresando así en el gremio selecto de los amadores cortesanos. Pero en el teatro de Lucas Fernández vemos cómo le son negadas al villano sus pretensiones de experimentar el sentimiento amoroso según el estilo aristocrático del amor cortés. En las Farsas de Lucas

Fernández hay una marcada tendencia a presentar el apetito sexual de los pastores (llamado "cachondiez") como un rasgo típico del amor villano que lo distingue del amor cortesano. El noble de Fernández monopoliza, pues, para sí solo la potencia ennoblecedora del amor que, en el teatro de Encina, obraba todavía indistintamente en rústicos y nobles. El valor casi religioso de un culto refinado que tenía aun el amor cortés en la obra de Encina, se ha transformado en la de Fernández en el medio expresivo de la distinción social con que el noble se opone al plebeyo. El amor cortesano es puesto así al servicio exclusivo de la clase, de la casta, de los aristócratas.[5]

Las Eglogas de Encina representan, pues, una fase muy aislada en el incipiente teatro español, una luz que se ha apagado casi inmediatamente. La concepción del amor que se manifiesta en el plano altamente idealista de su obra, desvinculado por entero de la realidad social, implica la solidaridad y la igualdad entre los amadores, sean nobles o pastores, porque todos son víctimas de la fuerza del amor. Lucas Fernández, en cambio, presenta en su teatro una realidad social en la que el amor cortés expresa un ideal de vida que es privativo del caballero noble, excluyendo de este culto al pastor rústico que sólo es capaz de sentir los gozos carnales de la pasión amorosa. Entre esta concepción del amor y el culto de la honra aristocrática en la Comedia del Siglo de oro existe un paralelismo evidente. Bajo este enfoque, *La Celestina* nos aparece como representante de una fase evolutiva decisiva durante la cual las pretensiones exclusivistas del ideal del amor cortés, como estilo de vida aristocrático, son desenmascaradas como pura hipocresía, desprestigiándose así el valor social distintivo de este ideal. Pero estas mismas pretensiones exclusivistas encuentran, para expresarse, en el culto de la honra aristocrática

---

[5] Cfr. van Beysterveldt, "Estudio comparativo del teatro profano de Lucas Fernández y el de Juan del Encina," o.c., pp. 180–1.

una nueva plataforma social, más firme sin duda que la que sostuvo el culto al ideal cortés, aunque igualmente expuesta a la mirada y a la lengua maldiciente del vulgo envidioso. Más adelante volveremos a discutir esta interesante evolución.

La oposición entre las clases sociales representa, por tanto, un tema que ya vemos desarrollado hasta cierto punto en los antecedentes literarios inmediatos de *La Celestina*. Pero aquí como en otros casos, el genio de Rojas se ha servido de los materiales de construcción que le brindó el momento histórico para crear una obra maestra, síntesis artística de una vida y una época.

4. *El tema de ''La Celestina''*. - Como es sabido, muchas veces es posible llegar a la definición del *tema* de una obra literaria mediante el proceso de quitar del argumento o *asunto* de la obra todos los elementos circunstanciales.[6] Pero este método no tiene siempre el resultado esperado. Wolfgang Kayser, en un libro suyo muy conocido,[7] nos da un caso ilustrativo de las dificultades a que me refiero aquí. En 1884 Alejandro Herculano, fundador del romanticismo portugués, publicó su famosa novela histórica *Eurico*. El asunto de esta novela era la destrucción del poderío visigodo ante la acometida de los moros. Pero en el prólogo, Herculano nos explica la génesis de su obra: ''De la idea del celibato religioso, de sus consecuencias forzosas y de los raros vestigios que de éstas hallé en las tradiciones monásticas, nació el presente libro.''

Según Kayser, el autor facilitó con esta idea la comprensión de la obra, porque indica ''la unidad de sentido, el centro espiritual del que todo depende'' en su novela. Si Herculano no hubiera revelado este problema que siempre le había preocupado, no conoceríamos el verdadero alcance de su novela.

Tengo motivos para creer que, si le hubiera sido posible a

---

6 Cfr. E. Correa Calderón y Lázaro Carreter, *Cómo se comenta un texto literario*, Salamanca, 1965.

7 *Interpretación y análisis de la obra literaria*, Madrid, 1958, cap. VII.

Fernando de Rojas confesar la verdadera génesis de su obra, el contenido de tal confesión revelaría la misma distancia sorprendente que la que se ve en la novela de Herculano entre el asunto y la intención inicial con que fue escrita toda la obra.

El asunto de la *Tragicomedia* puede resumirse más o menos de esta forma: es la historia trágica de amor de una pareja de amantes aristocráticos del siglo XV que, con el fin de realizar sus deseos, se apartaron del ideal de vida cortés para seguir el camino desastroso que les fue abierto y trazado por una alcahueta y que, por último, les llevó a la muerte.

Son tan brillantes las viñetas ilustrativas con que el incomparable genio literario de Fernando de Rojas ha aderezado este asunto, que elevan la realidad literaria de *La Celestina* a una altura de autonomía artística que forzosamente ha de quedar inasequible a los sondeos de los métodos discursivos de interpretación que nosotros usamos en nuestra aproximación a *La Celestina*. Pero dejando fuera de nuestro campo visual la belleza artística de la obra, es posible atisbar en el asunto una oposición entre la esfera de vida aristocrática y la plebeya. El autor de *La Celestina* nos muestra el acercamiento, el roce y la compenetración entre estos dos mundos que socialmente son tan distintos. Ahora bien, los datos arrojados por nuestro análisis previo nos permiten elevar el grado de abstracción de nuestra visión del asunto mediante la eliminación de la perspectiva social dentro de la cual se disuelve la tensión dinámica entre esos dos mundos. La palabra abstracta, circundada de complementos, que se impone para definir esta visión de *La Celestina*, es *asimilación*, y dando ahora un paso más, penetramos en el núcleo del tema fundamental con la palabra clave de *igualdad*. En su creación de la *Tragicomedia de Calisto y Melibea*, Fernando de Rojas ha dado una expresión artística a su visión de la idea de la igualdad como condición básica y comunitaria de todo el humano vivir. La embestida llevada a cabo en *La Celestina* contra los presupuestos básicos del estilo de vida cortés sirve, en último análisis, para demostrar que, en la experiencia del amor, la fuerza del ímpetu sexual derrumba las barreras artificiales entre los hombres, haciendo iguales a todos los enamorados, sean nobles o plebeyos. Recordemos el pasaje citado donde Celestina considera la honestidad de la doncella noble como el único principio diferenciador que la separa de las mujeres públicas. La figura de Celestina representa en la *Tragicomedia* la gran fuerza igualitaria que allana todos los obstáculos que las convenciones sociales interponen entre el deseo amoroso y su satisfacción en el acto carnal. Una vez establecida esta clara visión del principio igualitario incorporado principalmente en la figura de Celestina, vemos la presencia de este principio incluso en una de las más típicas actividades de su oficio que es la de poner virgos. Entre las cuatro "principales cosas que en los casamientos se demandan" de la doncella noble, dice Pleberio, la primera es "discreción, honestidad e virginidad" (II, 146). Al restituir a las imprudentes doncellas clandestinamente a su primer estado virginal, Celestina, circunviniendo los impedimentos causados por la pérdida de la virginidad, se rebela en el fondo contra la sociedad que había establecido este principio de desigualdad.

Pero lo que ocupa un lugar central en esta nueva interpretación de *La Celestina* es la tesis de que la acometida dirigida en nombre de las ineludibles leyes naturales contra los artificios socioculturales del amor cortés encubre, bajo el disfraz de la convención literaria, la preocupación vital del creador de la *Tragicomedia* sobre los imperativos sociales que tienden a anular arbitrariamente la igualdad entre los seres humanos. Según nuestra interpretación de *La Celestina*, pues, la condición conversa de Fernando de Rojas se halla en el núcleo mismo de toda la concepción de esta obra maestra.

Llegado a esta línea divisoria entre las dos fases de mi interpretación de *La Celestina*, debo confesar que he tardado mucho tiempo en discernir con toda claridad el nexo decisivo que enlaza la obra de Rojas con su situación vital de judío converso en la sociedad española del siglo XV. Con esto quiero decir ante todo que la visión de la realidad literaria de *La Celestina* que he expuesto en este capítulo no ha estado subordinada, en el orden cronológico de mis investigaciones, a la segunda fase de mi interpretación de la obra. El paso hacia la segunda parte de mi interpretación se afianza en una más firme base epistemológica que la que puede darnos la crítica literaria. Y lo que me ha permitido dar este paso decisivo es el importante libro de John Murray Cuddihy, *The Ordeal of Civility*, publicado en la serie de "Basic Books," New York, 1974.

El subtítulo de este libro indica el objeto de las investigaciones de Cuddihy: "Freud, Marx, Lévi-Strauss and the Jewish Struggle with Modernity." La originalidad del sorprendente estudio de Cuddihy consiste en haber mostrado cómo el judaísmo ("Jewishness") de estos tres hombres de ciencia ha condicionado la creación de sus grandes sistemas científicos en el campo de la psicología, de la economía y de la antropología. "Socio-cultural wounds, it is my hypothesis -afirma el autor (p. 160)- lie behind the ideological creation of the giants of the Jewish Diaspora." Para nuestro propósito podemos constreñir nuestra atención a la parte del libro -la más original y acertada, a nuestro juicio- en que Cuddihy examina la concepción de la teoría psicoanalítica de Freud.

Como punto de partida, Cuddihy toma la Emancipación judía que se inició en Alemania en 1812. A lo largo de este proceso de aculturación, el tipo vulgar e inculto del judío oriental debía asimilarse a la sociedad refinada y burguesa de los cristianos. Debía perder su "Jewishness" (carácter judío). Cuddihy llama "ordeal," es decir, prueba difícil (ordalías), a esta penosa lucha del judío oriental por incorporarse a la sociedad cristiana al precio de la pérdida de su identidad judía. Muchos judíos "pasaron" de esta manera a la sociedad de los "Gentiles." En la Alemania del siglo XIX nació así la imagen estereotipada del "parvenu" social judío, ridiculizado por los cristianos a causa de la frecuencia con que solía traicionar su origen racial y vulgar por medio de *lapsus linguae* y otros deslices. Lo que traslucía debajo de las apariencias urbanas del judío "asimilado" era la inconfundible esencia judaica de esos "parvenus," lo que Cuddihy llama "the unreconstructed *Yid*" (p. 23). Ahora bien, en su psicoanálisis Freud llega a convertir a este *Yid*, que se transparenta en las interacciones sociales entre judíos y cristianos, en el equivalente funcional del *Id* (término con que Freud indica el ímpetu de las fuerzas instintivas en el ser humano). En otras palabras, las ansiedades provocadas por el *Yid* inasimilable del judío inculto en su trato social con el cristiano más refinado son transformadas por Freud en una ciencia: "Social unease became mental dis-ease," afirma Cuddihy (p. 26).[8] Freud ha traducido sistemáticamente los problemas que dificultaban la asimilación social del judío oriental a la civilización refinada de la Europa occidental en términos de los problemas psicológicos que se manifiestan en el terreno de las relaciones sexuales, universalizando de esta forma los rasgos peculiares que caracterizaron el movimiento de la Emancipación del judío oriental, en la revelación del *Id* como una constante inherente a toda la psicología humana (p. 29). El *Id* era un principio igualador moral ("moral equalizer") que legitimizaba "científicamente" la igualdad social entre judíos y cristianos en la Europa occidental de la última parte del siglo XIX (p. 30).

En su teoría psicoanalítica, Freud desenmascara las formas sociales institucionalizadas que rodeaban a la mujer y al amor, como un disfraz hipócrita que cubría mal el crudo instinto natural que yacía debajo. Dice Cuddihy: "The whole

---

[8] El autor menciona en una nota haber adquirido la visión de esta idea en los libros de Erving Goffman. -Es interesante observar que el pensamiento de Gilman, que por tanta diversidad de senderos se ha esforzado en acercarse a la personalidad enigmática del autor de *La Celestina*, ha llegado a una visión algo parecida a la que Cuddihy formula aquí. Dice Gilman: "*La Celestina* may be taken to exemplify the rhetoric of social disease. Or, changing the prefix, we might more appropriately say social unease, the uneasiness of being a *converso* in fifteenth-century Spain." V. *The Spain of Fernando de Rojas*, Princeton, 1972, p. 391.

business of courtship and the sexual courtesies deriving from the feudal court are confronted, by Freud, with the 'reality' of an erect penis" (p. 23). Para Freud, como para Marx, el ideal del amor cortés no era sino una sublimación, una conversión forzada, del *Id* en actitudes y formas de compartamiento inspiradas por un deseo de auto-engaño. Tanto Freud como Marx, atacan el amor cortés: "It was so 'refined,' so 'spiritual,' so un-Jewish," dice Cuddihy (p. 72).

No nos cabe evaluar aquí el grado de credibilidad que los psicólogos atribuyen a la teoría de Cuddihy para explicar la génesis de todo el psicoanálisis de Segismundo Freud. Ellos lo dirán. Ni siquiera son absolutamente imprescindibles las formas explicativas de Cuddihy (aunque sí muy oportunas) para enfocar la realidad literaria de *La Celestina* desde una perspectiva freudiana. En esta realidad, mirada desde el punto de vista de la psicología freudiana, el creador, Fernando de Rojas, ocupa el lugar central del *Ego* situado entre el *Super-ego*, representado por las demandas de las convenciones sociales (amor cortés), por un lado y, por el otro, el *Id*, representado por la "filosofía" naturalista de Celestina. Como vimos más arriba, el ímpetu de las fuerzas instintivas (*Id*) arrolla todas las resistencias convencionales, cifradas principalmente en la honestidad y vergüenza de Melibea (*Super-ego*). El *Ego*, Fernando de Rojas, rechaza al *Super-ego* (la sociedad española de su tiempo) para confrontarse con la realidad desnuda del *Id*: "Where Id was, there shall Ego be."[9]

Frente a la moda aristocrática del amor cortés, Fernando de Rojas demuestra cínicamente que el irrefrenable ímpetu del instinto sexual impone su yugo igualitario en todos los moradores de *La Celestina*, revelando la fundamental igualdad humana ante el deseo amoroso. Las demostraciones de Cuddihy nos ayudan a ver con toda nitidez cómo en la génesis de *La Celestina* el principio igualador moral del instinto sexual

---

[9] Cfr. Cuddihy, p. 65.

fue concebido por Fernando de Rojas como un medio para expresar su resentimiento de judío converso contra la desigualdad social que se había introducido en la sociedad española del siglo XV entre los cristianos viejos y los cristianos de descendencia judaica.

Son pocos pero significativos los pasajes de la *Tragicomedia* que aluden de manera explícita a la idea de igualdad. En el último Acto Pleberio, dirigiéndose al amor, exclama: "Dulce nombre te dieron; amargos hechos hazes. No das yguales galardones. *Iniqua es la ley, que a todos yguales no es* (II, 210). Esta última frase repite una idea expresada por Calisto en el Acto XIV donde, hablando consigo mismo, dice: "¿No miras que la ley tiene de ser ygual a todos?"

Un poco antes en el mismo pasaje, Pleberio dice que, después de haber pasado en su juventud "por medio de tus brasas," ha podido huir del amor. Pero ahora el padre tiene que pagar esta huida del amor con la muerte de su hija. Dice Pleberio: "No pensé que tomauas en los hijos la venganza de los padres." Así como lo hace observar el anotador de esta edición: "esta doctrina es judía y nada cristiana."[10] En efecto, estas ideas sobre la injusticia social que sufrieron los conversos en la sociedad española hasta bien entrado el siglo XVII, las vemos repetidas, en la misma forma, en numerosos textos literarios e históricos a lo largo de aquel inmenso lapso de tiempo.

He reservado para el final un pasaje de *La Celestina* que me parece brindar poderoso interés. Está en el Acto XIV donde empieza la extensa parte interpolada de la edición de 1502.

Calisto se halla solo en la predilecta soledad de su cuarto. Su pensamiento se ha parado largo tiempo a ponderar la desgracia que le ha ocurrido con la muerte violenta de

---

[10] Me permito hacer notar a los editores de la prestigiosa serie de "Clásicos Castellanos" la gran falta que hace una nueva edición de *La Celestina*. Los comentarios de Cejador y Frauca, por sus patéticas exageraciones tanto como por sus omisiones, ya han perdido todo contacto con el tono y el estado actual de la crítica en torno a la gran obra de Rojas.

Sempronio y Pármeno. Pero ahora le entra de nuevo la impaciencia de verse cuanto antes en el "deleytoso huerto" con su amada. Se dirige al reloj que con lentitud tan contraria a su deseo va marcando el paso del tiempo:

> ¡O espacioso relox, avn te vea yo arder en biuo fuego de amor! Que si tú esperasses lo que yo, quando des doze, jamás estarías arrendado a la voluntad del maestro que te compuso ... ¿Pero qué es lo que demando? ¿Qué pido, loco, sin sufrimiento? Lo que jamás fué ni puede ser. No aprenden *los cursos naturales* a rodearse sin orden, que a todos es vn *ygual* curso, a todos vn *mesmo* espacio para muerte y vida, un limitado término a los secretos mouimientos del alto firmamento celestial de los planetas, y norte de los crescimientos e mengua de la menstrua luna. Todo se rige con *vn freno ygual*, todo se mueue con *igual espuela*: cielo, tierra, mar, fuego, viento, calor, frío. ¿Qué me aprouecha a mí que dé doze horas el relox de hierro, *si no las ha dado el del cielo?* (II, 128)

Es hermosa la forma de este pasaje y profundo su sentido. El movimiento armónico de las esferas, orquestado por un orden supremo, que Calisto evoca aquí en tono casi nostálgico, contrasta con la idea expresada en el Prólogo de la *Tragicomedia* en las palabras de Heráclito: *Omnia secundum litem fiunt*, y más adelante en la cita de Petrarca en que se insiste en esta contienda que preside "los cursos naturales": "los aduersos elementos unos con otros rompen pelea, tremen las tierras, ondean los mares, el ayre se sacude, suenan las llamas, los vientos entre sí traen perpetua guerra" (I, 17).

No son del todo inconciliables las dos caras de esta visión de la naturaleza. Pero su mismo contraste nos revela cuán subordinada estaba en la sensibilidad de Rojas su percepción del universo de las cosas a su visión, o más bien, su obsesión con el mundo de los hombres. Porque las efusiones de Calisto sobre el equilibrio armonioso entre los elementos de la naturaleza evocan implícitamente el fondo contrastante del acontecer humano dominado por el desorden, la desigualdad, en suma, la contienda. Aquí tenemos, pues, el punto de coincidencia fundamental entre este pasaje y el Prólogo.

El "espacioso relox," humanizado un momento en la febril impaciencia de Calisto, representa simbólicamente el mundo de los hombres, el mundo en que vivió Fernando de Rojas, *arrendado a la voluntad* de los que detentaban el poder. La realidad humana, la que rodeó la vida de Rojas, fue moldeada por la voluntad arbitraria de esos poderosos. Frente a este mundo, producto del capricho humano, surge luego la visión del universo de la naturaleza. En esta visión el orden de los cursos naturales se halla condicionado por el principio de la *igualdad*. Los hombres pueden manipular a su gusto los elementos de la realidad, hacer adelantar y, sobre todo, retardar el paso de las horas en su "relox de hierro," *si no las ha dado el del cielo*, es decir, si esta realidad humana no se modela de acuerdo con el principio inconmovible del orden, condicionado por la igualdad, no habrá armonía, concordia ni paz entre los hombres: seguirán sus contiendas.

El famoso pasaje con "el relox de hierro," que la crítica celestinesca suele considerar como uno de los más enigmáticos de toda la *Tragicomedia*, es el que contiene la expresión más directa y más explícita de la intención de Rojas. Mi definición del tema de *La Celestina* ofrece la clave para descifrar el sentido auténtico de este pasaje.

El propósito de explorar el tema de *La Celestina* me impuso la necesidad de separar artificialmente el plano ideológico del plano artístico de la obra. Pero la luz que se ha hecho en este plano ideológico penetra también en los arcanos ocultos de la conciencia artística de Rojas, iluminando el secreto sendero de sus angustias, frustraciones y resentimientos, por el que ha subido hacia las alturas de su creación artística. En ella ha sido completa la sublimación de su propio vivir problemático. Por la vía redentora del arte, abierta sólo a ese gremio privilegiado de los *happy few*, Fernando de Rojas, como más tarde Garcilaso "El Inca," Cervantes, Freud y otros prodigios de la historia del arte o la ciencia, ha logrado superar espléndidamente las limitaciones de su propia "circunstancia." Esta es la conclusión final a la que nos lleva, en última instancia, la interpretación de toda auténtica obra de arte.

IV

Amos y criados

La *Celestina* es una obra polifacética cuya luminosidad artística y humana se refracta en varios planos gracias a las múltiples ópticas desde las cuales el autor ha descrito la realidad compleja de su mundo imaginario. Mirado desde la óptica de las representaciones literarias estereotipadas de la tradición cancioneril, el personaje de la tercera, según vimos, parece desempeñar el papel diabólico de tentadora de Melibea. Desde esta óptica religiosa Celestina aparece como una figura intermediaria entre los dos personajes aristocráticos. Pero en el contexto de la realidad social de la *Tragicomedia* Celestina pertenece netamente, junto con los criados y las "muchachas," al mundo plebeyo que se opone a la clase aristocrática representada por Melibea, sus padres y por Calisto. El presente libro ha contribuido, según confío, a elaborar el instrumental analítico necesario para distinguir y elucidar estos dos aspectos primordiales de *La Celestina*.

En este último capítulo me propongo estudiar un tercer plano de interés aún mayor que los dos anteriores. Es el que se despliega a nuestra vista cuando enfocamos la realidad literaria de la *Tragicomedia* desde la óptica de la convivencia entre amos y criados.

Una de la características del nuevo género literario creado por Fernando de Rojas y continuado en la extensa literatura celestinesca es que en ella se encuentran puestos en íntimo contacto amos nobles con criados plebeyos. Lida de Malkiel en su gran empresa encaminada a enlazar la *Tragicomedia* con la comedia grecorromana, la comedia elegíaca y la humanística, afirma que Rojas ha acogido, como inevitable herencia de las comedias de Terencio y Plauto, la figura del criado, pero que, en vez de desarrollar esta figura según el modelo del *seruus fallax* de la comedia romana, ha ajustado su pintura con arreglo a una concepción más moderna y también más original del papel y la función del criado. "En *La Celestina* los criados no son meros instrumentos del héroe, sino personajes autónomos, atentamente individualizados," dice la autora (p. 620). El esquema explicativo que ella aplica a este estrato primordial del mundo celestinesco está en estrecha conjunción con su visión de la personalidad y del papel de Calisto. Lo que distingue a Calisto, según su modo de ver, es la debilidad moral de su carácter, "el bajo tono vital" (p. 357), una falta de confianza en sí mismo que "le entrega inerme a sus servidores" (p. 356). Para Lida de Malkiel, Calisto es un personaje egoísta e introspectivo que vive "fuera de la realidad," "fuera de la moral" y " fuera de la sociedad."[1] Su exaltación, su pasión egocéntrica y su ensimismamiento lo enajenan de la realidad externa. Constantemente recurre a sus criados para solicitarles consejo y aprobación en medio de su propia incertidumbre. Los sirvientes son para Calisto, dice Lida de Malkiel, "sus instrumentos para afirmarse en la realidad" (p. 348). Al incorporar todos estos rasgos en la personalidad de Calisto, los autores de *La Celestina* han logrado sustituir los aspectos altamente convencionales y arbitrarios que, en la comedia roma-

---

[1] Son los títulos que encabezan los tres apartados que la autora dedica a la descripción de estos aspectos del carácter de Calisto (pp. 347–54).

na, caracterizaban las relaciones entre amo y siriventes, por una situación rigurosamente motivada (p. 357). Según la autora, el comportamiento peculiar del protagonista noble justifica en *La Celestina* la presencia y actuación de los sirvientes, dando más verosimilitud a las interacciones entre amo y criados.

Con su habitual perspicacia Lida de Malkiel ha discernido los elementos procedentes de la tradición cortesana que se han integrado en la construcción literaria del personaje de Calisto. Pero en vez de contrabalancear cuidadosamente estos elementos tradicionales con los rasgos individuales añadidos por Rojas, la autora tiende netamente a explicar las manifestaciones del amador cortesano en *La Celestina* en términos de peculiaridades psicológicas propias de la personalidad de Calisto. El tono vital bajo, la exaltación, el egocentrismo, la inacción y el ensimismamiento del protagonista, que son todas características del amador cancioneril, cobran en la interpretación de Lida de Malkiel el valor de unos rasgos particulares que complementan la "bien dibujada individualidad" (p. 369) del amante de Melibea. Si para nosotros Calisto es descendiente de Esplandián y, como tal, portador insincero de la tradición cortesana, en cambio, para Lida de Malkiel, Calisto es ante todo una creación singular del ingenio de Rojas, un personaje único, altamente individualizado, cuyo amor "está empapado de literatura" (p. 373). Al presentar esta última característica como otro rasgo más que define la personalidad compleja de Calisto, la autora desvincula al personaje de sus antecedentes literarios inmediatos, acentuando su perfil individual y, en un sentido más amplio, la unicidad de toda la obra de Rojas, creación al fin y al cabo aislada en medio del panorama literario de la época y cuyo verdadero alcance no ha sido comprendido por los contemporáneos de Rojas.

Según el pensamiento de Lida de Malkiel, Fernando de Rojas ha encauzado su visión del mundo y del hombre en las formas de la cultura literaria anterior, especialmente de la comedia humanística. Uno de los presupuestos básicos de la gran tarea investigadora de Lida de Malkiel ha sido la idea de que era posible separar netamente la originalidad artística de la *Tragicomedia* de los demás aspectos innovadores de la obra. Pero es una idea errónea, según creo. En el fondo se trata de uno de los problemas fundamentales de la epistemología del arte: la relación entre forma y contenido. La pretensión de *La originalidad artística de "La Celestina"* no ha sido la de ofrecer una clave interpretativa de la obra, sino la de ser, como lo afirma la autora en su Conclusión, "un comentario: no la panacea a que naturalmente tiende el ansia simplificadora del lector ingenuo." Hagamos constar, sin embargo, que en aquellas partes de su magna obra -y son más numerosas de lo que parece a primera vista- donde la autora nos propone una interpretación de la realidad literaria de *La Celestina*, se perfila una línea divisoria entre forma y contenido. La autora se detiene a examinar cada una de estas entidades, pasando de una a otra, como si de hecho fueran separables. Llevada por esta tendencia ella ha llegado a proponer una lectura subjetiva de *La Celestina*, más a tono con la sensibilidad moderna que con los modos de receptividad y comprensión que aportaron los coétaneos de Rojas a su lectura de la gran obra. A este respecto es muy ilustrativo el contraste que establece en su libro entre los dos personajes nobles, Calisto y Melibea. Ya vimos que define al primero como un ser débil, introvertido, exaltado, etc.. En cambio, Melibea se distingue por su fuerza vital "frente al ensueño ensimismado y literario de Calisto" (p. 371). "Melibea, en contraste con el exhibicionismo de Calisto, atiende solícita al secreto de sus amores" (p. 407). Insiste la autora en el fuerte arraigo social de la doncella que contrasta con el aislamiento y el egoísmo de Calisto. A la pasión de éste último, ya entera e inmutable desde el comienzo, se opone el amor de Melibea que "evoluciona desde el violento rechazo hasta la unión en la muerte voluntaria" (p. 418). En esta doncella Rojas ha querido pintar, afirma Lida de Malkiel, "una figura llena de vida y turbiamente agitada por su pasión" (p.

421). Por eso la considera como un personaje más complejo que Calisto (p. 418).

Se podría extender la lista de los rasgos individuales que la autora ha recogido en su lectura de *La Celestina* para componer la fisionomía psicológica y moral que nos propone de los dos amantes aristocráticos, de sus estados de ánimo y de las diferencias temperamentales y de carácter que les distinguen uno de otro. El intento subjectivo de sus análisis, encaminados a ilustrar su visión de *La Celestina* como una obra original y única que se ha adelantado a las grandes novelas realistas del siglo XIX, se revela en los frecuentes incisos tales como: "Rojas se propuso pintar ...," "Al ideal artístico de Rojas repugnaba representar la justicia poética en su geométrico funcionamiento ..." (p. 233), "El interpolador ha mantenido hábilmente esta ceguera moral de Calisto ..." (p. 350), "Por eso, no conmueve gran cosa ver a Calisto expoliado por tercera y sirvientes ..." (p. 351), "Rojas se ha propuesto contrastar sus [i.e. de Calisto y Melibea] dos modalidades básicas ..." (p. 371), "sería indigno de Rojas reducirse a trazar la seducción de una niña incauta e irresponsable." (p. 419). Y otros muchos.

Aunque reconociendo las más veces la procedencia cancioneril de los rasgos y elementos que han entrado en la constitución literaria de los personajes de Melibea y Calisto, Lida de Malkiel tiende a despojar estas formas literarias de su contenido significativo para integrarlas en el cuadro interpretativo que luego superpone a la realidad literaria de la *La Celestina*.

Ahora bien, con las nuevas ideas y puntos de vista que hemos ido desarrollando en las páginas de este libro, creo que es posible proyectar una perspectiva sobre el mundo celestinesco desde la cual los mismos materiales literarios señalados por Lida de Malkiel en su obra pueden aparecer como insertados, como trozos de cerámica de distintos colores, en un mosaico que ha guardado más fielmente el dibujo original de la obra maestra de Rojas. Bajo tal enfoque las diferencias entre Calisto y Melibea parecen reflejar los cambios que se han producido en la nueva concepción de la mujer y del amor en el transcurso del movimiento anticortesano. El mayor apego de Melibea a su condición social, su arraigo en el medio ambiente familiar, su honestidad y el recelo de la honra de su casa no son rasgos definitorios de la individualidad de su persona, sino más bien efectos de los hábitos sociales impuestos en la conducta de la doncella noble por los nuevos imperativos que surgieron en el ámbito socioliterario de la época. Nos referimos a los fenómenos estudiados en el primer Capítulo de esta segunda parte, muy especialmente en los apartados 2 y 3, donde examino los cambios ocurridos en la actitud de la dama ingrata y cruel, y el retorno a una concepción del amor carnal, fenómenos que a su vez han tenido un impacto en el sentimiento de la vergüenza y el recato femeninos. Por otra parte, el bajo tono vital, la inercia, la falta de sentido de la realidad de Calisto son todas características típicas del amador cancioneril. Los contrastes entre los dos amantes nobles, señalados por Lida de Malkiel, cobran indudablemente mucho relieve en la *Tragicomedia*, pero no pueden ponerse a cuenta de la creatividad artística de Rojas. Ya existían en la cultura literaria de la época. Al negar que hubiera modelos preexistentes para los personajes de Melibea y Calisto, como lo hace en la página 432 de su libro, Lida de Malkiel ha dejado de aquilatar correctamente a este respecto la originalidad del creador de *La Celestina*.[2]

Ni las lejanas resonancias de la comedia grecorromana ni siquiera las influencias de la comedia elegíaca y la humanística que una minoría erudita entre los primeros lectores de *La Celestina* pudiera haber percibido en la obra eran sin duda lo suficientemente fuertes como para aminorar el asombro que los lectores de comienzos del siglo XVI deben de haber expe-

---

[2] "Varias muestras del bajo tono vital de Calisto tienden a estereotiparse" en las imitaciones de *La Celestina*, afirma Malkiel (p. 394), sin advertirse que el punto de partida para este rasgo estereotipado no se halla en Calisto, sino en los amadores cancioneriles.

rimentado ante el carácter radicalmente innovador del nuevo tipo de literatura inaugurado por Fernando de Rojas. El aspecto de esta nueva literatura que produjo mayor impronta en la sensibilidad literaria de la época era indudablemente la convivencia y la interacción entre personajes aristocráticos y personajes plebeyos. No había nada en la cultura vernácula del cuatrocientos castellano, de tendencias esencialmente aristocráticas, cortesanas e idealistas, que hubiera preparado la mentalidad literaria del público para un cambio tan radical. Pero hay más. Debemos tener en cuenta también otros cambios que han modificado numérica y cualitativamente a aquel mismo público, considerando no sólo que la aparición de *La Celestina* coincide con un momento de enorme expansión cultural posibilitada por la imprenta, sino también que el tono realista junto al fuerte sabor popular del nuevo género literario debe de haber atraído o quizás creado una nueva clase de aficionados literarios. Parece seductora la idea de que la aparición de este nuevo público, postulada por el carácter popular mismo del nuevo género dramático, marca una fase decisiva en la formación de aquella multitud de lectores, oyentes y espectadores que va a representar en la vida literaria del Siglo de oro esa modalidad tan típica del público español: el vulgo. Lo que Fernando de Rojas ofrecía a estos nuevos adeptos de la literatura era la visión de una realidad en la que los personajes aristocráticos alternaban con personajes plebeyos en relaciones de interdependencia, pero con el fiel de la balanza claramente inclinado hacia el lado plebeyo. Mirado desde esta óptica, el aislamiento de Calisto tanto como el de todos los demás amantes de la literatura celestinesca aparece bajo una luz distinta.

En la literatura celestinesca el amo noble está "incomunicado," viviendo como en un vacío aristocrático, fuera de la compañía de parientes y amigos de su propia clase. Sus palabras, sus actos, sus exaltaciones de amador cortesano, sólo tienen por testigos a personajes de condición plebeya. Ellos son sus compañeros constantes, sus aliados interesados, sus consejeros cínicos, sus cómplices, sus jueces. Sin ellos, no puede hacer nada, ni siquiera aventurar un solo paso fuera de su casa. Así nos los describe el criado Escalion en la *Comedia Selvagia* cuando, refiriéndose a los caballeros nobles, dice de ellos: "siempre, aunque estén sanos, con muletas, que son los criados, los quales, si les faltan, en casa han de estar encerrados" (Cena I, Acto V, p. 232).

Si bien lo miramos, el "héro calistéen" es, en el fondo, siervo, víctima, preso, no del dios Amor, sino de sus criados. Ellos se aprovechan materialmente de su amo, pero lo que es más, infinitamente más, los sirvientes se ceban en el espectáculo que con ingenuo exhibicionismo, señalado pero no comprendido por Lida de Malkiel, el amo noble les brinda de sus exaltaciones, de sus lamentos impotentes y de sus gestos torcidos. Entre los múltiples aspectos que atestiguan la originalidad de la *Tragicomedia* hay que contar este estrato del mundo celestinesco donde se hace visible la intención de su creador de exponer cínicamente la moda aristocrática del culto cortés, en cuanto estilo de vida y de amor exclusivista de los nobles, a la mirada, la admiración, la risa y el escarnio del vulgo malicioso. Sin embargo, hay que advertir que la vida social de la época ya contenía en potencia los elementos pertinentes que Rojas ha llevado a su plena maduración en esta parodia del amador cancioneril. Esto se evidencia en un escrito del Doctor Villalobos, coetáneo de Fernando de Rojas, converso como él y además, probablemente, oriundo también de la región de Toledo.

Es un tratado sobre el amor puesto por Villalobos al final de su *Anfitrion*, que es la traducción de una comedia de Plauto. El tratado va dirigido contra el amor cortés, "esta enfermedad de los cortesanos," como lo llama el autor en su último Capítulo (BAE, Tomo 36, p. 493). Villalobos exhorta a los mancebos a dejar el servicio del amor para darse al servicio de Dios. Aunque distingue entre el amor bueno y el malo, el autor -cayendo en una contradicción que es común encontrar en los moralistas de la época- termina afirmando que todo amor humano es malo porque aparta a la criatura de Dios. A pesar de esta severidad ascética, el autor se muestra buen conocedor de los síntomas y manifestaciones de esa "enfermedad de los cortesanos." En el Cap. VII habla del amador atormentado por los celos y las penas de amor en estos términos:

> Allí son los sospiros arrancados de las profundas entrañas ... Allí son los arroyos de lágrimas que revierten por encima de las presas ... allí es el torcer del cuerpo y el apretar de los pechos, allí es el enclavijar de las manos y ponerlas á la rodilla, allí los gemidos al cielo con los ojos puestos en blanco, allí son las desordenadas vueltas y locos meneos de rostro y de manos, allí se aborrece la gente y se busca la soledad, allí van y vienen los pajes y las espías y nunca se acaban los mensajes. (p. 490)

Pero el pasaje que encierra en embrión el tema desarrollado por Rojas en la parte de su obra que estamos discutiendo, se halla en el Cap. VI que lleva este título: "Cómo el amador es loco de atar." La pasión amorosa lleva al mancebo enamorado a la alienación, dice aquí el tratadista. Esta alienación por amor es una forma de locura. Pero a diferencia de los locos de verdad, los enamorados no quieren sanar de su locura, "y con todo esto, ha venido en costumbre de la gente que á los otros desvariados llaman locos, et á estos no, sino galanes" (p. 489). Y sigue el pasaje clave:

> Tiene un bien esta locura, que hace sus locos tan mansos y tan bien condicionados, que osarás sin miedo llegarte á ellos, y aun á las veces holgarás y hallarás pasatiempo en tratar y hablar con ellos, y en ver los gestos y falsos visages que están haciendo, mayormente si aciertan los amores en un portugués músico muy querelloso y pobre, ó en otros hombres sin cualidad graciosos, en verdad que te andes todo el dia sin comer tras ellos.

El texto indica que los enamorados aludidos aquí no son de condición noble. Aunque las señales de esta locura de amor ofrecen pábulo a la risa de la gente, los sentimientos de estos amantes pueden ser sinceros, admite el autor. Pero estas

206

mismas señales, con los efectos que provocan en el vulgo, no dejan sin duda de darse también en el amador insincero. Lo interesante es que a continuación, cuando Villalobos habla de estos "amores fingidos," los asocia, ya no con unos hombres sin cualidad, sino con los "grandes señores," como muestra el pasaje que sigue:

> Mas de los fingidos otra cosa sentimos; que ya hemos visto algunos grandes señores que *toman los amores por su pasatiempo*, y para disimular con ellos los grandes negocios que andan urdiendo, sábenlo tan bien hacer, que quien los viere jurara que están dentro; mas yo aviso á sus amigas que se guarden dellos, porque vienen á ellas en vestiduras de corderos, y ellos son lobos robadores. (p. 489)

Las palabras subrayadas por nosotros en la cita recuerdan directamente lo que se ha dicho en la primera parte, SABIDURIA, 8 & 9, acerca del desplazamiento de la actividad depredatoria del guerrero hacia el terreno del amor, desplazamiento que se produjo en las últimas décadas del cuatrocientos cuando el amor, como lo afirma Maravall, llegó a ser una especie de deporte practicado por la nueva clase de los ricos ennoblecidos, a la que pertenece Calisto.

Pero el especial interés que tiene este tratado de Villalobos para nuestra nueva visión sobre amos y criados en la literatura celestinesca estriba en el testimonio que se nos brinda aquí de que la vida real de la época le puede haber dado a Rojas el modelo del amante cortesano cuyos arrobamientos amorosos, nutridos de reminiscencias literarias de la cultura cancioneril, provocaban la burla y la risa de los que presenciaban el espectáculo de tales transportes, muy en especial de aquellos que no estaban familiarizados con esta cultura literaria o que no la tomaban en serio. De estos elementos, ya configurados en una situación más o menos estereotipada en la vida social del tiempo, el autor de *La Celestina* se ha servido para crear una situación dramática, parecida a aquélla, pero que bajo la comicidad de sus apariencias exteriores ocultaba una intención muy distinta.

Al descontar los breves soliloquios de Calisto y Melibea, el lamento de Pleberio, la conversación de éste con Alisa y los encuentros entre los amantes nobles, pasajes que en su conjunto no llegan a formar los quince por ciento en todo el volumen narrativo de *La Celestina*, vemos como los protagonistas nobles se revelan a nosotros a través de sus interacciones con los personajes plebeyos y por medio de los comentarios que éstos expresan sobre aquéllos durante sus reuniones y tertulias en casa de Celestina. Estos comentarios, aireados en un ambiente más idóneo para la intimidad y confianza, nos aclaran de manera más extensa y articulada las reacciones que los mismos personajes manifiestan en forma más abreviada, mediante el aparte, al presenciar los desvaríos amorosos de Calisto o los titubeos evasivos de la pudorosa Melibea. Pero lo que todos tienen presente, lo que está grabado en su imaginación, es el retrato del amador, postrado en el estrado de su cuarto, enajenado, indolente y a la vez poseso de una pasión rabiosa que le hace delirar. Quizás la mayor originalidad de *La Celestina* consiste en la nueva estampa literaria que nos ha dado Rojas de esta imagen del amador cortés percibida por los ojos del vulgo.

Como bajo el foco de una lente potente esta estampa queda agrandada y aun más netamente dibujada en la *Comedia Thebaida*. Aquí Berintho, el amo noble, yace en su cama como un enfermo en trance de muerte. Arrodillados en el estrado delante de su cama, se hallan sus criados. Durante horas enteras escuchan los lamentos de su señor, los vituperios que lanza contra la fuerza del amor y las disquisiciones que hace de sus estados de ánimo. Se espantan ante el espectáculo de estos efectos enloquecedores del amor. Pasan las horas. Berintho, en su delirio, se olvida de su presencia. Llama por ellos:

¿Estás ahí, Menedemo?
MEN.- ¿Cómo, señor? Preguntas si estoy aquí? Has visto que desde la una -y son ya las seis- Galterio y yo estamos hincados de rodillas en el estrado y delante de ti, sin nos apartar ni te dexar un

punto, que parece que estamos clavados o tomados con yeso, ¿ y preguntas ahora si estoy aquí? ¿ Y cómo no nos ves? (785–91)

Tales escenas abundan en la *Comedia Thebaida*. Es como la representación de un drama muy privado e íntimo que sólo puede ser presenciado por los familiares de la casa. Y aun entre ellos existe cierta diferencia de rango que hace que sólo unos pocos, los de más confianza, gocen el privilegio de ser testigos de los secretos dolores de su señor.

Una innovación con respecto a *La Celestina* es la introducción de la figura de Menedemo. Este sirve a Berintho en calidad de consejero-filósofo y de confidente. Forma parte, junto a Simaco, Galterio y Aminthas, el cual aunque sirviente es también pariente de Berintho, del círculo más íntimo de criados en torno al amo noble. Los demás mozos y pajes de la casa se hallan más alejados de su amo, no compartiendo la misma confianza que los primeros. En la Cena primera, Menedemo se excusa ante su amo de hablar en tono bajo: "hablo paso porque no me entiendan los moços que están a la puerta de sala." Cuando Galterio, sin duda en el mismo tono bajo, le dice a Menedemo que se acerque más a la cama, Berintho pregunta:

¿Qué dizes, Galterio, que Dios te vala?
GAL.- Digo, señor, a Menedemo que se acerque un poco a la cama, porque es bien que estas cosas sean secretas y no vengan en noticia del vulgo.

Simaco, que ha estado presente a esta conversación, dice en un aparte:

Trasquílenme en consejo y no lo sepan en mi casa. Sobre que en todos cuantos corrillos de gentes hay en la ciudad no se habla en otra cosa, y hasta las moças en las fuentes no dizen no entienden sino en cómo Berintho está loco por amores de Cantaflua, está ahora Galterio haziendo del ladrón fiel, con grandes disimulaciones haziéndole creer que aún su locura no se sabe ni está publicada, porque veáis en qué mundo bivimos. (281–88)

Vemos, pues, como a pesar de las medidas de precaución

209

que Berintho observa aún para con sus propios sirvientes, el asunto de sus amores ya es conocido en la ciudad. Pero no sólo la vida de los aristócratas, sino también la de los personajes plebeyos puede ser objeto de las murmuraciones de la gente: "pero un rurrú anda por esa ciudad de ti. No sé de qué: tu lo sabrás," dice Franquila a Galterio en la Cena III (1327–28).

La omnipresencia del vulgo y su temible poder que en *La Celestina* sólo se dejan adivinar tras el comportamiento cauteloso de los amantes, de la alcahueta y de los criados, van cobrando cada vez más relieve en las imitaciones. En la *Segunda Celestina* de Feliciano de Silva, cuya primera edición conocida es de 1534, ciertos aspectos de este poder aparecen personificados en unas figuras que por toda designación tienen los nombres genéricos de PUEBLO y VECINAS.

Los personajes de la *Thebaida* discuten y tienen en cuenta lo que de ellos se va divulgando por la opinión pública. En la Cena primera, Menedemo dice a Berintho:

> Pero he temido el peligro de tu vida, creyendo que antes que llegase el consuelo haviés con tanto fatigarte de dar causa que lo que el pueblo pronostica se cumpliesse.
> BER.- ¿Cómo? ¿El vulgo tiene memoria de mi mal?
> MEN.-Todos a una voz dizen que no tienes por qué penar ni de qué te quexar de Cantaflua. Y aun afirman que te sería la vida apartarte d'estos amores y procurar de olvidar. (674–81)

En la Cena VII, Claudia le dice a Franquila con referencia al estado incierto del amor entre Berintho y Cantaflua: "las cosas están el día de hoy en mayor perturbación que nunca estovieren. Quién lo causa no lo sé: diversos son los juicios del vulgo." (3122–25)

En la literatura celestinesca los sirvientes, la tercera y los demás personajes plebeyos reflejan el menosprecio y la hostilidad del vulgo hacia el culto aristocrático del amor cortés. La acción dramática gira alrededor de un núcleo que siempre es el mismo: la inercia y la falta de sentido de la realidad del amo noble enajenado por la locura de su amor, se hallan contrastadas por el sentido común, el cinismo y las actividades interesadas de los criados. Ellos forman el eslabón indispensable entre el cuarto en donde queda recluido el amador cortés, extendido en su cama o estrado, y el mundo exterior. Y ellos trazan con los recursos de su inventiva plebeya el camino que ha de llevar finalmente al amo noble, inhábil para la acción, a la última satisfacción de sus deseos amorosos. Estamos en un mundo regido por la filosofía naturalista de una Celestina, en el cual no tienen ninguna eficacia las normas e ideales de los amantes cortesanos. Es un mundo gobernado, en el fondo, por las leyes del vulgo. Mirado desde una óptica aristocrática, no deja de haber algo profundamente humillante en esa promiscuidad entre amos nobles y criados plebeyos, y en las manipulaciones de éstos encaminadas a someter al noble a una suerte de aprendizaje de una nueva *ars amandi* plebeya.

Un episodio que se inserta en la materia narrativa de la *Segunda Celestina* consiste precisamente en los esfuerzos del criado Pandulfo por demostrar que el estilo de amar de su amo Felides es totalmente ineficaz, ya que las mujeres no entienden las sutilezas y refinamientos del lenguaje cortesano. Tras oír un canto al estilo cancioneril que Felides ha compuesto para Polandria, la dama de su corazón, exclama Pandulfo:

> Por el corpus damni, esto hace a estos caballeros jamás alcanzar mujer; que todo el tiempo se les va en elevaciones. Encomiendo al diablo la cosa, que las mujeres entienden destas filosofías, ni se les da por ellas una paja; por mi fe que creo, que por ellas se dice que hablar claro Dios lo dijo.[3]

Resulta, en efecto, que ni Polandria ni Poncia, su criada y confidente, comprenden los conceptos sutiles usados por Felides en una carta de amor que ha enviado a su señora. Ama y criada se ríen del lenguaje elevado del amor cortés empleado en la carta. Cuando Pandulfo se entera por boca de Quincia, amiga suya y criada de Polandria, como las dos mujeres se han

---

[3] Feliciano de Silva, *Segunda Comedia de Celestina*, ed. María Inés Chamorro Fernández, Madrid, 1968, p. 139.

burlado de "las retóricas" de su amo, decide componer el mismo otra carta, escrita con las razones claras de su "filosofía natural," la cual hace entregar a Polandria en nombre de Felides. Aunque la misiva no tiene el efecto esperado por Pandulfo, todo este episodio ilustra muy a las claras la importancia dada en la narración de la *Segunda Celestina* al tipo de aprendizaje amoroso a que aludimos antes.

La razón por la cual nosotros incluimos la *Comedia Ypólita* y la *Comedia Serafina* en la literatura celestinesca es precisamente que ambas comedias y sobre todo la *Serafina* nos ofrecen esa promiscua convivencia entre amos nobles y sirvientes plebeyos. Es esta característica la que nos revela su afiliación directa con la literatura celestinesca. Este rasgo forma, por tanto, un criterio mucho más certero a este respecto que los que han aplicado a estas obras Lida de Malkiel y, en fecha más reciente, G. Dille. [4] La importancia que tiene la *Serafina* (1521) para el tema que estamos discutiendo en el presente Capítulo radica en las formas caricaturescas que toma en esta Comedia la imitación de sus dos grandes modelos: *La Celestina* y la *Thebaida*. El mismo tono serio y nostálgico de la *Comedia Thebaida* resuena en las reflexiones elevadas y moralizantes sobre el amor a las que se entregan en la Cena primera Cratino (que es otro Menedemo), Popilia (criada), Evandro (el amo enamorado, mezcla de Calisto y Berintho), Davo (criado) y Pinardo (criado). Pero resulta que estos largos comentarios edificantes, inspirados por los preceptos de la más pura doctrina ascético-cristiana, no tienen ninguna eficacia desde el

---

[4] Véase el artículo de Glen F. Dille, "The *Comedia Serafina* and Its Relationship to *La Celestina*," *Celestinesca*, I, no 2 (1977), 15–20. Según Dille, la figura de Artemia en la *Serafina* presenta varios rasgos celestinescos. Además, los episodios escabrosos con Artemia y Pinardo, afirma este crítico, contienen indicios de que el autor ha tenido presente la escena de *La Celestina* donde Pármeno recuerda como dormía, cuando niño, en la cama con Celestina: "E algunas vezes, avnque era niño, me subías a la cabeçera e me apretauas contigo, e porque olías a vieja, me fuya de ti."

momento en que se inicia la acción dramática. Al contrario, lo que apunta en el resto de la obra es el intento de parodiar cínicamente la preceptiva religiosa tanto como la idealista del amor cortés. Es muy ilustrativo a este respecto el pasaje siguiente. En la Cena V Pinardo, tras sus proezas sexuales con Artemia y la criada Violante, se pone de camino a casa de su amo. Reflexiona sobre la facilidad con que estas mujeres "honestas" se han rendido a su "amor" y exclama:

> ¡O amor, amor, y quán sutil y delicada es el aguja con que labras! ¡O y quán prima es la vira con que hieres; o cómo es invisible a la vista humana! ¡ O cómo tu ponçona no se siente hasta que tiene hecha impresión en las entrañas![5]

Notemos que las alusiones obscenas en este pasaje deben su efecto cómico y paródico al uso del lenguaje elevado y retórico con que el mismo Pinardo y los demás personajes han expresado, en la Cena I, sus ideas sobre el amor mundano y el amor divino.

El espectáculo de las interacciones entre amo y criados, aportación innovadora de Fernando de Rojas a la cultura socio-literaria de su tiempo, se despliega en la realidad dramática de la *Serafina* bajo las formas exageradas de una verdadera caricatura. En la figura de Evandro se exacerban paródicamente los rasgos del amador cortés, su inercia, su exaltación y, más que nada, su estado de absoluta dependencia con respecto a sus criados. El verdadero protagonista de esta Comedia es Pinardo. Gracias a la intervención atrevida y eficaz de este criado putañero se neutraliza la vigilancia con que Artemia pretende defender la virtud de Serafina. El mismo criado, con su cómplice Violante, lleva a Evandro, amador tímido y completamente inhábil para la acción, hasta la puerta del dormitorio de Serafina, encomendándole que se muestre discípulo digno de tal maestro:

---

[5] *La Comedia llamada Serafina*, ed. Glen F. Dille, Southern Illinois University Press, 1979, p. 54.

Este, señor, es el aposento de Serafina. Ya ella sabe que estás aquí. Deves entrarte, que yo y Violante aquí nos quedamos por ver si son bravos los toros, y miraremos asimismo si es verdad lo que se dize, que de cosario a cosario no se pueden ganar salvo los barriles. (p. 64)[6]

En la escena que sigue los dos criados presencian, en efecto, el encuentro entre los dos amantes. Es a través de sus comentarios desenfadados como el lector-oyente visualiza el progreso de los avances amorosos de Evandro que terminan culminando en la consumación del acto sexual.

La representación de la interacción entre amo y criados en la *Serafina* nos muestra, en su misma exageración caricaturesca, hasta qué punto este estrato, demarcado por la sensibilidad socioliteraria de la época en el mundo de *La Celestina*, iba cobrando vida independiente bajo la pluma de los literatos coetáneos de Fernando de Rojas, infinitamente inferiores a él en cuanto a su capacidad creadora y artística, pero capaces, por haber compartido el campo existencial de Rojas, de compartir espontáneamente el mensaje social más destacado de la nueva obra. Los conceptos filosóficos que Merleau-Ponty, R. C. Kwant y otros han elaborado para la sociología del conocimiento han aclarado el proceso de este tipo de alumbramiento colectivo en el cual el surgimiento de una visión de la realidad, como la que se expresa en *La Celestina*, siempre coincide con el momento en que los medios para comprenderla han madurado simultáneamente dentro de la comunidad histórica en la

---

6 En la *Comedia Florinea* (1554), Nueva Biblioteca de Autores Espanoles, Tomo III, Gracilia, prostituta, usa este refrán en presencia de Liberia, hija de la alcahueta Marcelia, en una versión distinta: "que de cosario a cosario no ay más auentura de en las vasijas." Contesta Liberia: "A la fe, prima, esse original en el texto de la ley Celestínica está estampado, y aun son palabras que dixo la vieja hablando con Areusa." Luego la muchacha hace reparo en que Gracilia no acierta con la forma correcta del refrán tal como la ha usado Celestina en aquella conversación con Areusa: "Pues de cossario á cossario no se pierden sino los barriles" (p. 262). Esta breve "exégesis literaria" nos revela lo compenetrados que estaban los continuadores de *La Celestina* con la forma y el contendido de su gran modelo.

que esta visión se articula por primera vez. Sobre la base de estos presupuestos epistemológicos me propongo examinar la nueva visión de Rojas en el contexto de estos "medios" que el espíritu del tiempo facilitó a los contemporáneos de Rojas para comprender su obra.

* * *

En las páginas que preceden he tratado de definir la óptica desde la cual los lectores de la primera mitad del siglo XVI deben de haber visualizado las relaciones entre amos y criados y deben haber interpretado el sentido de esa situación dramática que con tanta frecuencia e insistencia se presentaba en las obras celestinescas. Sin embargo, para la comprensión del verdadero sentido de este aspecto primordial de la realidad literaria en aquellas obras es imprescindible que se tome en cuenta el lazo sociológico que existe entre la obra literaria y el público al que va dirigida. Sin querer entrar en las famosas discusiones en torno a la definición problemática del género literario de *La Celestina*, hagamos constar que toda la literatura celestinesca presenta, por su forma de diálogo, una característica esencial del género teatral. Los personajes se nos revelan de una manera directa e inmediata, sin la interposición de un narrador. Wolfgang Kayser hace notar que en el arte dramático la palabra conduce directamente a la acción: " ...la palabra se desencadena, provoca algo que no existía hasta ahora." Insiste el autor también en la forma directa con que el acontecimiento se presenta y es vivido por los personajes. Y concluye: "el mundo dramático es más espiritual, más *normativo* que el épico."[7]

¿Cuál era el trasfondo social que el público lector-oyente

---

[7] W. Kayser, *Interpretación y Análisis de la obra literaria.* Versión española de Moutony Yebra, Madrid, 1954, p. 589.

mezcló a su percepción del mundo normativo de los dramas celestinescos? ¿Habrá visto en Calisto "al hombre inhábil para la acción," como lo retrata Lida de Malkiel en la página 360 y en otros muchos pasajes de su libro? Creo que no. Yo creo que aquellos primeros lectores de la *Tragicomedia* han visto a Calisto no como a un hombre inhábil, sino más bien *inhabilitado* para la acción. Calisto, como se indicó antes, es un Esplandián *manqué*. Es la réplica literaria de los nuevos ricos ennoblecidos, de los que habla Maravall, a quienes desde la segunda mitad del siglo XV el vulgo iba identificando cada vez más con la clase social de los conversos. Lo que caracterizó a los representantes de esta nueva clase social era su ociosidad, y no una ociosidad voluntaria, sino forzada.

El mundo celestinesco, en su sentido más amplio, es un mundo marginado, replegado sobre sí mismo, desligado de la sociedad y de la vida histórica, poblado con figuras que encarnan estas mismas características; que se asoman a unas ventanas, transitan por unas calles desiertas, se reúnen a una mesa. El foco de su atención e interés está concentrado en el espectáculo de los delirios amorosos de un mancebo noble y enamorado. Toda la acción se reduce a llevar a este loco enamorado al tálamo de la capa tendida sobre la hierba del jardín nocturno, donde sus transportes y sus ansias amorosas encuentran por fin alivio y descanso entre los brazos de la doncella noble. Los escenarios de la realidad celestinesca se presentan constituidos por un mínimo de datos circunstanciales. Es una realidad que ha quedado muda y sorda ante el dilatado horizonte que el momento histórico abrió a Castilla, brindando a los hombres de la época nuevas y grandiosas empresas en que emplear sus ansias de acción frenética, su ímpetu bélico y aventurero. Dice Américo Castro:

Fué la expansión territorial de los españoles algo como una novela o un drama en que los personajes vivieran y murieran efectivamente, sin más finalidad que la de consumirse e expresarse en la tensión del propio existir. Ya es simbólico que los extremos de la dominación española en América posean nombres sacados de libros de caballerías: California, de *Las Sergas de Esplandián*; Patagonia, del *Primaleón*. (o.c., pp. 564–65)

Muy atinadamente observa Castro que las hazañas de un Cortés, de un Pizarro y otros muchos grandes conquistadores hicieron palidecer las proezas ficticias realizadas por los caballeros del *Amadís*.

Pero un Calisto, un Berintho, un Felides, toda esa multitud de "héroes" celestinescos, viven como ajenos y vueltos de espaldas a esta realidad trepidante de la época. ¿Cómo, nos preguntamos, cómo pudo ser que un Calisto, heredero directo de Esplandián, no hallara cabida en la vida de acción de su tiempo? Yo creo que la respuesta a esta pregunta puede expresarse en términos aclaratorios que den cuenta tanto de la realidad literaria como de la auténtica realidad social de la época. En aquella vertiente típicamente masculina, que recuerda la esfera de acción caballeresca en el *Amadís* primitivo, se hubieran dado Calistos si no se hubiese alzado un Esplandián que les hubiera cerrado el camino, reservando la ejecución de las nuevas tareas históricas de Castilla, formuladas en términos de la misión sagrada de los Reyes Católicos, sólo para los que eran de sangre limpia. La historia del linaje de Amadís-Esplandián-Calisto nos enseña cómo la herencia de Amadís queda desnaturalizada en la figura de Esplandián y cómo la herencia esplandianesca, a su vez, se adultera en la figura de Calisto. Lo que se ha conservado en el perfil socio-psicológico del héroe calistiano es la impetuosidad del nuevo caballero cristiano, cuyo modelo había ido elaborándose en los tratados histórico-políticos de los letrados, para encontrar al fin su consagración novelesca en el Libro V del *Amadís*. Lo que distingue al protagonista celestinesco de aquel nuevo caballero cristiano-godo es, según vimos, el hecho de que el primero pone su ardimiento al servicio del amor y no de Dios, como lo hace el segundo. Pero hay todavía otra distinción más: el héroe calistiano lleva oculta en sus venas la mácula infame de la sangre judía. Es esta falta de limpieza la que le ha inhabilitado para la participación en la vida activa y para el desempeño de un puesto honorífico en la "Iglesia, Mar o Casa Real," condenándole a la inercia, a una vida recluida entre las paredes de su casa, sin parientes ni amigos, sólo acompañado de sus criados.

En esta situación, dramatizada a lo largo de toda la literatura celestinesca, no me cabe duda de que tenemos una fiel réplica literaria de la convivencia bajo un mismo techo de conversos nobles con sirvientes cristianos viejos, convivencia que con toda nitidez ya se perfila en la famosa Letra XXXI de Pulgar (discutida en SABIDURIA, 8) y en un pasaje de *Los problemas de Villalobos* (Ibidem, nota 53). Allí estos dos autores conversos airean, el primero con mordiente sarcasmo, el segundo con humor negro, la indignación que les causa el orgullo cristiano viejo de sus criados que pretenden no querer casarse con las propias hijas de sus amos nobles. Como ya se indicó, en estas reacciones, sobre todo en la de Pulgar, apunta algo como una impresión de extrañeza e incredulidad ante estos síntomas de una inaudita inversión de valores, anunciadora fatídica de la emergencia de un mundo nuevo, en el que la torpe presuntuosidad de un plebeyo se atreviera a enfrentarse a la nobleza para poner en tela de juicio, en nombre del principio de la limpieza de sangre, los valores tradicionales consagrados en la vieja estructura jerárquica de la sociedad. Es sin duda con paso acelerado como han ido articulándose cada vez más insistentemente estas pretensiones del vulgo en su trato con los miembros de la extensa clase media nobiliaria, que es la que comprendía crecido número de conversos.[8] En efecto, precisamente en el paso de una sola generación de conversos a otra, de la de Pulgar a la de Fernando de Rojas, debe de

---

[8] Antonio Domínguez Ortiz, *La clase social de los conversos en Castilla en la Edad Moderna*, publicado en las Monografías histórico-sociales, III, del Instituto Balmes de Sociología, Departamento de Historia Social, Madrid, 1955, p. 179.

218

haberse culminado en la vida social ese rápido movimiento ascendente del vulgo, que sin duda ha alterado profundamente el patrón tradicional de las relaciones entre amos nobles y criados plebeyos. Pero en la nueva era que se inició con el establecimiento de la Inquisición, conversos como Rojas, Feliciano de Silva y sin duda también el autor anónimo de la *Thebaida* ya no pudieron denunciar el progreso de esta evolución anárquica con la misma audacia con que, sólo unos años atrás, un Fernando del Pulgar había señalado sardónicamente su puesta en marcha. Ahora bien, la situación que mejor sintetiza la esencia misma de la nueva literatura celestinesca consiste en el despliegue dramático de las manifestaciones de irreverencia, familiaridad, complicidad y hasta de condescendencia y escarnio con que los servidores plebeyos hacen muestra de su sentimiento de superioridad con respecto al amo noble y del ascendiente que ejercen sobre la persona de este último. Lo que no hallamos en la literatura celestinesca es un fondo explicativo de datos que justifiquen tal preponderancia plebeya. Sin embargo, el ascendiente que el criado ejerce sobre su amo debe tener por imprescindible correlato el poder de trastrocar el orden normal de las relaciones entre amo y criados, de hacer presión o, por decirlo más claramente, de hacer chantaje.

Muchas y muy diversas eran sin duda las ocasiones que los nuevos ricos ennoblecidos, de que habla Maravall, pudieron dar en tiempo de la Inquisición para causar la sospecha, la maledicencia y la mala fe de los que vivían bajo el mismo techo con ellos. Su misma ociosidad podía dar pábulo a las murmuraciones acerca de la falta, supuesta o real, de la limpieza de su sangre. Sea con el objeto de probar su limpieza o bien encubrir la falta de ella, era frecuente que el noble de aquella época recurriera a todo género de subterfugios, tales como la falsificación de genealogías, el comprar testimonios de testigos falsos o torcer el curso de las investigaciones acerca de su limpieza. En mayor o menor grado los sirvientes de la casa debían conocer el secreto de este tipo de manipulaciones sigilosas. Ellos también presenciaban en la intimidad del hogar las protestas, las quejas y las manifestaciones de ira impotente con que el amo noble daba ahogo a su desesperación y resentimiento ante el ostracismo social que le hacía prisionero en su propia casa. Ellos o, al menos, los más fiados entre ellos, eran sin duda testigos de los momentos de peligro extremo cuando el noble se entregaba a la práctica secreta de la religión de sus antepasados judíos, una práctica que muchas veces ya se había convertido en un culto esotérico cuyos ritos se enlazaban sólo remotamente con las formas ortodoxas de la antigua religión hebraica. Reiteradas veces, en los escritos de Pulgar, de Valera y hasta en la misma *Comedia Thebaida*, vemos dirigido a esta clase de cristianos nuevos el severo reproche de no ser judíos ni cristianos, ya que son ignorantes de las prácticas ortodoxas de una y otra religión.[9]

Dentro de la atmófera de la época, henchida de los recelos de la limpieza de sangre, las diferencias en el linaje de Polandria y el de Felides en la *Segunda Celestina* sólo pueden explicarse por la condición conversa de Felides. En la Cena

---

[9] En el *Libro del Alboraique*, que apareció hacia 1490, estos conversos son llamados despectivamente "alboraiques" o "alboraicos," queriendo decir que ni son cristianos ni judíos. (Cfr. Caro Baroja, Tomo I, pp. 274–75). A este rasgo, comúnmente atribuido a los conversos, alude también Menedemo en la última Cena de la *Thedaida* al hablar del "judaico pueblo" que porfía "en su pertinacia." Y exclama: "¡O gente mísera, o ciega! ¡O, *cómo dizen que creen en Moisén, sin entender palabra de lo qu'el varón santo escrivió, ni menos de lo que prophetaron los varones del Viejo Testamento!*

GAL.- ¿Pues qué te pena a ti que los quemen? Mueran y bivamos, y con salud los acompañamos hasta do sabes.
MEN.- ¡O que son próximos! ¡O que los quiso mucho Dios! ¡O que la caridad es madre de las virtudes! Déxame, déxame que quiero llorar su duelo.
GAL.- Pues no te acuites, que no serán todos malos, que harto mal sería. ...
MEN.- ¿Todos malos? ¡Bueno luego andarié el mundo! No, por cierto, ni Dios lo quiera... Pero lo de lo qu'he duelo es de la gente en común, *que sin saber palabra ni sin haver leído letra* de su misma ley están obstinados en el mal. (8458–77. -Subrayamos)

XXVI, Poncia describe a este último como "rico y de muy buen linaje." Concede que su riqueza pudiera suplir la falta de ella en la familia de Polandria. A pesar de esto, los parientes de la doncella nunca permitirían, dice Poncia, que ella se casara con Felides. Pero Polandria, ya enamorada del mancebo noble, no puede ni quiere renunciar a su amor. Decide proseguir secretamente las relaciones entabladas entre los dos. Dice a Poncia: "y así lo entiendo hacer y con todo secreto, porque si mis parientes lo supiesen, ponerme han donde no pudiese tener libertad." (p. 322). Indudablemente la doncella alude aquí a algún lugar aislado, un monasterio o una casa de campo, adonde sus parientes pudieran llevarla para apartarla de toda comunicación con el mancebo noble y rico pero cuya condición conversa, conocida en la ciudad, pudiera causar la infamia de la familia si la hija se casara con él.

Mucho más enigmática que la identidad social de Felides es la de Berintho en la *Thebaida*. La "Rasura" o resumen del argumento de esta Comedia reza así:

> Don Berintho, cavallero mancebo y dotado de toda disciplina así militar como literaria, fue hijo del Duque de Thebas. Y conmovido de exercitar la fuerça de sus varoniles miembros, y la fortaleza de su ánimo, y la prudencia de que estava asaz instruto, así de su natural como adquisita mediante la doctrina de preceptores, vino en la Spañas *con propósito de servir al rey* que al presente la monarchía del mundo govierna, después de haver andado peregrinando por otros reinos de diversas naciones.

Sin embargo, en plena contradicción con estos detalles biográficos (el más importante lo hemos subrayado en el texto), la persona y el comportamiento de Berintho no difieren en nada del patrón estereotipado de los amadores celestinescos: es amante quejumbroso, hombre "inhábil para la acción," alienado de la realidad, carente de recursos y, por ello, necesitado de la asistencia e inventividad de sus sirvientes. Entre éstos y el amo noble existen las mismas relaciones de familiaridad etc. que se han señalado más arriba.

La *Thebaida* es la única Comedia que formula en términos

221

explícitos una importante característica que es común encontrar en toda la literatura celestinesca, a saber, que las relaciones de proximidad entre amos nobles y personajes plebeyos son ocasionadas por el amor. En la Cena IV, Franquila escucha, embelesada, las efusiones líricas de Berintho. Ojalá, exclama, que este hombre pudiera estar libre de las congojas que le atormentan continuamente, entonces "no havríe en el mundo otro pasatiempo salvo conversar con él. A lo que contesta Simaco:

> Engañados estáis todos. Y si él estoviesse en su seso, ¿ havié de comunicar con vosotros? ¡ Bien librado estaría! ... En el tiempo que lo tuviste por cuerdo, ¿ oíadesle essas cosas de que al presente tanto os estáis holgando? No, por cierto: que allá en su estudio se retraía y comunicava con algunos hombres de sciencia, y aun yo sé que no se pagava de todos. Y vosostros, ¿ por qué calláis? ¿No es esta la verdad?
> MEN.- No hay dubda, Simaco está en lo cierto. (1871–87)

El elemento de juicio que nos importa destacar aquí es el que nos revela que Berintho, en lo que se refiere a su estancia en España, siempre había vivido muy apartado de aquel "exercitar la fuerça de sus varoniles miembros, y la fortaleza de su ánimo" en el servicio del Rey. Enamorado o no, y más aún cuando no lo estaba, vivía, recluido entre las paredes de su casa, la existencia aislada que era típica de la clase de los nuevos ricos ennoblecidos de cuya vida lánguida no conoceríamos la historia si no fuera por la relación que de ella nos ofrece la literatura celestinesca.

Pero en la Cena XIV hay otro pasaje que ilumina, aunque con luz confusa, los antecedentes biográficos de Berintho. Discurre aquí Menedemo sobre el tema de la nobleza mundana. Sigue de cerca las ideas que Diego de Valera ya había expuesto en su *Espejo de verdadera nobleza*, apartándose, sin embargo, de este escrito en un punto muy importante. En la cuarta cuestión del Cap. IX de su tratado (que probablemente es de 1441), Valera sostenía que los judíos de linaje noble conservaban esta nobleza al convertirse a la fe católica. En cambio, Menedemo constata, no sin tristeza, que la perdieron (7658–62). Y prosigue: "assí ha ido rodando el mundo: unos principiando nobleza, otros perdiendo la que otros havían ganado, otros recobrando la que estaba perdida." Estos comentarios fatalistas de su sirviente parecen evocar reminiscencias dolorosas en la mente de Berintho. Dice Menedemo:

> Y aun diga Berintho, que se le están saltando las lágrimas, de la manera que sus antecessores poblaron la ciudad de Thebas, y en cuánta gloria, y en cuánta prosperidad, y en cuán sublimado estado se vieron. Pero el discurso del tiempo a nadie perdona, y como las cosas grandes no puedan estar mucho tiempo en un ser, ¡ con cuántos incendios, con cuántas devastaciones la destruyeron por suelo! Ley a Estacio, y verás si tiene Berintho razón de estimarse en mucho. Pero no por esso dexa de ser peregrino en las agenas naciones. (7695–7704)

Contrariamente a lo que se nos dice en la "Rasura," resulta ahora que la estancia de Berintho en España es más bien un destierro. En estos primeros decenios del siglo XVI, cuando todavía era muy vivo el recuerdo de la expulsión de los judíos, la figura de Berintho debe de haberse asociado en la mente del público con la imagen del judío en su diáspora por países extraños. Por otra parte, su presencia en el país, su adaptación aparentemente completa al medio ambiente y a las formas de vida aristocrática de Castilla y, por último, la persecución de la aventura amorosa como único empleo de su tiempo y energía, son todos rasgos que hacen de Berintho la contrafigura del judío desterrado, creándose por esta vía invertida la impresión ineludible de que es de condición conversa. Ahora bien, esta impresión queda subrayada cuando nos fijamos en la atmósfera de extrema cautela que rodea las largas negociaciones que se han entablado entre los dos amantes nobles por intervención de Franquila. No es alcahueta Franquila, sino que presta desinteresadamente sus servicios de intermediaria como persona estimada digna de confianza por ambos protagonistas. En contraste con los demás personajes, a quienes les causa extrañeza que haya tanta tardanza en la conclusión de estos amores, ya que todos saben que Cantaflua está tan enamorada de Berintho como él lo está de ella, Franquila está mejor informada que nadie de los obstáculos que parecen dificultar la unión de los amantes. Pero ni siquiera ella conoce todo el secreto de estas interminables negociaciones en las que van también implicados otros personajes vagamente aludidos en la Comedia. Así se lo dice a Aminthas:

> y aun por más me declarar ... te digo que ha más de tres años que intervengo entre ellos ... que aún tengo por entender lo que los unos dizen y lo que los otros responden. Ni menos aún tengo conoscido lo que los unos desean ni lo que los otros quieren, salvo de cada parte he visto mil géneros de cautelas, mil maneras de asechanças, y tantos modos nuevos de negociar que, si no hoviesse sido por el amor que tengo a Cantaflua, sé que mill vezes havría dado de mano a la negociación. (2709–20)

Es a regañadientes que los parientes cercanos de Cantaflua terminan dando su consentimiento a la alianza matrimonial entre los dos protagonistas. Es la firmeza de Cantaflua, ya unida a Berintho en matrimonio secreto, y sobre todo son las manifestaciones públicas de alegría por parte del amante victorioso, que viste a sus sirvientes con nuevas y ricas libreas,[10] las que señalan a los parientes de Cantaflua la

---

[10] Esta peligrosa inclinación a dar señales públicas de su pasión triunfante es un rasgo que Berintho comparte con otros amantes en la literatura celestinesca. En *Lisandro y Roselia*, Cena I, Acto III, Oligides, criado de Lisandro, advierte a su amo que Beliseno, hermano de Roselia, ha concebido sospechas porque se ha enterado, dice Oligides, "que fasta hoy dia la [i.e. a Roselia] sirves y festejas con mil juegos de canas, y justas, y pomposos atavíos en tu persona y diversas libreas en tus sirvientes, en las cuales siembras letras de tu pasion, bordadas y chapadas las ropas todas del nombre de la dama; que aún en los paramentos de los caballos y en la cimera del yelmo huelgas de escribir su nombre." (p. 146)

En la *Comedia Florinea*, Scena XV, Marcelia alude a este tipo de homenajes, dedicados por Floriano a Belisea, al decir a Justina: "las justas, musicas y aun los toros de oy creo yo que por ella mueren." Recelosa de su fama y temiendo que su presencia pudiera dar pábulo a las murmuraciones del vulgo, Belisea se niega a ir a los toros.

urgencia de concluir cuanto antes el asunto para evitar las murmuraciones del vulgo. Este es el mensaje que Veturia, antigua criada de la casa, le trae a Berintho en la última Cena: "Y concertaron entre ellos que sería bien que pussiesen algunos cavalleros de la ciudad, amigos suyos, para que te hablen y el casamiento se concertase" (7997–8000).

La *Comedia Thebaida* es la obra en donde se perfilan con mayor nitidez las tres dimensiones que determinan el espacio dramático del mundo celestinesco. Está en primer lugar la manifestación de las quejas, sufrimientos, etc., del amador cortés, rodeado de sus sirvientes. En otra dimensión de la acción se inscriben los diversos episodios que nos muestran, a veces en las formas más gráficas, los juegos inocuos del amor carnal. Por último, se despliega la esfera de la acción en la cual se llevan a cabo las intervenciones secretas que resultan finalmente en el encuentro amoroso y el enlace matrimonial de los dos amantes. Sólo la porción intermedia de la acción, donde los personajes secundarios se entregan a los deleites desenvueltos del amor físico, parece reflejar dentro del sistema normativo "oficial" del mundo celestinesco una situación "normal," no envuelta en la atmósfera de inhibiciones, de sospechas y cautelas que rodea los otros dos planos de la acción. En la *Tragicomedia* de Rojas estas tres grandes hebras de la acción dramática se hallan trenzadas en apretado tejido en la portentosa unidad artística de la obra. Pero para comprender el verdadero sentido de *La Celestina* es imprescindible escudriñar los grandes fragmentos en que esta unidad se ha desintegrado en sus imitaciones.

En la *Thebaida* se hace palpable y se articula la temible presencia del vulgo como factor decisivo que inspira y justifica las "circunferencias" de que habla Aminthas (2689) y las medidas de extrema precaución que se observan, no sólo en las "negociaciones" entre ambos bandos, sino también en la intimidad de la casa donde los sirvientes se ceban en el espectáculo exhibicionista que les brinda de sus penas y exaltaciones el amador cortesano. El centro del teatro celestinesco es este drama muy íntimo y privado entre amo noble y sirvientes plebeyos. El interés dramático que tenía cautivada la sensibilidad de los lectores-espectadores de este tipo de escenas estribaba sin duda en su fondo referencial y alusivo a una situación que se daba con mucha frecuencia en la realidad social de la época, es decir, la que se ve netamente perfilada en la Letra XXXI de Pulgar y el pasaje citado de Villalobos. Traduciendo las representaciones literarias de los dramas celestinescos en términos de esta realidad llegamos a las conclusiones que siguen.

El protagonista de la literatura celestinesca es un mancebo noble, converso, que está enamorado de una doncella de estirpe cristiana vieja. También *ex illis* es la figura de la alcahueta. Ella encarna, como vimos en el Capítulo anterior, el principio igualitario que se traduce en el tema mismo de la *Tragicomedia*. El perfil converso de Celestina se acentúa en la *Segunda Celestina* y se destaca abiertamente en esa otra hija de Celestina que es *La Lozana Andaluza* de Francisco Delicado. Los criados son todos cristianos viejos. La única excepción a esta regla tal vez sean los sirvientes que pertenecen al círculo más próximo a Berintho, sobre todo Menedemo, y el personaje de Lydorio, clara imitación de aquél, en la *Comedia Florinea*. La adherencia al culto del amor cortés por parte del amo noble nos aparece ahora como un rasgo definitorio y distintivo de su condición de converso. En otros términos, los lamentos, exaltaciones, etc., del amador celestinesco no sólo son medios expresivos de su amor, sino que se hallan asociados, de cerca o de lejos, con la esfera inhibida de vida del converso. Es la esfera secreta en la que el criptojudío solía darse a la práctica de los ritos judaicos o el converso expresaba sus sentimientos de angustia, indignación e impotencia, a los que sólo podía dar rienda suelta en la intimidad de su casa, en compañía de personas cuya dependencia económica garantizaba la discreción y el secreto. Pero los amantes celestinescos son, según vimos, amadores cortesanos insinceros. Para ellos, como para los personajes plebeyos, el fin del amor es la posesión carnal de la amada. Se someten dócilmente al aprendizaje de esa *ars amandi* plebeya a que nos referimos antes. ¿ En qué consiste entonces la diferencia esencial entre el estilo de amar del amo noble y del criado plebeyo? La respuesta debe ser que el amor cortés es para el noble un estilo de vida y de amor obligado e impuesto desde fuera, al que no puede sustraerse. El amador celestinesco es prisionero del culto cortesano, y desde esta postura se halla forzado a la práctica insincera, inconsistente e hipócrita de un ideal en el cual no cree. Desde la óptica del vulgo, la hipocresía del amador cortés, tan frecuente y áspera- mente censurada en la literatura anticortesana, era percibida como una manifestación típica de la insinceridad que común- mente se atribuía en aquel tiempo a las prácticas religiosas y el comportamiento social de los cristianos nuevos.

En las parejas de amantes nobles es la mitad femenina la que representa las tendencias cristianas viejas expresadas lite- rariamente por las tendencias anticortesanas. En grado cre- ciente las nobles doncellas de la literatura celestinesca dan prueba de no entender ya el lenguaje del amor cortés, opo- niéndose al mismo tiempo a que su amigo las sirva según este estilo de amar. Muy elocuente ejemplo de ello es Polandria en la *Segunda Celestina*. No entiende las "sinrazones" amorosas que Felides le dirige en carta y palabras. Lo que quiere es su palabra de esposo y al conseguirla en la Cena XXXI le ruega que desde ahora en adelante deje de dedicarle este culto exage- rado. Dice Polandria:

> más estimo yo, como tu esposa, ser tratada como compañera habiendo defendido mi limpieza, que por la vía de señora ser adorada como a Dios: pues ni a Dios se le ha de hacer tal injuria, ni a mí se debía con nombre de señora tal sujeción. (p. 384)

Esta negativa femenina a recibir los tributos hiperbólicos del amador cortés remonta a la obra de Montalvo, fase incipiente de la formación literaria del movimiento anticortesano. Allí Oriana opone esta misma negativa frente a los encarecimientos amorosos de Amadís: "Señor, ya no es tiempo que por vos se me diga tanta cortesía ni yo la reciba" (IV, 951). Quiere que su amigo la trate "como la razón lo consiente, y no en otra manera" (Cfr. SABIDURIA, 5).

El rechazo por parte de la mujer de la adoración cortesana que pretende dedicarle el hombre no se halla en contradicción con nuestra tesis de que el movimiento anticortesano se concentra en el empeño del hombre por quitarle a la mujer la posición elevada que ella ocupaba en el culto cortés, imponiéndole el mandato de mostrarse piadosa y compasiva, y ya no ingrata y cruel, ante las penas de amor del hombre. Esta paradoja se disipa al considerar la correlación antitética, establecida por la sensibilidad socioliteraria del tiempo, entre el ideal del amor cortés y la concepción del amor carnal. A la práctica del culto cortesano, en cuanto expresión de la vida afectiva de los conversos, corresponde la afirmación de la concepción del amor carnal, en cuanto expresión del ideario sentimental de los cristianos viejos. Las contribuciones de la mujer al desenvolvimiento del movimiento anticortesano consisten en su aceptación voluntaria de las nuevas calidades femeninas de compasión y piedad y, por otra parte, en su adherencia a la concepción del amor carnal. En contraste con la dama de la lírica cortés, la mujer de la literatura anticortesana reconoce su propia carnalidad. En la *Comedia Aquilana* de Torres Naharro, la protagonista, Feliciana, afirma rotundamente: "que siendo muger humana/ la carne haze su officio." Estas palabras se repiten casi textualmente en la *Comedia Vidriana* de Jayme de Güete, donde Leriana dice a su doncella Oripesta:

> ¡Ay, hermana!
> no me culpes de liuiana,
> que me sacaras de quicio;
> que avnque resisto de gana,
> el cuerpo haze su officio. (v. 1122–31)

Esta misma conciencia del intento carnal del amor femenino se revela en la famosa exclamación de Melibea en *La
Celestina* ("¡O género femíneo, encogido e frágile!"), especialmente en las últimas palabras: "Que ni Calisto biuiera quexoso
ni yo penada." Así como dijimos en el Capítulo anterior,
Melibea arde en el mismo fuego que Calisto.

Esta visión del comportamiento femenino en la constitución del movimiento anticortesano nos hace concluir que la
mujer expresa a través de su actuación en el drama celestinesco
su identidad de cristiana vieja.

No cabe duda de que la imposición anticortesana de la
concepción carnal del amor acrecentó la vulnerabilidad de la
mujer frente al agresivo instinto sexual del hombre. Le falta al
amador celestinesco el respeto por la inviolabilidad de la
persona de la mujer. Por otra parte, la sociedad ya no reconoce
la validez de los medios de defensa femenina interiorizados en
la persona de la dama de la poesía cortesana y en la figura de
Laureola en la *Cárcel de amor*. Desde este punto, la mujer, para
proteger su virtud, ya no tiene otros recursos sino someterse
resignada a las restricciones paralizantes que la sociedad impone a su libertad. Para los tristes padres de la Comedias *Tidea,
Tesorina, Policiana, Florinea* y otras muchas, el tener hijas solte-
ras es una carga pesada y un riesgo gravísimo. La doncella
viene a ser una verdadera *liability* para el padre noble, sobre
todo cuando es viudo. En la *Comedia Tesorina*, Timbreo, padre,
se queja en estos términos:

> ¡Por no errar
> ni estos tragos aguardar,
> debrian los tristes padres
> alas hijas soterrar,
> mientras mortajan las madres! [11]

En las últimas adaptaciones del tema celestinesco, en la

---

[11] *Teatro espanol del Siglo XVI*, ed. Urban Cronan, Madrid, 1913, Tomo I,
p. 81.

Tragedia Policiana (1547) y la *Comedia Florinea* (1554), el rigor de la costumbre de mantener a la doncella noble apartada completamente del mundo exterior llega a extremos casi maniáticos. Theophilon, padre de Philomena en la *Policiana* no parece tener otra ocupación en la vida que la de vigilar constantemente a su hija. A cada rato le vemos entrar de improviso en el cuarto de Philomena para averiguar lo que está haciendo. En la *Comedia Florinea*, la criada Justina describe a su ama, Belisea, como una doncella encerrada "tras treynta puertas." (Scena II). Las criadas comparten con su ama noble el mismo riguroso encierro. A Marcelia, tercera, Justina dice en la Scena XV: "y aunque yo sea poco de cobdiciar, en estos palacios, a viejas, y moças, y hermosas, y las que no lo somos, todas andamos más veladas que fortaleza cercada de enemigos, y más puestas tras llaves que el thesoro de Venecia." (p. 209).

Fenómeno concomitante de esta vigilancia cada vez más estrecha de la virtud indefensa de la doncella noble es la creciente importancia que cobran en las últimas imitaciones celestinescas los cuidados de la honra. En la *Policiana*, la *Florinea* y, en grado menor, la *Selvagia* (1554), advertimos cómo se introducen nuevos datos circunstanciales tendientes a aflojar algún tanto los lazos apretados con que los amos nobles quedaban sujetos a los servidores plebeyos en *La Celestina* y en sus primeras imitaciones. Va cobrando más fuerza el sentimiento de la honra y esto repercute directamente en las relaciones entre amo y criados.

En la *Comediá Florinea*, Lydorio, camarero y antiguo criado de Floriano, habla en la Escena I con su amo que, como Berintho, es un Duque de un país extraño. El siguiente pasaje, aunque recuerda directamente el diálogo citado más arriba en la *Thebaida*, refleja esa mayor preocupación por la dignidad de la persona del amo noble. Lydorio aconseja a Floriano que no manifieste delante de los servidores de la casa las señales de su pasión consumidora por Belisea:

… porque auiendo testigos, tus cosas iran en plaça antes que el tiempo (que aclara todas las cosas) lo pida, y tambien porque a tus criados no se les dé motivo de atreuimiento para con tus persona, porque viendo me hablar contigo tan de asiento, sin saber la licencia que para ello me tienes dada, vendran a perder algo del reuerencial temor que inferiores deuen a su señor, porque la mucha familiaridad pare menosprecio, por tanto, será bien que mandes (si te paresce) aquellos moços salir de la sala. (p. 159)

En la Scena XXXVII, le produce alarma a Lydorio ver como Floriano confía a personajes plebeyos el secreto de sus amores. Dice en un soliloquio:

Yo tengo lástima a su honra y grauedad y hazienda ... porque da parte de sus flaquezas, y tracta y communica vn duque Floriano, y en ojos de una corte imperial, con vn paje y vnos moços despuelas. (p. 286)

En la Scena XVIII, Fulminato, criado de Floriano, que junto con el paje Polytes acompaña a Floriano cuando éste vuelve de su primera entrevista con Belisea, pregunta a Polytes porqué su amo no les dice palabra: "¿Cómo va hecho mudo nuestro amo; di hermano Polytes?" A lo que contesta Polytes: "¿Y con quién ha de yr hablando, pues con nosostros la disparidad de las personas lo estorua?"

En la *Comedia Selvagia*, el protagonista ya no se encuentra en una situación tan aislada con respecto a su medio ambiente aristocrático. Selvago está acompañado muchas veces de su fiel amigo, el caballero Feliandro, y tiene trato con otros personajes nobles (Rosiana, Senesta y Polibio). Se acentúan en esta Comedia las características diferenciadoras que marcan la distancia social entre amos nobles y sirvientes plebeyos. Hablando con su criado Risdeño, dice Selvago:

... tanto en quanto yo y los de mi estado á los del vuestro sobrepujamos, tanto somos más obligados á librar de mácula nuestra fama y honra, y de la misma manera alguna cosa en nosotros seria pecado, que en vosotros no tendria dél especie. (Cena II, Acto II).

Estas nuevas pretensiones del noble, fundadas en la honra aristocrática, se hacen también visibles en esta Comedia desde la óptica de los personajes plebeyos. En la Cena I del Acto V, Escalion, criado, se estima más feliz que "el mejor caballero del reino," según afirma en este pasaje:

... porque por mucho que tengan para cumplir con la honra, siempre andan alcanzados, tristes, cuidadosos, pensativos, llenos de cuidados y congojas; ... Siempre la barba sobre el hombro, quando por su causa, quando por la de sus vecinos y parientes; el pecado venial que cometen se les hace mortal; la injuria que reciben, por pequeña que sea, es muy acumulada de todos.

En *La Celestina* y sus primeras imitaciones, el protagonista es un caballero ocioso cuya impetuosidad sólo encuentra escape en la aventura amorosa. No puede hacerse merecedor del amor de su dama -como lo hizo el amante amadisiano-mediante la acción heroica. Todo el homenaje que puede ofrecer a su dama se cifra en el residuo simbólico de la acción esforzada de sus antepasados, es decir, en su linaje y dinero. Esta inercia del amante celestinesco, este estado paralizante de inacción "le entrega inerme a sus servidores," para usar las palabras con que Lida de Malkiel ha formulado su percepción aguda de esta misma situación, aunque luego tan mal interpretada por ella como un factor estructurante en "el equilibrio artístico de *La Celestina*." Ahora bien, el amante celestinesco de las imitaciones más tardías va sustrayéndose paulatinamente a esta confrontación humillante, a esta promiscua convivencia con sus criados, no sólo por la vía del culto del honor aristocrático, sino también por medio de la acción caballeresca. En la Scena XVIII de la *Comedia Florinea*, el protagonista hace gala de sus habilidades de buen jinete ante la vista admirada de Belisea. Este espectáculo "exhibicionista" lo comenta Justina, criada de Belisea, en los siguientes términos:

No has mirado, señora, qué lindezas ha hecho aquel cauallero? y qué saltos haze dar al cauallo? y qué entero anda en la silla? que por mi vida que algunas vezes de ver el cauallo tan enarmonado me pone pauor no le auenga algun desgayre; porque es cauallo muy desapoderado y paresce vn elephante.

Pero hay más. En esta misma Scena XVIII, Floriano da muerte con la espada a un toro muy grande que en veloz carrera se lanzaba en dirección del lugar donde se detenía

232

Belisea con su criada, haciendo peligrar así la vida de ambas mujeres.

Vemos, pues, que los recelos de la honra aristocrática, íntimamente relacionados con las ansias de acción heroica, le brindan al héroe celestinesco los medios para liberarse gradualmente del mortal abrazo en que los personajes plebeyos le tenían inmovilizado en posición harto humillante durante la primera fase de la literatura celestinesca. Esta conclusión pone en tela de juicio la idea generalmente aceptada por la crítica de que entre las primeras muestras del honor aristocrático y las formas en que se manifiesta en la Comedia del Siglo de oro ha habido una solución de continuidad. Hemos de rechazar esta idea. Nuestra exploración del universo celestinesco, que en su sentido más amplio abarca también el teatro de Torres Naharro, demuestra que la lenta elaboración del concepto del honor forma precisamente el factor decisivo que ha determinado la evolución misma de la literatura celestinesca. Esta tesis se convierte en irrefutable verdad al considerar que una característica inseparable de la concepción de la honra aristocrática, a saber, el hecho de que esta honra está fundada en la mujer, también va destacándose con nitidez cada vez mayor en la realidad literaria de la primera mitad del siglo XVI.

Ya me he referido a las medidas de extrema vigilancia que en la *Tragedia Policiana* resultan prácticamente en el encierro total de Philomena, hija de Theophilon y Florinarda. Cuando Theophilon se entera de que su hija le ha consentido a Claudina, tercera, hacerle una visita, encarga a sus criados que secretamente "maten a palos a la vieja Claudina." La liviandad de la hija, dice Theophilon, se ha de castigar con la muerte: "porque el crimen de liuiandad en la muger no se ha de castigar sino con la muerte." (p. 47). El mismo pasaje contiene esta importante definición del honor fundado en la mujer. Exclama Theophilon: "Solo estoy y apassionado porque la honra de mi hija, *en quien la mia consiste*, veo puesta en el postrero remate." En los miembros femeninos de la familia noble está depositada la honra de la casa. Dice Theophilon a su mujer, que acaba de darle cuenta de las secretas investigaciones que han confirmado la conducta ejemplar de su hija: "nuestra generacion tan noble jamas admitio macula ni discolor de infamia" (p. 51). En la siguiente cita, Claudina expresa una idea que incontables veces se repetirá, casi con las mismas palabras, en los dramas del Siglo de oro:

> No hay cosa *oy* en el mundo tan fragil e delicada como la honrra de la donzella, que no paresce sino que de vn cabello está colgada. Nunca por buena que sea le faltan ocasiones para ser mala, ni avn por bien que se guarde caresce de murmuradores. (p. 23)

La palabra "oy," puesta en cursiva por nosotros en la cita, se refiere sin duda a la aparición relativamente reciente de esta concepción de la honra dentro del ámbito socioliterario de la época. Importa distinguir aquí uno de otro dos fenómenos que, a mi juicio, sólo remotamente se hallan relacionados. Está en primer lugar la importancia dada, no sólo en España, sino en toda la cultura mediterránea, al imperativo social de la virginidad y la vergüenza de la mujer.[12] En el *Libro de buen amor* y aún antes se expresan las inhibiciones sociorreligiosas que rodean el trato social entre ambos sexos. Pero en la primera mitad del siglo XVI vemos como esta preocupación se hace todopoderosa en las manifestaciones de la honra aristocrática. Que la aparición de este fenómeno fuera percibida como algo nuevo por la sensibilidad socioliteraria de la época constituye un hecho que se deja comprobar en uno de los escritos de Heredia.

El poeta Juan Fernández de Heredia nació en Valencia entre 1480 y 1485. Murió en 1549. Entre sus obras hay una que

---

[12] Cfr. los ensayos sobre este tema compilados en *Honour and Shame: The Values of Mediterranean Society*, ed. J. G. Peristiany, London, 1965. -En su famoso libro, *The People of the Sierra*, London, 1954, J. A. Pitt-Rivers ha llamado la atención al papel importante que hasta hoy día tiene lo que él llama "la verguenza" de la mujer, en cuanto fundamento del honor familial, en la vida social de las comunidades rurales de Andalucía.

tiene por título: *Hazia esta obra sobre los casos de la honra*. En este poema extenso Heredia se muestra acérrimo adversario de la honra que depende de la mujer. Citemos a continuación los pasajes más relevantes:

Que cosa con esto yguala,
    que ley tal ha consentido,
    si la muger no ha querido
    ser buena, queda (en ser mala)
    auergonçado el marido.
. . . .

Quiere este rigor terrible,
    que lo que no sabe acierte,
    que es dexalle desta suerte,
    obligado a lo impossible,
    y condenado a tal muerte.
. . . .

Que si esto ansi passasse,
    los que tal rigor verian
    como a toro mirarian,
    al hombre que se casasse,
    y por tal le correrian:
Quien su honrra no fiara,
    de vn hombre qual ha de ser,
    fialla de una muger,
    sabiendo que es cosa clara,
    que se la puede perder?

Al final del poema Heredia dirige la siguiente súplica a una autoridad que llama "vuestra magestad":

Denos ley en que biuamos,
    que quite las que tenemos
    questo que por ley queremos
    no es mas, por mas que digamos,
    de vna opinion de estremos:
Que ha el diablo ordenado,
    por bien suyo, y nuestra offensa,
    no es grande, si bien se piensa,
    que le baste este pecado,
    a bastecer su depensa?[13]

---

[13] Citamos por la edición de Francisco Martí Grajales, *Obras de D. Juan Fernández de Heredia*, Valencia, 1913.

No es, por cierto, la forma de estos mal trobados versos la que los encomienda a nuestra atención. Pero como testimonio documental no pueden ser más interesantes. El poema es posterior al año 1523, ya que la "magestad" a quien se dirige Heredia es Doña Germana de Foix, viuda de Fernando el Católico, nombrada Virreina de Valencia en aquella fecha por Carlos V. Por tanto es posterior también a los grandes disturbios que se produjeron en este reino entre 1516 y 1519 y que son conocidos con el nombre de Germanía de Valencia. El poema de Heredia refleja, pues, el momento en que la situación política y cultural del reino de Valencia quedó bajo el firme control del poder recientemente restablecido del gobierno central. A esta luz, las recriminaciones de Heredia contra el rigor de las leyes de la honra fundada en la mujer adquieren un valor de protesta contra el intento ideológico de Castilla de implantar sus austeras normas de conducta en la atmósfera de vida más desenvuelta y espontánea de la región levantina. La extrañeza que Heredia manifiesta ante "este rigor terrible" supone el carácter novedoso que el poeta atribuye implícitamente a estas normas arbitrarias.

Hay que advertir, sin embargo, que en otros textos tan tempranos como el *Auto de Clarindo* (hacia 1535) de Antonio Diez, ya encontramos la idea de que el honor fundado en la mujer es algo ordenado por Dios mismo. En este Auto de Diez, Aliano, padre de Clarisa, y Raymundo, padre de Florinda, dan a conocer a sus hijas su propósito de recluirlas en un convento. Cuando Clarisa les pregunta en qué han pecado para merecer tal castigo, los padres contestan en estos términos:

> Aliano.- No en cosa,
> sino que la muger hermosa,
> hija mía, en este siglo
> su honrra jamás reposa:
> contino corre peligro.
> Raym.- Aueis de ver,
> *pues Dios puso en la muger*
> *la honrra del hombre enella,*

no se deue de perder,
como veis, por culpa della. [14]

En cambio, Menedemo en su largo discurso sobre el honor (Cena XIV de la *Thebaida*), se refiere a la honra puesta en la mujer dentro de un contexto que nos revela que se trata aquí de una cuestión todavía muy controvertida. Menedemo habla con desdén de las noblezas "ganadas de ayer" (7708) y de la facilidad con que esta nueva nobleza se alcanza mediante la obtención del privilegio de no pagar pechos: "hoy llaman noble al que no pecha." De este privilegio dice Menedemo: "que el no pechar, ya te digo cuán livianamente se alcanza."[15] Aludiendo a las ansias con que este privilegio fue buscado en su tiempo, dice Diego de Valera en un tratado sobre la nobleza -que Menedemo, como ya se indicó, tenía muy presente- : "agora es buscada cavallería para no pechar" (p. 107). Ahora

---

[14] *Autos, Comedias y Farsas de la Biblioteca Nacional*, en "Joyas Bibliográficas," ed. Justo García Morales, Madrid, 1962, Tomo II, p. 94. -No deja de ser muy enigmática la referencia que el mismo Heredia hace al comienzo de su poema a la antigüedad de "la costumbre" que puso en boga el honor fundado en mujer:

Que alguno me contradiga,
  delos mal ajamiados
  que esten enesto encerrados,
  que es vna costumbre antiga,
  que dexaron los passados:
Con estos yo no me hablo,
  ellos con ellos compitan,
  que tan mal costumbre admitan
  pues dan armas al diablo,
  y ala honra selas quitan.

[15] Hay que advertir, sin embargo, que este privilegio de no pechar, además de proporcionar al noble una envidiable ventaja económica, constituyó un auténtico título de nobleza. En un magífico artículo, Carroll B. Johnson nos describe las vicisitudes de la poderosa familia conversa de los Coroneles en el Siglo XVI y el XVII, demostrando que los descendientes de esta familia, apoyándose en este privilegio de no pechar, otorgado a sus antepasados, podían con éxito defender su nobleza contra la fama de impureza que les atribuyó la opinión pública. Véase: *"El Buscón*: D. Pablos, D. Diego y D. Francisco," *Hispanófila*, 51 (1974).

bien, en medio de este contexto de críticas relativas a los nuevos usos introducidos en la vida social de la época surge el siguiente breve comentario de Menedemo sobre la concepción del honor que estamos discutiendo: "Y aun parécete que la honra del marido procede de la muger? Burlando es." (7738–39). Nos importa destacar el hecho de que esta convicción teórica de Menedemo se halla en contradicción flagrante con el sistema normativo que rige la realidad dramática misma de la *Thebaida*, ya que los obstáculos que dificultan la unión de los amantes nobles son condicionados precisamente por los imperativos de la honra puesta en la mujer.

Lo que, en definitiva, se colige de los testimonios literarios de la época es un sentimiento de recalcitrancia ante esta nueva concepción de la honra aristocrática. Pero la sensibilidad hispánica percibía también en esta concepción la revitalización de tendencias procedentes del viejo fondo idiosincrásico de la raza con respecto a la virginidad y la vergüenza de la mujer. Es sin duda la fuerza de esta asociación espontánea la que hizo que la concepción de la honra fundada en mujer fuera sentida a la vez como la aparición de algo totalmente nuevo y como la perduración de una costumbre antigua.

En nuestra nueva visión de la literatura celestinesca, la intensa y larga vigencia del honor-opinión en el teatro español se explica como un fenómeno que se origina y se desarrolla en el nuevo género literario creado por Rojas. Aquí, la acción dramática gira en torno a una doncella noble de linaje cristiano viejo o tenido por tal por la opinión pública, doncella que es la prenda codiciada por un mancebo noble y cristiano nuevo. Reconociendo ahora que esta representación literaria reflejaba una situación que se daba con mucha frecuencia en la realidad social de la época, se nos abre una inesperada perspectiva desde la cual la importancia dada al concepto de la honra puesta en la mujer nos aparece como una expresión directa de la grave preocupación de aquella sociedad por la mezcla de sangre entre las familias aristocráticas. La doncella noble, por definición, ociosa, "que no tiene otro officio sino amar," según palabra de Fr. Martín de Córdoba, se hace meta y blanco del impetuoso caballero converso que en su ociosidad forzada -y adviértase, usamos los términos de la ficción literaria- no tiene otro objeto en la vida sino el amor. Expresada en términos de la realidad histórica, esta misma frase reza: el caballero que quiere escaparse de la vida ociosa a la que le condena su condición de converso para reincorporarse a la vida activa y pública por medio de una alianza con una familia cristiana vieja. Esa nueva clase social, esos mancebos ociosos, sin duda dotados de cualidades que les hacían particularmente atractivos a los ojos del otro sexo, como su mayor cultura, su elocuencia, su refinada sensualidad, debían de encarnar un peligro muy temido por los padres que tenían hijas en edad de casar. La temible mácula de la sangre judía penetraba en los limpios linajes por su lado más flaco y más expuesto a los estímulos del mundo exterior: "las hijas honestas" pero, a pesar suyo, movidas por su instinto de amar. En ellas se hacía palpable la irremediable vulnerabilidad de las viejas familias aristocráticas, muchas veces empobrecidas, cuyo mayor título de nobleza se cifraba en la limpieza de su linaje. El peso de la responsabilidad de guardar y defender esta limpieza recaía en la virtud indefensa de la doncella. No hay ni una sombra de duda de que estos recelos de la limpieza de sangre han contribuido poderosamente a dar al concepto de la honra fundada en la mujer una fuerza y un desarrollo extraordinarios y desconocidos en otras culturas mediterráneas. Es invariablemente en la hija noble en la que se carga la obligación de guardar la honra familial, no sólo en la literatura celestinesca, sino también en un sinnúmero de obras menores, tales como la *Comedia Tidea, Tesorina, Vidriana,* la *Farsa Rosiela* y las obritas dramáticas de autores como Antonio Diez, Diego de Negueruela, Francisco Avendaño, Juan Pastor, Andrés Prado y Agustín Ortiz. En las comedias de honor del Siglo de oro, esta responsabilidad será confiada principal aunque no exclusivamente a la mujer casa-

239

da. Así el concepto de la honra perderá en la Comedia algo de su poder alusivo directo a la grave preocupación social cuyas repercusiones acabamos de estudiar en la literatura celestinesca. Sin embargo, que esta misma preocupación se haga sentir en la realidad dramática de muchas de esas comedias es algo que he tratado de demostrar en mi libro, *Répercussions du souci de la pureté de sang sur la conception de l'honneur dans la "Comedia Nueva" espagnole* (1966).

La larga exploración, de que he dado cuenta lo mejor que pude en las páginas del presente trabajo, tiene su punto de partida en el *Amadís de Gaula* y me ha llevado a través de la literatura celestinesca hasta los umbrales del Teatro Nacional de la Edad de oro. Esta exploración ha arrojado resultados que nos permiten definir una larga y hasta ahora confusa época literaria en términos de una evolución cuyo progreso puede ser estudiado, paso tras paso, de manera coherente y articulada. De los tres modelos del mundo sentimental-caballeresco ensayados en la cultura literaria de Castilla, el mundo de Calisto, muy distinto de los de Amadís y Esplandián pero, al mismo tiempo, impensable sin éstos, es el que sin solución de continuidad ha perdurado en la tradición de la literatura popular-sentimental del siglo XVI y del XVII. Como ya se mencionó en el apartado 3 del Capítulo anterior, el teatro de Lucas Fernández, por muy breve que sea, expresa no obstante con toda nitidez la tendencia a atribuir todavía ciertos valores de prestigio social al culto del amor cortés. El noble de Fernández, como ya dijimos, monopoliza para sí solo la potencia ennoblecedora del amor cortés, excluyendo de este culto al pastor rústico que sólo es capaz de "cachondiez."[16] Pero la aparición de *La Celestina* pone fin abrupto a esta evolución. Desde ahora en adelante el personaje plebeyo está confiado en que su estilo

---

[16] Estas mismas pretensiones se expresan durante el enfrentamiento entre un caballero y un pastor en la *Farsa llamada Ardamisa* de Diego de Negueruela (sin lugar ni año).

de amar es superior al que siguen los miembros de la clase aristocrática. Y no sólo esto, sino que se encarga de probarlo, enseñandoles su *ars amandi* plebeya a los amos nobles. De esta humillante tutela el noble se va emancipando en la última fase de la literatura celestinesca en la que se afirma cada vez más las pretensiones del honor aristocrático. Esta fase marca, pues, la transición a las comedias de la honra en el teatro clásico. Aquí, la concepción de la honra puesta en mujer junto a otros elementos relacionados con esta idea, los cuales se hallan dispersos en la literatura celestinesca, se va sistematizando en un nuevo culto, por cierto menos idealista que el del amor cortesano, pero que, no obstante, presenta muchas semejanzas con el antiguo ideal del amor cortés por lo que atañe a su función social y la manera de manifestarse. Los nuevos imperativos del honor-opinión tienen como efecto el de deslindar más netamente el espacio social del caballero noble frente a la esfera de vida plebeya. Pero al mismo tiempo se hace más formidable en esta nueva realidad dramática el poder del vulgo en cuya lengua murmuradora descansa la fama del caballero. Lo que cambia, pues, es la forma pero no la esencia de las interacciones entre amos nobles y criados plebeyos en la Comedia con respecto a la literatura celestinesca. Los sirvientes remedan la grandilocuencia de sus amos pundorosos con el mismo intento paródico que lo hicieron sus ascendientes de las exaltaciones de los amadores cortesanos. Y el mismo empeño cínico que éstos ponían en hacer resaltar la hipocresía del ideal cortés, lo ponen aquéllos en desenmascarar la inconsistencia y falsedad del culto que sus amos profesan al ideal del honor aristocrático. [17]

---

[17] Vuelvo a insistir en el fenómeno de que los amantes de la Comedia siguen expresándose mediante el lenguaje del amor cortés según las formas elaboradas por los poetas cancioneriles y luego desvirtuadas muchas veces de sus significados originarios a consecuencia de las tendencias anticortesanas. En cuanto al ulterior desarrollo del culto cortesano, hay que advertir que el hombre del siglo XVII, animado por una sensibilidad más sofisticada, ya era capaz de percibir con cínica lucidez y de formular con soltura juguetona lo que

La literatura celestinesca desarrolla, en su conjunto, un tema concebido y elaborado en la cultura conversa. Es una sub-cultura, vuelta de espaldas a la vida gloriosa de la era isabelina y en la cual han hallado cabida formas de vida, anhelos y sentimientos que no podían manifestarse abiertamente en la realidad auténtica de la época. Es una cultura que expresa la mentalidad conversa preocupada con las actitudes, relaciones y comportamientos sociales que eran típicos para el público de iniciados cuya complicidad en la acción del drama celestinesco formaba el lazo sociológico que unía la obra a la época. La representación de "la guerra *non sancta* del amor" en la literatura celestinesca constituye una transposición literaria de la guerrilla a que se dieron los conversos en la retaguardia de aquella belicosa sociedad en su afán de aliarse con una familia cristiana vieja. La inercia del héroe calistiano expresa su condición de inhábile, ese punto extremo de ostracismo social, del que sólo puede escaparse por vía de una alianza matrimonial ventajosa. En la figura de Berintho de la *Comedia Thebaida* tenemos a un noble que no deja todo el cuidado de las negociaciones a otros personajes, sino que parece tomar, entre

---

podía haber de librescamente estereotipado en la práctica de aquel culto antiguo. A este respecto es muy ilustrativo el siguiente Soneto de Fray Damián Cornejo (S. XVII). El asunto poético de esta composición pudiera ser descrito en términos de un traslado de la quintaesencia del amor celestinesco al ámbito lupanario que pintan estos versos:

Esta mañana, en Dios y en hora buena,
Salí de casa y víneme al mercado;
Ví un ojo negro, al parecer rasgado,
Blanca la frente y rubia la melena.
Llegué y la dije: "Gloria de mi pena,
Muerto, me tiene vivo tu cuidado:
Vuélveme el alma, que me la has robado
Con ese encanto de áspid ó sirena."
Pasó, pasé: miró, miré; vió, vila;
Dió muestras de querer, hice otro tanto;
Guiñó, guiñé; tosió, tosí; seguíla,
Fuése a su casa, y sin quitarse el manto,
Alcé, llegué, toqué, besé, cubríla,
Dejé el dinero, y fuíme como un santo.

bastidores, una parte activa en ellas. Esto es lo que se deduce claramente de las palabras de Franquila en la Cena V, donde afirma a Aminthas que Berintho, sin que ella sepa decir cómo, tiene noticia directa del afecto que Cantaflua ha confesado tener por él. Y concluye Franquila: "No anda tan engañado ni tan a ciegas como vosotros pensáis" (2687–88). En otro pasaje, tras haber presenciado los arrebatos amorosos del amo,[18] Franquila expresa ante Aminthas su sospecha de que Berintho no anda tan olvidado de lo que se hace y se dice en torno suyo como lo parece. Sabe disimular muy bien, dice Franquila, "y aún no pienses que livianamente, antes con tanta astucia y con tan sobrada cautela que los mismos que le están hablando tienen por fe que no ha sentido ni entiende lo que le han dicho." De esta manera, añade Franquila, él no tiene que dar a conocer sus reacciones ante lo que se dice en su presencia. "Y esso, ¿ a qué propósito?" pregunta Aminthas. Contesta Franquila: "¿A qué propósito, hermano? Pues de aquella manera conoce él quién le quiere bien o mal, para satisfazer a su voluntad cuando vee tiempo" (4932–55).

Los términos de "bienquisto" y "malquisto" pertenecen a la esfera semántica de la honra, la cual depende de la opinión pública. Tener fama de ser bienquisto equivale a decir que la lengua del vulgo se refrena de murmurar acerca de la "mácula" que el noble "bienquisto" pueda llevar en su sangre. Además, el momento cuando Berintho se vea en situación para cumplir con cada uno de sus sirvientes según sus méritos, se refiere sin duda al día feliz en que se haga pública la alianza matrimonial tan larga y sigilosamente preparada, dando lugar

---

[18] Que en la mente de Franquila esos arrebatos amorosos de Berintho se hallan asociados con la expresión de unos sentimientos menos inocuos que los del amor se comprueba en el siguiente pasaje donde ella censura aquellas desenfrenadas efusiones. Pregunta a Aminthas: "¿Has estado atento a las cosas que he pasado con tu amo? ¿No sientes qu'es bien que venga a su noticia que mal se ha sabido governar en esta jornada, y no te parece qu'es cosa convenible que sienta que lo saben todos?" (4932–36)

a que el noble pueda por fin salir de su aislamiento forzado al hacerse miembro de una familia cristiana vieja o la cual tiene fama de serlo o, en todo caso, dispone de los medios necesarios (poder o dinero) para afirmarse como tal en una situación social más desahogada que la en que se encontró antes el nuevo yerno. Despliégase así ante la vista todo un lado de la personalidad y las actividades de Berintho que no halla empleo en aquella otra parte de la acción donde se manifiesta como el amador estereotipado del género celestinesco.

Lo que en manera de conclusión a esta parte de mi estudio quisiera destacar en la larga evolución que se ha resumido en las páginas precedentes es esta visión final sobre la literatura celestinesca: la tradición literaria que arranca de la creación de Fernando de Rojas se ensancha durante el primer tercio del siglo XVI en una poderosa corriente que luego, hacia el final de su curso, se ramifica, trasvasando sus aguas a una multitud de delgados hilos en que las esencias celestinescas se mezclan con otros ingredientes. Estos hilos, a su vez, vuelven a juntarse hasta desembocar en la nueva corriente formada por la vasta literatura dramática del Siglo de oro, la cual -lo mismo que la literatura celestinesca- irá dirigida al vulgo, "para darle gusto," como dice Lope en su *Arte nuevo*.

* * *

Mi interpretación "conversa" no sólo de *La Celestina* sino de toda la literatura que se originó en esta obra maestra de Fernando de Rojas, demuestra de manera articulada y sistemática cuán acertada era la tesis que Albert Sicroff propuso en 1958 cuando, refiriéndose al tema de la limpieza de sangre, afirmó en su Prólogo:

> Nous croyons, en effet, qu'il serait bien difficile de fixer une limite aux réverbérations qu'on peut attendre de ce thème, non seulement dans la vie religieuse, politique et sociale de l'Espagne, mais encore dans les créations littéraires de ce pays au faîte de sa puissance.

La gran obra de Sicroff sobre los Estatutos de limpieza de sangre, aunque innumerables veces citada en los trabajos más diversos, nunca ha sido plenamente explotada por los historiadores literarios del siglo XVI y el XVII. Lo mismo vale para las extensas investigaciones históricas y profundas reflexiones acerca de los judíos en España que Julio Caro Baroja ha realizado y dado a conocer en los tres grandes tomos de su magna *Historia*.

Con profundo sentido histórico, respaldado por su formación de antropólogo y embellecido por una discreta sensibilidad humana, Caro Baroja nos ha hecho del converso un retrato más rico y más complejo que la imagen algo simplificada que era común hallar en los trabajos de sus predecesores. El autor ha destacado la dimensión trágica de la "vida de dolor y de congoja" del converso, obligado a "vivir bajo un régimen de presión terrible" (I, 273). La existencia cotidiana de los cristianos nuevos se hallaba apremiada por un entorno histórico y social más amenazante que el que había rodeado la vida de sus antepasados judíos. Con el fin de establecer la unidad religiosa, los Reyes Católicos mandaron que los judíos recién convertidos dejasen sus formas de vida tradicionales dentro de las aljamas y se dispersaran entre los cristianos viejos "para llegar a una más rápida fusión con ellos."[19] Entre 1450 y 1500 mucha sangre judía se mezcló por vía matrimonial, no sólo con familias nobles de estirpe cristiana vieja, sino también con "sectores más bajos de la sociedad" (V. Caro Baroja, II, 263). Pero la tentativa para llegar a una rápida asimilación sociorreligiosa fracasó, porque el pueblo, según que nos ha mostrado magistralmente Sicroff, no tardó en redescubrir al judío en la persona del converso (pp. 30–2). Es del vulgo de donde partieron las fuerzas oscuras que resultaron en la creación del gran conflicto social entre cristianos viejos y nuevos que por tanto

---

[19] A. Domínguez Ortiz, o. c., p. 31.

tiempo iba a desenfrenarse en el seno de la sociedad española. La constante vigilancia del vulgo, guardián celoso del principio de la limpieza de sangre, era el obstáculo formidable que había de circunvenir el converso en sus intentos de aliarse matrimonialmente con una familia cristiana vieja. Tanto la frecuencia de estos intentos como la persistencia, la astucia y el secreto con que solían llevarse a cabo son fenómenos atestiguados en muchos escritos de la época. Los conversos, dice Caro Baroja, "como sus antepasados los judíos, sabían lo que a la larga significaban los títulos y dignidades, de suerte que, aunque algunas familias nobles, algunos miembros de la nobleza vieja, venían a rechazarlos, insistieron en su labor de captación. 'Manchar' y alterar las familias, tal era el destino que se les atribuía." (II, 262)

Con referencia a los judíos y conversos, dice Fray José de Sigüenza: "En ninguna cosa pone esta gente mayor cuydado, que en ingerirse, mezclarse y entremeterse, con una ambición y astucia rabiosas, entre la gente estimada o por santidad, o por nobleza, para salir de este abatimiento y del estado soez en que se veen derribados."[20]

Caro Baroja menciona la fuerza de "lo secreto" elevada por los conversos a verdadera categoría social, "la vaguedad e insuficiencia dogmática" en materia religiosa (I, 392) que les hacía fluctuar, según las circunstancias, entre judaísmo y cristianismo, la agudeza de su ingenio y su mayor cultura. Con respecto a esta última característica, dice Manuel Fernández Alvarez: "el alto porcentaje de analfabetismo en el sector cristiano viejo y el alto porcentaje de alfabetización en el de los conversos, nivelaba las fuerzas en el terreno cultural." (o.c., p. 194)

Todos estos rasgos, afilados a consecuencia de la peculiar situación en que se halló aquella minoría en la segunda mitad

---

[20] *Historia de la Orden de San Jerónimo*, NBAE, Tomo XII, p. 31.

del siglo XV, han repercutido de una manera u otra en las manifestaciones de la cultura conversa. A este respecto merece señalarse también la predisposición del converso a los análisis del comportamiento y los exámenes de conciencia, una peculiaridad psicológica señalada por Caro Baroja en su Capítulo sobre "La caracterización del converso" (Tomo I). Este rasgo se manifiesta muy a las claras en las disquisiciones interminables a las que se entregan los amantes celestinescos en presencia de sus criados para analizar sus angustiados estados de ánimo.

Sin embargo, me importa también expresar aquí mi desacuerdo con los argumentos que Caro Baroja aduce para rechazar precisamente una interpretación "conversa" del mundo celestinesco. Cree el autor que en tiempos de Rojas aún no habían llegado a su plena maduración socioliteraria los elementos constitutivos del conflicto entre cristianos viejos y nuevos. Este momento crucial lo sitúa unos cincuenta años más tarde, hacia mediados del siglo XVI (I, 266). Pero según vimos en el Capítulo anterior, el *tema* (como opuesto al *asunto*) de la *Tragicomedia* es la idea de la igualdad y esta idea nos revela hasta qué punto elevado la condición conversa de Rojas ha sido instrumental en la creación de este nuevo género literario. Además, la argumentación de Caro Baroja va dirigida principalmente contra el conocido trabajo de Fernando Garrido Pallardó, *Los problemas de Calisto y Melibea y el conflicto de su autor*, Figueras, 1957. Son, al fin y al cabo, argumentos muy bien fundados y que ponen a descubierto el carácter, en el fondo, superficial de las demostraciones de Garrido Pallardó. El secreto de *La Celestina* no está en los parcos datos que el autor nos proporciona acerca de los linajes de Calisto y Melibea. El secreto está más bien en nuestra concepción de la obra como la expresión artística de las preocupaciones vitales de un individuo insertado dentro de un determinado medio ambiente histórico y humano. Tiene razón Caro Baroja al afirmar que "la literatura, por muy realista que pretenda ser, da una imagen estilizada de la vida y una visión ideal, esquemática y seleccionada de los problemas de cada época." (II, 248). Pero también es cierto que por muy concretos, numerosos y objetivos que sean los datos utilizados por historiadores, sociólogos y antropólogos, ninguno de ellos podrá darnos una imagen que mejor refleje la esencia misma de una determinada realidad sociohistórica que la estampa artística que de ella se nos ofrece en obras literarias tales como *La Celestina*, el *Quijote* y, para dar un ejemplo más cercano, *Cien años de soledad*.

Es por haber desgajado esta estampa artística de *La Celestina* de su contorno sociohistórico y humano como M. R. Lida de Malkiel y con ella, una inmensa porción de la crítica celestinesca, ha llegado a aislar la obra maestra de Rojas en medio del panorama socioliterario de su época. Pero encerrada dentro de una zona en cierta medida extra-temporal, *La Celestina* pierde sus ataduras con el mundo concreto y con la época en que nació, para convertirse en una altiplanicie que se yergue majestuosa en medio de un paisaje desierto.

Buena parte de la tarea crítica de Lida de Malkiel consiste precisamente en cortar unos tras otros los lazos que unen la obra de Rojas a la literatura inmediatamente anterior y la que la sigue. Es general su tendencia a asignar una cualidad única y privativa sólo de la creación de Rojas al conjunto de fenómenos y características que va observando en el mundo de *La Celestina*. No hay modelos literarios preexistentes para Calisto y menos aún para Melibea, afirma la autora. Existe familiaridad entre amo y criados porque Calisto la permite. Es él quien acorta las distancias y no los sirvientes (p. 620). Pero en las imitaciones esta familiaridad se va haciendo cada vez más inverosímil. Observaciones de este tipo proceden de una percepción muy superficial, incapaz de discernir los relieves sociohistóricos que pudieran dar firmeza y dirección a esta percepción. Reiteradas veces en el curso de sus largas investigaciones vemos a la autora intrigada por el papel preponderante de los criados y el aislamiento de Calisto, rasgo este último que confiesa no haber encontrado en ninguno de los antecedentes literarios de *La Celestina* (pp. 166 y 351). Su mirada se ha detenido con frecuencia en estos amos nobles de la literatura celestinesca, "rodeados de sirvientes locuaces y empeñados con ellos en inacabable cháchara" (p. 397). Hace resaltar el fenómeno de que desde la *Thebaida* "los sirvientes funcionan como verdadero coro alrededor del amo, comentando sus dichos y hechos, murmurando en interminables apartes, aconsejando, consolando, predicando" (p. 631). Pero el tono mismo en que se formulan estas observaciones, de por sí muy atinadas, ya anuncia la intención de la autora de no tomarlas en cuenta. Las relega al conjunto impresionante de los datos neutralizados, "alicortados," que ha amontonado en su magna obra, sin usarlos, porque no cabían en su preconcebido cuadro explicativo de la *Tragicomedia*. Llama la aparición y el papel activo de los criados en la acción de la obra "una novedad revolucionaria" (p. 234), pero se aferra a su idea de que esta novedad ha de ponerse a cuenta, junto a todos los demás aspectos innovadores, de la originalidad artística de *La Celestina*. "La insólita interferencia de personajes 'bajos' y personajes 'altos' en la acción perfila la no menos insólita autonomía artística concedida a aquéllos," dice en su Conclusión (p. 727). Distingue la crítica en la figura de Calisto ciertas actitudes estereotipadas del amador cancioneril, concluyendo que "al fin es Calisto último heredero del amor cortés" (p. 363).[21] Pero luego, en el retrato definitivo que termina proponiéndonos de Calisto, estos rasgos aparecen como características individuales que explican la singularidad psicológica de

---

[21] Con otro famoso hispanista femenino, Barbara Matulka (*The Novels of Juan de Flores and their European Diffusion*, New York, 1931), Lida de Malkiel comparte la tendencia a infravalorar el impacto decisivo que el ideal del amor cortés ha tenido en la constitución de la cultura afectiva de occidente hasta el día de hoy. No es Calisto, sino nosotros los que somos, hasta la fecha, los últimos herederos del amor cortés. Cfr. N. Salvador Miguel, *La poesía cancioneril. El Cancionero de Stúñiga*, Madrid, 1977, Capítulo V que lleva como título: "La pervivencia de la poesía cancioneril."

este personaje "ensimismado," introspectivo," "alienado," "inhábil para la acción," etc.

Lo que en definitiva mejor hace resaltar la actitud prevenida que Malkiel ha adoptado ante la obra maestra de Rojas es su categórica negativa a ni siquiera considerar la posibilidad de que los moradores del mundo de La Celestina se manifiesten a través de unos medios expresivos y actúen de acuerdo con unos valores normativos altamente representativos para la vida social y literaria de Castilla en aquellas últimas décadas del cuatrocientos. En ninguna disciplina académica, salvo en la de la crítica literaria, serían aceptables los criterios vacilantes usados por la autora en su libro para negar la relación entre causa y efecto, es decir, entre la Tragicomedia y su larga descendencia directa en el género celestinesco. Todas las imitaciones, afirma, son artísticamente inferiores al gran modelo. El delicado equilibrio que el genio de Rojas ha sabido mantener en su obra entre los diversos elementos artísticos se ha perdido en las adaptaciones. Estos autores no han comprendido "la gran lección de La Celestina."

Esta admiración exclusivista de Lida de Malkiel por La Celestina, reforzada por su desdén general hacia las imitaciones, actitud generalmente adoptada por la mayoría de los críticos, ha tenido como consecuencia que todo el legado celestinesco ha quedado como flotante en el ámbito históricoliterario del tiempo, desconectado de su trasfondo socioliterario y, lo que tal vez sea peor, sin hacerse visibles los puntos de enlace que lo unen a la Comedia del Siglo de oro. En defensa de la obra de Lida de Malkiel podríase alegar quizás su despreocupación por la dimensión sociohistórica de La Celestina, únicamente interesada como estaba en comunicar el "deleite de hallar reminiscencias literarias" en sus lecturas de la Tragicomedia. Sin embargo, La originalidad artística de "La Celestina" muestra precisamente que resulta imposible aplicar un método puramente formalístico a una obra tan llena de resonancias de la época como La Celestina. A cada rato la visión estética que la autora pretende mantener da quiebro por la necesidad de explicar, por ejemplo, palabras como éstas de Calisto: "Señora, el que quiere comer el aue, quita primero las plumas" (II, 181), y otros muchos fenómenos e incidencias que no se acomodan del todo con aquella visión. El método adoptado en estos casos por la autora es el de la explicación psicológica. Pero con referencia a la realidad psicológica de *La Celestina* no me canso de repetir lo dicho por Arnold Hauser, a saber, que la psicología muchas veces no es sino sociología encubierta, no descifrada, no llevada hasta el fin.

La total ceguera de Lida de Malkiel para el auténtico carácter innovador del mundo creado por Rojas, para los verdaderos ingredientes de la levadura celestinesca que dio origen a una dilatada tradición literaria, se hace casi penosamente manifiesta en la comparación que establece en la página 373 de su libro entre la dimensión universal de la historia de amor de Romeo y Julieta en el drama de Shakespeare y el carácter específico de la *Tragicomedia* de Rojas. Este alcance limitado de la obra española lo atribuye a la cualidad cerebral del amor de Calisto, al hecho de estar este amor "empapado de literatura," fenómeno precisamente de cuyo impacto nosotros hemos tratado de dar cuenta en el presente trabajo. Citemos por extenso este pasaje significativo:

> Por eso el aplauso popular no le [i.e. a Calisto] consagró como arquetipo de enamorado. El arquetipo es Romeo, cuya vocación se ensaya en Rosalina hasta encontrar su perfecto término en Julieta; Romeo, *rodeado y sostenido por su ciudad, su alcurnia, sus padres, sus amigos, lanzado a violentas peripecias externas* ... y que al fin escoge la muerte voluntaria, no Calisto quien, refugiado en su cámara, "sospirando, gimiendo, maltrobando, holgando con lo escuro, desseando soledad, buscando modos de pensatiuo tormento" (II, 116), huye de la vida y de la sociedad y muere por inglorioso azar. Nunca podía ser popular el soñador introspectivo en cuyo amor cabeza y corazón entran por partes iguales.

Es la parte de la cita puesta en cursiva por nosotros la que nos da la medida de la enorme distancia que separa el campo

251

existencial del héroe shakespeariano de la "vividura" del protagonista noble de Rojas. Por otro lado, es el comentario de la autora al final de este pasaje el que nos da una idea de la total insuficiencia de los criterios con que pretende definir las diferencias esenciales entre Calisto y Romeo. Son estos vacilantes criterios los que han llevado a Lida de Malkiel a inmovilizar el mundo de *La Celestina* dentro de un campo aséptico de investigación, herméticamente cerrado a la curiosidad que una de las máximas obras representativas de la cultura literaria de España pudiera despertar entre comparatistas, historiadores del Renacimiento, antropólogos culturales, sociólogos históricos, en suma, entre esta multitud de aficionados cultos interesados en conocer "la intrahistoria" de la sociedad española del siglo XVI.

El historiador literario, empeñado en formar una visión coherente de toda una época, se desespera ante los finos distingos con que la crítica formalista ha llegado a divorciar a *La Celestina* de su descendencia directa. El *Poema de mío Cid*, el *Libro de buen amor, La Celestina* y el *Quijote* jalonan la historia de la literatura española, pero no la resumen. El crítico literario que sólo se detiene en las cumbres de estas obras, pasando como en vuelo de pájaro por encima del paisaje "miserable" de las obras menores, corre el riesgo de mal interpretar esos mismos monumentos literarios. Con equilibrio artístico o sin él, los elementos del nuevo mundo creado por Rojas se han integrado en la extensa literatura celestinesca, donde han sido elaborados en unas formas que pueden a veces arrojar muy necesitada luz sobre la creación misma de Rojas. Por otra parte, la tradición literaria que se inicia con *La Celestina* va alterándose, como dijimos antes, con la absorpción de nuevos elementos que le ha brindado el paso del tiempo histórico para terminar diluyéndose finalmente en una nueva realidad literaria en la que el legado celestinesco deja de ser reconocible. Para el historiador literario *La Celestina* forma con sus imitaciones un solo cuerpo literario indivisible. Negársele la validez de este postulado es limitar su tarea a una mera recapitulación de los juicios que se han formulado, muchas veces independientemente unos de otros, acerca de *La Celestina* y sus imitaciones.

La enorme bibliografía crítica que se ha acumulado en torno a *La Celestina* revela más acusadamente quizás que ninguna otra empresa erudita la despreocupación de los críticos académicos por la dimensión "humanológica" (así llamada por Américo Castro) de "la ciencia de la literatura." Adoptando unos criterios, en el fondo, increíblemente triviales, la crítica ha realizado "el funesto divorcio" entre la obra maestra de Rojas y la extensa literatura que partió de ella. Esta separación arbitraria ha relegado casi al olvido todo un período literario que pudiera arrojar mucha luz sobre la formación de nuevos rasgos específicos de la cultura hispánica. Los argumentos justificativos que se han aducido para rechazar virtualmente toda una porción de la literatura española parten de una premisa cuyos presupuestos están basados, en última instancia, en el fundamento frívolo de una impresión moral-estética. Esto se comprueba en la manera de que se ha "caracterizado" a la *Comedia Thebaida* y otras obras de la literatura celestinesca con una multitud de epítetos denigrantes tales como torpe, ridículo, grotesco, ramplón, grosero, escabroso, lúbrico, pedante, etc.. Para Lida de Malkiel, la *Thebaida* es una "disparatada comedia" (p. 573) que "concede a todos los personajes, sin exclusión de los criados ... la más tediosa elocuencia" (p. 633). Para Gilman, la *Thebaida* es "a work as boring as it is lascivious" (*The Spain ...*, p. 362). Ante tales caracterizaciones yo me pregunto, asombrado, ¿ cuáles serían las condiciones que debe reunir una obra literaria para ser estimada digna de la atención de esos críticos? El uso de los términos *boring* y *tedioso* parece dar a entender que ellos quieren ser entretenidos por el objeto de su investigación. Y a no cumplir la obra con esta exigencia, será desterrada a una especie de limbo o más bien, purgatorio, lugar, por otra parte, muy adecuado para este tipo de obras ya que la mayoría de ellas tienen que expiar unas graves culpas de lascivia y obscenidad, falta que -según los criterios elitistas de esos estudiosos- constituye sólo un pecado venial en la *Tragicomedia*, pero que se hace mortal en las imitaciones. Pero antes de imponer silencio a aquellas voces que, aunque en lenguaje indecoroso, algo tendrán que decirnos, ¿ no debieran haber considerado que desde un punto de vista ético, que es el que -*mirabile dictu*- adoptan en su pío afán de expurgar, no sólo unas "escenas lúbricas" (Malkiel, p. 247), sino un extenso sector de la cultura literaria misma del siglo XVI, ¿ no debieran haber considerado que todo el peso de estas "culpas" recae en el autor de la *Tragicomedia* quien primero ha abierto los cauces mismos a las impúdicas manifestaciones de aquel "pecado"? Por otra parte, un crítico como Gilman ha derivado de la condición aristocrática de los protagonistas de *La Celestina* toda una serie de presupuestos arbitrarios que le han llevado con ciego empeño a defender la idea de que hay diferencias esenciales entre el amor de un Calisto y el de los personajes plebeyos. Desde tal óptica se hace invisible, claro está, aquella realidad celestinesca, tan contraria a la idiosincrasia de Gilman, en la cual los verdaderos siervos resultan ser, no los criados plebeyos, sino los amos nobles. Con tan pocos puntos de apoyo en los contenidos manifiestos de la literatura celestinesca, este estudioso se ve forzado de inventar a cada rato toda una retahíla de distingos y de razonamientos especulativos con que ilustrar sus mal fundados juicios. De ahí que las ideas y conclusiones de Gilman constituyan, dentro de la crítica celestinesca, un conjunto cerrado con sello personalísimo e inaprovechable por otros críticos.[22]

---

[22] Esta opinión muy negativa que tengo de las contribuciones de Gilman a los estudios celestinescos es expresión de la frustración creciente que me ha causado la lectura de sus escritos. Una frustración tanto mayor cuanto me han impresionado, allá por los años setenta, la autoridad y la erudición con que fue escrito su libro sobre la España de Fernando de Rojas. Que esta admiración

Las imitaciones y adaptaciones de *La Celestina* merecen toda la atención de los historiadores literarios, no sólo por la variedad de motivos que hemos examinado en los diferentes capítulos de este libro, sino también por el interés intrínseco que nos brindan. Sin embargo, existe una carencia lamentable de estudios dedicados a estas obras menores. Entre ellas, la *Thebaida* es la que más ha sufrido de un verdadero ostracismo por parte de la crítica, ocasionado sin duda por la presencia de varias "escenas lúbricas." Keith Whinnom es el único estudioso, que yo sepa, quien, en la Introducción de la magnífica edición que él y Trotter han hecho de esta obra, ha hecho un valioso esfuerzo por reivindicar un puesto de primera categoría para esta Comedia al lado de la obra maestra de Rojas.

La *Thebaida*, mejor que *La Celestina*, nos muestra hasta qué punto las preocupaciones estéticas de los artistas de aquella época estaban subordinadas a su afán de expresar en las formas veladas de la ficción literaria la realidad opresiva y deprimente de la vida social del tiempo. En la *Thebaida* se destaca claramente una doble óptica desde la cual son enfocadas las diversas manifestaciones del amador cortés. La más importante es la desde la cual los personajes visualizan los gestos, las quejas, disquisiciones, etc., de Berintho como las elucubraciones de un loco. Las percepciones hechas en este plano primordial son decisivas para el desenvolvimiento de la acción dramática de la obra, y es desde esta perspectiva como la hemos estudiado en páginas anteriores. Pero hay también otros pasajes donde los personajes de la *Thebaida*, muy especialmente Franquila, se muestran como cautivados por la belleza de las formas en que Berintho exalta en verso o en prosa la fuerza avasalladora de su pasión. Estas manifestaciones ya

---

inicial, manifiesta todavía en mi trabajo sobre *La Celestina* en *Segismundo* (1975), se haya esfumado en el curso de mis nuevas investigaciones es cosa inseparable de la visión diametralmente opuesta a la de Gilman la cual he ido formulando en las páginas del presente libro.

no son percibidas por los demás personajes como señales de locura, sino como las revelaciones de hermosas y ocultas verdades hechas por un oráculo.[23] En la Cena IX, al oír unas coplas que está trobando Berintho, Franquila exclama:

> ¡O omnipotente Dios, y cuán alta manera de encarecer su pasión! ¡O qué cosa tan sentida! Cuanto quiere dize en el metro. ¡O cuán por galana manera díxolo! Que a mi ver será menester espacio para lo poder entender, según la intención de la sutilíssima sentencia que en tan pocas palabras quiso comprehender. (4100–05)

Y en la Cena XI, al presenciar la conversación de Berintho con Cantaflua, Claudia hace parte de su asombro a Veturia en estos términos:

> ¿Qué te parece, Veturia, de Berintho? Dado nos ha a entender lo que d'él se publica. ¡O qué facundia de hablar!... ¡Y qué manera ha tenido en el razonar, y cómo la ha ensalçado hasta las estrellas, y con invenciones que al humano juizio sobrepuja! ... ¡O qué espantada estoy, y qué maravillada en havelle oído! ¡O si nunca acabara! ¡O cómo es grande exercicio ell oír cosas altas! ... ¡O cómo los hombres ignorantes y no dados all estudio ni a la literaria disciplina no gozan del mundo, ni tienen bien ni perfecta alegría, pues no saben distinguir entre lepra y lepra! (5668–83)

Pasajes de este tipo, que abundan en la *Thebaida*, recuerdan otros semejantes pero más discretamente tejidos en el contexto de la *Tragicomedia* de Rojas. Dice Celestina: "el de-

---

[23] Para esta distinción me he inspirado en una observación interesante que hace Michel Foucault en su libro, *The Archaeology of Knowledge*, New York, 1972, p. 217, donde dice: "From the depth of the Middle Ages, a man was mad if his speech could not be said to form part of the common discourse of men. His words were considered nul and void, with truth or significance. . . . And yet, in contrast to all others, his words were credited with strange powers, of revealing some hidden truth . . . It is curious to note that for centuries, in Europe, the words of a madman were either totally ignored or else were taken as words of truth."

Adviértase, sin embargo, que las "palabras de verdad" de la cita de Foucault corresponden en la distinción que yo he establecido en la *Thebaida*, a la potencialidad puramente estética de la expresión literaria, una preocupación que, como ya dije antes, queda subordinada a la intención de representar bajo el velo de la ficción literaria ciertos aspectos de la deprimente realidad social de la época.

leyte es con los amigos en las cosas sensuales é especial en recontar las cosas de amores é comunicarlas. ... Este es el deleyte; que lo al, mejor lo fazen los asnos en el prado.''[24] Es un deleite al que Rojas se ha entregado sólo en muy contados pasajes de su obra, como el del huerto de Melibea en el Acto XIX y otro en el Acto XIV donde inserta las reminiscencias nostálgicas con que Calisto revive unos deleitosos instantes ya pasados: '' ... aquellos amorosos abraços entre palabra e palabra, aquel soltarme e prenderme, aquel huyr e llegarse, aquellos açucarados besos, ... '' Es la captación de los fugitivos reflejos de aquellos momentos en unas formas literarias de subida belleza la que produce la inefable impresión emocional-estética en el lector de una auténtica obra artística. A haber seguido este rumbo estético en la representación literaria de la historia de amor entre Calisto y Melibea, Fernando de Rojas pudiera haber creado la obra maestra con que soñó Lida de Malkiel, de un alcance tan universal como el de *Romeo y Julieta* de Shakespeare y quizás mayor.

Con respecto al hermosísimo pasaje del jardín de Melibea, al que se aludió arriba, consideremos que los elementos poéticos que allí se enumeran, el murmurio del agua de una fontezuela, la luna, la brisa suave que menea los ramos de los altos cipreses, etc., nos sugieren un escenario que sería maravillosamente adecuado para encuadrar unos momentos de supremo gozo compartido por aquella pareja-modelo de

---

[24] La idea expresada en la última parte de esta cita ya fue formulada, muchos siglos antes, en sánscrito, por el poeta cortesano Vidyakara. Damos aquí la traducción inglesa de la estrofa en cuestión:

The shy half glance, the sending of the go-between,
the joy and love that rises at the words
''We'll meet today; if not today, tomorrow.''
Then when they meet, the sudden kisses and embracing:—
such is the fruit of love, the real bliss;
the rest we have in common with the beast.

(*An Anthology of Sanskrit Court Poetry*, translated by Daniel H. H. Ingalls, Cambridge, Massachusetts, 1965, p. 432.)

amantes, Romeo y Julieta. Es un escenario también que corresponde al estado de ánimo de Melibea. Pero no de Calisto ni de ningún otro amador celestinesco. Para ellos, el deleitoso huerto de Melibea, de Polandria, de Roselia, no es el *locus amoenis* que preste crecida emoción y encanto a las efusiones del amor, sino el lugar secreto y vedado tras el muro al que "han puesto escala" y por el que penetran en el linaje de una familia cristiana vieja. Porque lo que a ellos les mueve no es el anhelo amoroso de una fusión de almas, sino el deseo de la posesión carnal de la doncella noble. Este "triunfo del amor" les depara las arras apetecidas que les darán entrada en las casas y las familias de los cristianos viejos. Confrontado con las dos alternativas funestas, la deshonra causada por la pérdida de la virginidad de la hija o la que iba a producir la mácula judía en la limpia sangre de su linaje, el noble se inclinaba naturalmente a descartar la primera alternativa y a aceptar la segunda, confiado sin duda en que su fama de ser "bienquisto" o su rango social o el dinero de su nuevo yerno pudieran poner freno a la lengua maldiciente del vulgo.

* * *

La literatura celestinesca, inclusive la *Tragicomedia* de Rojas, si bien la miramos, no ha añadido matices nuevos a la pintura del sentimiento del amor en cuanto experiencia íntimamente humana de una realidad psíquica compartida por ambos sexos. En este sentido podemos afirmar que las aportaciones de la literatura sentimental-popular del siglo XVI español al enriquecimiento y progreso de la cultura afectiva general del hombre occidental son casi nulas. Para llevar a tela de averiguación esta afirmación negativa yo quisiera proponer como término de comparación el movimiento de las *Précieuses* que se inicia en Francia en el siglo XVI y llega a su pleno desarrollo en el XVII.

En un libro, que ya se ha hecho clásico, sobre el amor en

el teatro de Pierre Corneille, Octave Nadal ha ahondado con extraordinaria penetración en el fundamento de la refinada cultura de la *Préciosité*. Este fundamento, según el autor, lo forman las diferencias bio-psicológicas entre ambos sexos. En el nivel de su naturaleza instintiva y espontánea, la mujer se halla sin defensa contra el agresivo instinto sexual del hombre. Al tomar conciencia de su fragilidad, la mujer busca amparo en todo género de medios con que cubrir su propia desnudez:

> Accordée à l'instinct le plus immédiat et le plus impérieux, mais douée d'une sensibilité inquiète, elle doit, pour sauver et purifier l'amour, opposer à l'attaque virile tout un jeu délicat de défenses, s'enfermer dans un réseau de réserves destinées précisément à contenir la violence de l'instinct. La pudeur est cette police intime que la femme impose à sa nature.[25]

En la sociedad aristocrática del siglo XVII francés, el lenguaje "precioso," los fingimientos, los ritos complicados, introducidos por las *Précieuses* en el trato social entre los sexos, son todos artífices de una civilidad creadora destinada a marcar una nueva distancia cultural entre la mujer y el hombre, entre ella misma y su propio deseo. Lo que cobra especial relieve en la noción que Nadal nos propone de la *Préciosité* es el intento decidido de la mujer para liberarse de las condiciones de servidumbre a las que, en tiempos anteriores, la condenó el abuso masculino tanto como su propio estado inerme ante los impulsos instintivos de la pasión amorosa. Concluye Nadal:

---

[25] Octave Nadal, *Le sentiment de l'amour dans l'oeuvre de Pierre Corneille*, 4e édition, Paris, 1948, p. 46. -La tesis de Nadal, la cual fue acogida, desde el momento de su publicación, con el aplauso casi unánime de la crítica, parte de una concepción de la mujer cuyos presupuestos posiblemente no dejarán de irritar la susceptibilidad de aquellos críticos que pretenden trasladar al campo de los estudios histórico-literarios unas preocupaciones relacionadas con el movimiento contemporáneo para la liberación de la mujer. Hay que advertir, sin embargo, que el proceso estudiado por Octave Nadal en su libro es uno de esos procesos que Fernand Braudel ha llamado "de longue durée." Tales procesos deben ser enfocados desde unos puntos de vista menos controvertidos que los que en nuestro tiempo se van fraguando al calor de una polémica que dista mucho de estar concluída.

"On assiste donc chez les Grandes Précieuses à la plus humaine des libérations que la femme ait jamais tentée" (p. 48).

Es sin duda a través del movimiento de la *Préciosité* como las actitudes y anhelos literariamente estilizados del amor cortés se han moldeado en unas formas más flexibles y adaptables a la práctica diaria de los *mores amandi* que se observan en la cultura afectiva de occidente hasta nuestros tiempos. Esta conclusión resume el impacto duradero que unas formas de cultura sentimental desarrolladas en los siglos XVI y XVII en Francia han tenido en la constitución de la sensibilidad del hombre occidental. Ahora bien, las aportaciones de la literatura celestinesca a la cultura afectiva en sentido universal se reducen, en efecto, a muy poco o nada si las hemos de medir con los criterios aplicados aquí al movimiento francés de la Preciosidad.

El propósito del presente estudio ha sido precisamente el de demostrar que los verdaderos aspectos innovadores del género celestinesco pertenecen a un orden distinto al de la representación de la realidad psicológica del amor. La literatura celestinesca, en su conjunto, refleja un proceso socio-psicológico "de longue durée" y este proceso ha tenido un impacto duradero en la constitución específica de la sensibilidad hispana.

En el mundo sentimental celestinesco las interacciones entre los amantes nobles denotan una relación de distanciamiento y de oposición entre ambos sexos. La distancia que los separa se presenta como infranqueable, y no como un obstáculo que los amantes pueden allanar por vía de un acercamiento recíproco cuyo progreso gradual obedece a esas "razones del corazón que la razón desconoce." Porque tal proceso psicológico, que es el tuétano de toda historia de amor, sólo puede desplegarse dentro de un espacio social que otorgue a los individuos un amplio margen de libertad personal. Pero, como es sabido, este margen de libertad es estrechísimo o casi inexistente en el drama celestinesco. Aquí la realización de la conquista amorosa siempre tiene el carácter de un acto de violenta rebeldía contra el orden social establecido. En esta victoria consiste "el triunfo del amor," sin que hallen cabida en el desarrollo de la acción dramática los ingredientes bio-psicológicos que van implicados en el proceso a que se acaba de aludir. Impónese, pues, la conclusión de que el drama celestinesco es un drama eminentemente social. Pero este carácter social tiene que ser definido en el contexto del régimen político represivo instituido por los Reyes Católicos con el fin de imponer a la sociedad española la ideología sociorreligiosa que los letrados del siglo XV habían elaborado en sus tratados histórico-políticos. Bajo la presión de la vigencia de los Estatutos de limpieza de sangre esta acción represiva del Estado-Iglesia español se extendió a institucionalizar la discriminación racial de los cristianos nuevos en el seno de la sociedad de esta época. Para hacernos una idea más precisa del impacto que estas circunstancias sociohistóricas han tenido en la transformación de la sensibilidad de los españoles del siglo XVI, nos importa examinar brevemente las formas más obvias que adoptan las relaciones recíprocas que existen entre cultura afectiva y sociedad.

Cada sociedad impone a sus miembros ciertas normas específicas que limitan el libre juego de las fuerzas instintivas, poniendo freno a la expansión anárquica de estas energías psíquicas. Hasta un punto muy elevado, el conjunto de estas prohibiciones, producto de un consenso colectivo e histórico, se ha interiorizado en una auto-disciplina que hace que el individuo, inconsciente y espontáneamente, conforme su comportamiento sexual de acuerdo con aquellas normas. El progreso de la cultura afectiva de occidente corre paraleleo al ritmo acelerado con que el hombre occidental se ha despegado de las formas de vida colectiva, propugnadas y arraigadas en las sociedades tradicionales, para afirmar frente al Estado el derecho a la libertad individual. En nombre de este derecho, se ha puesto en tela de juicio el fundamento racional justificativo de muchos usos y costumbres, consagrados en la moral tradicional, que dificultaban o inhibían de manera arbitraria el trato sexual entre hombres y mujeres. El movimiento de las *Précieuses*, discutido más arriba, ilustra bien el contenido y la dirección general de esta evolución. Lo que se ha producido, pues, en este proceso de emancipación es algo como una *mutatio caparum* entre sociedad e individuo. El sistema normativo social que antes modelaba la cultura afectiva en unas formas bastante rígidas, va aflojando y liberalizándose al paso que el individuo va reinvindicando cada vez más el derecho a conformar su conducta sentimental con arreglo a unos criterios personales, independizándose así de la moral oficial al asumir plena responsabilidad por los actos que realiza en este sector de su vida privada.[26] Huelga decir que estos cambios trascendentales han influido decisivamente en el desarrollo de la cultura afectiva, ensanchando y diversificando infinitamente la experiencia del amor. Por consiguiente, lo que ha impulsado el proceso formativo de la sensibilidad moderna es el empeño del hombre en oponer a las tendencias niveladoras de las normas sociales los íntimos anhelos de su propia interioridad. Es a través de la afirmación de este mundo interior como el individuo manifiesta la auténtica realidad de su persona frente a su contorno social. Esta larguísima evolución, muy someramente descrita aquí, se dilata en el nuevo clima sentimental del Romanticismo, enriqueciéndose con la multiplicidad de formas y características que son propias de la cultura afectiva contemporánea.

Sin embargo, en nuestra *Historia de un linaje adulterado* hemos tratado de demostrar precisamente que el desarrollo de la cultura afectiva en la España del siglo XV y de la primera

---

[26] Esto no quiere decir que no exista una interacción constante entre individuo y sociedad para definir lo que es tolerable o no en el comportamiento sexual. Pero en muchas sociedades contemporáneas el control social sobre los hábitos comportamentales del individuo en el dominio de la sexualidad han tomado una forma institucionalizada a través de la legislación del Estado.

mitad del siglo XVI ha obedecido a un proceso formativo radicalmente distinto al que se acaba de esbozar aquí arriba. Los primeros tres Libros del *Amadís* y los primeros tres del *Tirante*, tanto como las adaptaciones poéticas del tema del *amour courtois* en la Castilla pre-isabelina reflejan todavía una fase de cultura secularizada. Este desarrollo se halla bruscamente interrumpido por los efectos de los cambios trascendentales que se produjeron en la vida socio-política bajo el reinado de los Reyes Católicos. Los agentes y partícipes humanos en la nueva época histórica instaurada por Fernando e Isabela corresponden al tipo de hombre cuya emergencia hemos estudiado en el *Esplandián*, en la literatura anticortesana finisecular y en los tratados histórico-políticos de los pensadores de los siglos XV y XVI. Este *homo novus* es producto de las interacciones socio-psicológicas que se realizan entre el nivel institucional y el individual durante ese período. Señalemos en primer lugar el carácter coercitivo y unilateral de estas interacciones. Entre la sociedad autocrática del Estado-Iglesia español y los individuos no existía ninguna posibilidad de acción recíproca. A todos se les imponía la misma obligación de conformar su conducta de acuerdo con las normas estrictas de la doctrina ascético-cristiana. Estos valores religiosos, impuestos con todos los medios de coacción política de que disponía aquel Estado totalitario, se integraron en la conciencia individual, creándose un soporte psíquico para el profundo sentimiento de religiosidad el cual se ha perpetuado como un rasgo distintivo de la personalidad básica del hombre hispano hasta nuestros días.

Pero si la religión y, en el terreno social, el principio de la limpieza de sangre representan instituciones fácilmente identificables en la sociedad prerrenacentista, hay que advertir que las repercusiones que han tenido estas fuerzas en el nivel psicológico, han adoptado unas formas mucho menos reconocibles. La presencia y la impronta de estas fuerzas muchas veces sólo pueden ser inferidas mediante la observación de los efectos que han producido en la conciencia individual. A este respecto importa destacar el hecho de que la preceptiva puramente religiosa que regía el comportamiento sexual constituía, en el fondo, una moral muy indulgente y hasta permisiva que reconocía la flaqueza humana, proveyendo al mismo tiempo unos medios eficaces para librar al individuo de todo sentimiento de culpabilidad. Lo que prestaba a las prohibiciones sexuales el extremo rigor con que fueron interiorizadas en la estructura psíquica del individuo era la fuerza institucional con que la idea de la pureza de sangre se hacía sentir en la vida social de la época. En el despliegue de esta formidable fuerza hay dos factores que amenazaron tanto el sentimiento de seguridad individual como la cohesión social misma que condicionaba la vida colectiva dentro del Estado totalitario.

Hay en primer lugar el fenómeno de la separación completa entre los sexos. Este hecho no es enteramente reducible ni mucho menos a los preceptos ascético-cristianos referentes a la castidad femenina. En nuestra discusión sobre el honor fundado en la mujer hemos resaltado la tendencia a limitar con un rigor cada vez mayor la libertad de la doncella, restricción que resultó en su apartamiento virtualmente total del mundo exterior. Es bajo una doble forma, complementaria una de otra, como el ejercicio de esta fuerza exterior expresa el rechazo de la cultura laica de la época anterior. La mujer es completamente indefensa; la protección de su virginidad corre a cuenta del clan familial y, por ende, constituye una función social. Por otra parte, entre el instinto sexual del hombre y la satisfacción carnal de su deseo no se interponen otros obstáculos que los levantados por la sociedad. Lo que estas dos formas, pues, vienen a negar y a neutralizar es la eficacia de aquel rico complejo de sentimientos y normas que, así como vimos en nuestra primera parte (SABIDURIA, 8), modelaba la impetuosidad del instinto masculino en las formas de civilidad que condicionaban el trato entre los sexos en una cultura secularizada. En la nueva cultura sentimental constituida con arreglo a los preceptos de la antropología ascético-cristiana, la separación entre los sexos así llevó consigo el fenómeno concomitante de que los partícipes del encuentro amoroso no podían integrar en su experiencia del amor los anhelos y los sentimientos más íntimos de su propio ser. Esta inhibición ha tenido un gran efecto nivelador en la vivencia del sentimiento del amor y es responsable, en último análisis, de la carencia de auténtico interés humano en las manifestaciones del amor de la cultura sentimental-popular del Prerrenacimiento español. El individuo, el hombre tanto como la mujer, quedó escindido de su propia interioridad, "puerto a la vez próximo y remoto, y de dudosa entrada," como la ha llamado significativamente Américo Castro. La íntima frustración causada por esta tendencia inherente a la cultura afectiva del tiempo ha sido, sin duda, uno de esos factores que han perturbado el sentimiento de seguridad individual en aquella sociedad.

Los recelos del honor femenino se hallaban tan estrechamente unidos a los de la limpieza de sangre que en cierta medida puede decirse que eran idénticos. Es la preocupación con la mezcla de las sangres la que colocó la vivencia del sentimiento de la honra en el centro de la densa atmósfera social de aquella época. En la cultura del tiempo la virtud de la hija de una casa noble se convierte en un valor social que simboliza la limpia fama de su linaje. Por consiguiente, el honor femenino, en cuanto valor social, es algo expuesto a la mirada de los demás, es un valor que se expresa, no por el sentimiento íntimo que tiene el sujeto de su propia integridad moral, sino que depende esencialmente de lo que otros opinan acerca de esa intimidad de la persona. Nos referimos a la opinión del vulgo.

El papel decisivo desempeñado por el vulgo en la transformación de la sensibilidad hispana forma uno de esos factores institucionales que han producido unos efectos duraderos en el nivel psicológico, sin que se haga visible una relación directa entre estos efectos y la idea-fuerza que los ha engendrado. Las herramientas conceptuales que en tiempos recientes los antropólogos culturales han ideado para analizar la dinámica social de determinadas colectividades humanas, pueden ayudarnos a describir con mayor objetividad este papel del vulgo.

El vulgo, en cuanto depositario público de los principios rectores de la institución de la pureza de sangre, llegó a investirse de los atributos del poder y de la moral oficial, de la misma manera en que, en el nivel de las adaptaciones socio-psicológicas dentro de la familia, se va formando y se afirma el Super-ego del hijo por medio de sus interacciones con la autoridad paterna.[27] De este modo, parte del control totalitario que el Estado-Iglesia español tenía sobre la conciencia individual de sus miembros, se ejercía, en el terreno del trato social entre los sexos, por intervención del vulgo. Las múltiples formas que tomó esta intervención tanto como las reacciones que provocaron se han traducido en un conjunto de hábitos y *mores*. Estos *mores* y usos, en cuanto componentes de la cultura, se han interiorizado en la persona.[28] Esto significa algo más que el mero hecho de que las fibras institucionales del principio de la limpieza de sangre iban entretejidas en la urdimbre misma de la vida social. Lo que esto quiere decir es que el individuo no tenía ningún margen de libertad para eludir el control de esta fuerza, ya que este control social se impuso, no desde fuera, sino desde dentro de la personalidad en donde su rigor autoritario se había transformado en una compulsión psíquica a la que el individuo no podía sustraerse sin causar perturbaciones neuróticas en toda la persona. Asistimos aquí a un proceso análogo al que los antropólogos culturales, con

---

[27] Cfr. Abram Kardiner, *The Individual and his Society*, New York, 1939, p. 65.

[28] Talcott Parsons afirma: "not only moral standards, but all the components of the common culture are internalized as part of the personality structure." Véase su artículo, "The Superego and the Theory of Social Systems," *Psychiatry*, XV, no 1 (1952), p. 18.

referencia al papel autoritario desempeñado por la Iglesia en la sociedad medieval, han llamado una *externalization of conscience*.[29]

Esto nos lleva a concluir que el Estado-Iglesia español por un lado y por otro, la institución de la idea de la pureza de sangre han concurrido en la cultura del siglo XVI a reforzar y a mantener esa "exteriorización de la conciencia" la cual tan decisivamente ha repercutido en la formación o más bien, la transformación de la sensibilidad hispana. Frente a esta formidable fuerza en aquella realidad histórica, el área de expansión individual quedó notablemente disminuida. El sentido de la individualidad se afianza en la base de un sentimiento de importancia que el sujeto tiene de sí mismo. Desde esta base segura el individuo lanza sus protestas de autoafirmación y de reivindicación de los tributos sociales que pretende merecer por su valor personal o el heredado de sus padres o por sus propios actos.[30] Pero en la España del siglo XVI estas pretensiones del individuo, las más legítimas tanto como las que lo eran menos o las que eran faltas de todo fundamento real, se hallaban supeditadas todas por igual al control de un sistema de valorización social cuyos criterios eran tan arbitrarios que el sujeto nunca podía estar seguro de si iban a ser públicamente confirmadas o rechazadas estas aspiraciones individuales. Y lo que es más, el mero intento de

---

[29] Cfr. Abram Kardiner, *The Psychological Frontiers of Society*, New York, 1945, p. 440; y Louis Schneider, *The Freudian Psychology and Veblen's Social Theory*, New York, 1948, p. 183. - A primera vista parece que hay algo contradictorio entre esta "externalization of conscience" y el proceso inverso que ha resultado precisamente en una integración sistemática de normas exteriores dentro de la personalidad. Esta contradicción, sin embargo, es sólo aparente, ya que el Super-ego, una vez firmemente establecido su poder, tiende a proyectar de nuevo esta facultad hacia la estructura de poder en el nivel institucional. Con referencia a este proceso, dice Kardiner: "Once this is established, it is easily projected again upon persons of authority, and thus the actual persons in authority are endowed with the characteristics of the subject's super-ego." (*The Individual and his Society*, o. c., p. 65)

[30] Abram Kardiner, *Sex and Morality*, New York, 1954, pp. 37–8.

reclamar una persona reconocimiento oficial para sus méritos individuales en la forma, por ejemplo, de la petición de un hábito de una de las Ordenes Militares, podía ser causa que el sujeto, no sólo se viera denegada esta petición, sino que perdiera además la fama que hasta entonces había tenido, a consecuencia de la investigación acerca de su pureza de sangre, a la que siempre habían de someterse los pretendientes a un hábito militar, en el curso de la cual se descubriera en su linaje la tara infamante de la sangre judía, un defecto que hasta aquel momento pudiera haber pasado inadvertido, incluso para el mismo individuo. El patrón de expectativas sociales estaba sujeto a las fluctuaciones de la opinión del vulgo, tan imprevisibles y caprichosas como el mismo subir y bajar de la rueda de la Fortuna que tantas veces vemos invocada en la cultura literaria del tiempo para dar cuenta de los cambios arbitrarios y súbitos que suelen ocurrir en el destino de los hombres.

El hecho de descansar el sentimiento de la individualidad sobre el suelo movedizo de la opinión pública constituye sin duda un factor que ha tenido un efecto profundamente corrosivo en las interacciones sociales entre los miembros de aquella colectividad humana. En la forma redoblada bajo la cual la exteriorización de la conciencia a que antes aludimos, se hizo sentir en esta época, la promovida por la autoridad de la Iglesia contribuía a reforzar la cohesión social en la misma medida en que la de la institución de la limpieza de sangre tendía a corroerla. Pero la conclusión inevitable que se desprende de las consideraciones anteriores es que las dos formas que hemos destacado en el nivel institucional del Estado-Iglesia español han concurrido ambas a ejercer una acción inhibitoria y debilitante en la personalidad histórica de los agentes y partícipes de aquella realidad humana. Vimos como el auténtico tipo hispano, promovido por la ideología de los letrados, es el hombre impetuoso que vuelca todas sus energías en la aventura bélica. Como ha afirmado Américo Castro, la conquista del Nuevo Mundo es obra de una serie de fuertes personalidades destacadas, de una especie de super-hombres, que han vivido "desviviéndose" en pura acción. Son inmediatos y, como añade significativamente Cervantes, "ultramundanos," los premios de la gloria militar. Pero a faltarle a este tipo humano las oportunidades de acción violenta y heroica, y viéndose forzado de adaptar sus ansias de acción y de autoafirmación al ritmo infinitamente retardado y a las formas de vida problemáticas de una sociedad estancada bajo la presión de irreductibles fuerzas antagónicas, la personalidad de este tipo de hombre "unidimensional" no pudo salir de esas duras pruebas sino muy disminuida y debilitada.

Al proyectar ahora esta visión sobre el mundo celestinesco, vemos como su sentido más profundo y a la vez más universal se cifra en la representación artística de las vicisitudes sufridas por el individuo en su confrontación diaria con las ordalías de su dificultosa adaptación a unas formas de vida que tendían a imposibilitar el desarrollo de su propia personalidad tanto como toda auténtica interacción con el medio ambiente humano. La literatura celestinesca no nos representa la historia de esta frustración como un conflicto en que la intimidad de la persona se sienta asediada por unas fuerzas opresivas que la amenazan desde fuera, sino como proyecciones de conciencias individuales en las que esta estructura de poder ha quedado interiorizada. En estas proyecciones se nos revela la personalidad de las figuras celestinescas. Es una personalidad esencialmente vuelta hacia fuera, que se siente impelida a expresar constantemente su conformidad con los valores normativos contenidos en aquella conciencia "externalizada." Pero aún dentro de su propia intimidad, la persona -como ya se indicó- se sentía sometida al control de estas normas. Por eso, lo que percibimos de la interioridad de los personajes celestinescos son esos sentimientos de desasosiego, de inseguridad, de íntimo malestar, de frustración, de enajenación y de impotencia. Son todas reacciones engendradas por unas fuerzas antagónicas que se oponen dentro de la propia personalidad, y que se manifiestan todas en unas formas impregnadas de una intensa afectividad. Esto explica el tono exclamativo y profundamente nostálgico que es propio de la literatura celestinesca en general y, muy en especial, de la *Comedia Thebaida*. Explica también el carácter marcadamente fragmentario de la enunciación de cualquier sentimiento o idea en esta literatura. Ningún concepto, por ejemplo, de la filosofía naturalista de Celestina, ninguna percepción formulada en estas obras acerca de la realidad política, social o sentimental es perseguida de manera continua y consistente ni en el plano de la comunicación verbal ni en el de la acción. Los personajes celestinescos están afectados de este síncope inhibitorio que suspende reiteradamente el fluir discursivo en el proceso de la exteriorización de su mundo interior.

Mirada a esta luz, la celestinesca nos aparece ahora como una forma de *tragédie humaine* que yo llamaría, sin temor a contradecirme a mí mismo, un drama esencialmente psicológico. El interés más destacado que nos brinda este vasto campo de literatura sentimental-popular consiste en que estas obras constituyen la primera representación literaria de la nueva cultura afectiva que nació en la segunda mitad del siglo XV y se afirmó sobre el rechazo de la cultura de la época pre-isabelina. Pero esta conversión de una cultura laica en otra de signo antitético, la cual se operó en el breve espacio de unas décadas, no es más que el exponente cultural de la transformación trascendental que se produjo en la sensibilidad de los hombres de aquella época. Por eso podemos afirmar que la importancia de la celestinesca desborda el dominio de lo puramente literario. Porque las nuevas formas en que los personajes celestinescos dan a conocer sus reacciones afectivas ante los estímulos del mundo exterior parecen reflejar ciertas tendencias que todavía se manifiestan en las formas de sentir de la gente hispánica de tiempos más modernos. Son unas formas reveladoras de una sensibilidad esencialmente proyectada hacia fuera, inquieta y pronta a moldear los estados de ánimo con arreglo a unas impresiones que tienden a confirmar o a cuestionar la posición vital ocupada por el sujeto dentro de su medio ambiente social; una sensibilidad que, por decirlo así, parece programada con miras a registrar los menores indicios o síntomas de unos cambios de actitud o de comportamiento que puedan afectar positiva o negativamente el sentimiento que el individuo tiene de su propia importancia y del puesto que estima que le corresponde en la jerarquía social dentro de la comunidad.

Si en la actualidad de la vida española se ha desvanecido por completo la potencia de esas temibles ideas-fuerza que impelieron a los moradores del mundo celestinesco, lo mismo que a los que habitaron en el mundo real de esta edad conflictiva, a vivir apartados de la intimidad sosegada de su "puerto interior," parece indudable que los efectos de aquella remota contienda han dejado algo como un sedimento de efervescencia en la sensibilidad hispánica.

Indice Onomastico

274

studia humanitatis

PUBLISHED VOLUMES

Louis Marcello La Favia, *Benvenuto Rambaldi da Imola: Dantista.* xii–188 pp. US $9.25.

John O'Connor, *Balzac's Soluble Fish.* xii–252 pp. US $14.25.

Carlos García, *La desordenada codicia,* edición crítica de Giulio Massano. xii–220 pp. US $11.50.

Everett W. Hesse, *Interpretando la Comedia.* xii–184 pp. US $10.00.

Lewis Kamm, *The Object in Zola's* Rougon-Macquart. xii–160 pp. US $9.25.

Ann Bugliani, *Women and the Feminine Principle in the Works of Paul Claudel.* xii–144 pp. US $9.25.

Charlotte Frankel Gerrard, *Montherlant and Suicide.* xvi–72 pp. US $5.00.

The Two Hesperias. Literary Studies in Honor of Joseph G. Fucilla. Edited by Americo Bugliani. xx–372 pp. US $30.00.

Jean J. Smoot, *A Comparison of Plays by John M. Synge and Federico García Lorca: The Poets and Time.* xiii–220 pp. US $13.00.

Laclos. Critical Approaches to Les Liaisons dangereuses. Ed. Lloyd R. Free. xii–300 pp. US $17.00.

Julia Conaway Bondanella, *Petrarch's Visions and their Renaissance Analogues.* xii–120 pp. US $7.00.

Vincenzo Tripodi, *Studi su Foscolo e Stern.* xii–216 pp. US $13.00.

Genaro J. Pérez, *Formalist Elements in the Novels of Juan Goytisolo.* xii–216 pp. US $12.50.

Sara Maria Adler, *Calvino: The Writer as Fablemaker.* xviii–164 pp. US $11.50.

Lope de Vega, *El amor enamorado,* critical edition of John B. Wooldridge, Jr. xvi–236 pp. US $13.00.

Nancy Dersofi, *Arcadia and the Stage: A Study of the Theater of Angelo Beolco* (called *Ruzante*). xii–180 pp. US $10.00

John A. Frey, *The Aesthetics of the* Rougon-Macquart. xvi–356 pp. US $20.00.

Chester W. Obuchowski, *Mars on Trial: War as Seen by French Writers of the Twentieth Century.* xiv–320 pp. US $20.00.

Jeremy T. Medina, *Spanish Realism: Theory and Practice of a Concept in the Nineteenth Century.* xviii–374 pp. US $17.50.

Mauda Bregoli-Russo, *Boiardo Lirico.* viii–204 pp. US $11.00.

Robert H. Miller, ed. *Sir John Harington: A Supplie or Addicion to the Catalogue of Bishops to the Yeare 1608.* xii–214 pp. US $13.50.

Nicolás E. Álvarez, *La obra literaria de Jorge Mañach.* vii–279 pp. US $13.00.

Mario Aste, *La narrativa di Luigi Pirandello: Dalle novelle al romanzo Uno, Nessuno, e Centomila.* xvi–200 pp. US $11.00.

Mechthild Cranston, *Orion Resurgent: René Char, Poet of Presence.* xxiv–376 pp. US $22.50.

Frank A. Domínguez, *The Medieval Argonautica.* viii–122 pp. US $10.50.

Everett Hesse, *New Perspectives on Comedia Criticism.* xix–174 pp. US $14.00.

Anthony A. Ciccone, *The Comedy of Language: Four Farces by Molière.* xii–144 $12.00.

Antonio Planells, *Cortázar: Metafísica y erotismo.* xvi–220 pp. US $10.00.

Mary Lee Bretz, *La evolución novelística de Pío Baroja.* viii–476 pp. US $22.50.

Romance Literary Studies: Homage to Harvey L. Johnson, ed. Marie A. Wellington and Martha O'Nan. xxxvii–185 pp. US $15.00.

George E. McSpadden, *Don Quijote and the Spanish Prologues,* volume I. vi–114 pp. US $17.00.

Studies in Honor of Gerald E. Wade, edited by Sylvia Bowman, Bruno M. Damiani, Janet W. Díaz, E. Michael Gerli, Everett Hesse, John E. Keller, Luis Leal and Russell P. Sebold. xii–244 pp. US $20.00.

LOIS ANN RUSSELL, *Robert Challe: A Utopian Voice in the Early Enlightenment.* xiii–164 pp. US $12.50.

CRAIG WALLACE BARROW, *Montage in James Joyce's* ULYSSES. xiii–218 pp. US $16.50.

MARIA ELISA CIAVARELLI, *La fuerza de la sangre en la literatura del Siglo de Oro.* xii–274 pp. US $17.00.

JUAN MARÍA COROMINAS, *Castiglione y La Araucana: Estudio de una Influencia.* viii–139 pp. US $14.00.

KENNETH BROWN, *Anastasio Pantaleón de Ribera (1600–1629) Ingenioso Miembro de la República Literaria Española.* xix–420 pp. US $18.50.

JOHN STEVEN GEARY, *Formulaic Diction in the* Poema de Fernán González *and the* Mocedades de Rodrigo. xv–180 pp. US $15.50.

HARRIET K. GREIF, *Historia de nacimientos: The Poetry of Emilio Prados.* xi–399 pp. US $18.00.

El cancionero del Bachiller Jhoan López, edición crítica de Rosalind Gabin. lvi–362 pp. US $30.00

VICTOR STRANDBERG, *Religious Psychology in American Literature.* xi–237 pp. US $17.50

M. AMELIA KLENKE, O.P., *Chrétien de Troyes and "Le Conte del Graal": A Study of Sources and Symbolism.* xvii–88 pp. US $11.50

MARINA SCORDILIS BROWNLEE, *The Poetics of Literary Theory: Lope de Vega's* Novelas a Marcia Leonarda *and Their Cervantine Context.* x–182 pp. US $16.50

NATALIE NESBITT WOODLAND, *The Satirical Edge of Truth in "The Ring and the Book."* ix–166 pp. US $17.00

JOSEPH BARBARINO, *The Latin Intervocalic Stops: A Quantitative and Comparative Study.* xi–153 pp. US $16.50

EVERETT W. HESSE, *Essays on Spanish Letters of the Golden Age.* xii–208 pp. US $16.50

SANDRA GERHARD, Don Quijote *and the Shelton Translation: A Stylistic Analysis.* viii–166 pp. US $16.00.

VALERIE D. GREENBERG, *Literature and Sensibilities in the Weimar Era: Short Stories in the "Neue Rundschau."* Preface by Eugene H. Falk. xiii–289 pp. US $18.00.

ANDREA PERRUCCI, *Shepherds' Song (La Cantata dei Pastori).* English version by Miriam and Nello D'Aponte. xix–80 pp. US $11.50

MARY JO MURATORE, *The Evolution of the Cornelian Heroine.* v–153 pp. US $17.50.

FERNANDO RIELO, *Teoría del Quijote.* xix–201 pp. US $17.00.

GALEOTTO DEL CARRETTO, *Li sei contenti e La Sofonisba,* edizione e commento di Mauda Bregoli Russo. viii–256 pp. US $16.50.

BIRUTÉ CIPLIJAUSKAITÉ, *Los noventayochistas y la historia.* vii–213 pp. US $16.00.

EDITH TOEGEL, *Emily Dickinson and Annette von Droste-Hülshoff: Poets as Women.* vii–109 pp. US $11.50

DENNIS M. KRATZ, *Mocking Epic.* xv–171 pp. US $12.50

EVERETT W. HESSE. *Theology, Sex and the Comedia and Other Essays.* xvii–129 pp. US $14.50

HELÍ HERNÁNDEZ, *Antecedentes italianos de la novela picaresca española: estudio lingüístico-literario.* x–155 pp. US $14.50

ANTONY VON BEYSTERVELDT, *Amadís, Esplanadián, Calisto: historia de un linaje adulterado.* xv–276 pp. US $24.50.

FORTHCOMING PUBLICATIONS

HELMUT HATZFELD, *Essais sur la littérature flamboyante.*

NANCY D'ANTUONO, *Boccaccio's novelle in Lope's theatre.*

Novelistas femeninas de la postguerra española, ed. Janet W. Díaz.

La Discontenta and La Pythia, edition with introduction and notes by Nicholas A. De Mara.

PERO LÓPEZ DE AYALA, *Crónica del Rey Don Pedro I,* edición crítica de Heanon y Constance Wilkins.

ALBERT H. LE MAY, *The Experimental Verse Theater of Valle-Inclán.*

CALDERÓN DE LA BARCA, *The Prodigal Magician,* translated and edited by Bruce W. Wardropper.

JAMES DONALD FOGELQUIST, *El Amadís y el género de la historia fingida.*

ALONSO ORTIZ, *Diálogo sobre la educación del Príncipe Don Juan, hijo de los Reyes Católicos.* Introducción y versión de Giovanni Maria Bertini.

EGLA MORALES BLOUIN, *El ciervo y la fuente: mito y folklore del agua en la lírica tradicional.*

Red Flags, Black Flags: Critical Essays on the Literature of the Spanish Civil War. Ed. John Beals Romeiser.

RAQUEL CHANG-RODRÍGUEZ, *Violencia y subversión en la prosa colonial hispanoamericana.*

ALONSO ORTIZ, *Diálogo sobre la educación del Príncipe Don Juan, hijo de los Reyes Católicos.* Introducción y versión de Giovanni Maria Bertini.

EGLA MORALES BLOUIN, *El ciervo y la fuente: mito y folklore del agua en la lírica tradicional.*

GALEOTTO DEL CARRETTO, *Li si contenti e La Sofonisba,* edizione e commento di Mauda Bregoli Russo.

DARLENE J. SADLIER, *Cecília Meireles: Imagery in "Mar Absoluto."*

ROUBEN C. CHOLAKIAN, *The "Moi" in the Middle Distance: A Study of the Narrative Voice in Rabelais.*

DAVID C. LEONARD AND SARA M. PUTZELL, *Perspectives on Nineteenth-Century Heroism: Essays from the 1981 Conference of the Southeastern Studies Association.*